D1319864

Le Code Noir

Louis

Sala-Molins

Le Code Noir

ou le calvaire de Canaan

QUADRIGE

PUF

DU MÊME AUTEUR

Lulle. Arbre de philosophie d'amour. Livre de l'ami et de l'aimé, Aubier-Montaigne, 1967.
Nicolau Eymerich. Le Manuel des Inquisiteurs, Mouton, 1973 ; Albin Michel, 2001.
La philosophie de l'amour chez Raymond Lulle, préface de Vladimir Jankélévitch, Mouton, 1974.
Amérique latine : philosophie de la conquête (Silvio Zavala), Mouton, 1977.
La loi, de quel droit ?, Flammarion, 1977.
Le dictionnaire des inquisiteurs. Valence, 1494, Galilée, 1981.
Raimundi Lulli Opera latina in Montepessulano composita anno MCCCIV, Turnhout (Belgique), 1982.
Herder, Encara una filosofia de la història, Laia (Barcelona), 1983.
Sodoma. A l'alba de la filosofia del dret, Edicions 62 (Barcelona), 1984.
Eimeric. Court traité, Millon, 1986.
De rege. De libertate. Del rei. De la llibertat, Paris-Barcelone, Mouflon, 1988.
Sodome. Exergue à la philosophie du droit, Paris, Albin Michel, 1991.
Les misères des Lumières. Sous la raison, l'outrage, Paris, Robert Laffont, 1992 [épuisé] ; réédition corrigée, augmentée, Paris, Homnisphères, 2008.
L'Afrique aux Amériques. Le Code noir espagnol, Paris, PUF, 1992.
Le livre rouge de Yahvé, Paris, La Dispute, 2004.
Esclavage Réparation. Les lumières des capucins et les lueurs des pharisiens, Paris, Lignes, 2014.

EN COLLABORATION

Écrits pour Jankélévitch, Flammarion, 1978.
Platon et Aristote à la Renaissance, Vrin, 1978.
Histoire des idéologies, Hachette, 1978.
Douze leçons de philosophie, La Découverte / Le Monde, 1985.
Saint Augustin, Paris, Dossiers H, L'Âge d'homme, 1988.
Ramon Llull. Dues lectures, Barcelone, 1990.
La tolérance, Paris, Seuil, 1991.
1492. Le choc de deux mondes, Genève, La Différence, 1993.
Résister, Paris, Seuil, 1994.
Violence et politique (Cerisy, 1994), Paris, Hazan, 1995.
La République des jeunes, Paris, FFMJC, 1996.
Déraison, esclavage et droit, Paris, Unesco, 2002.

ISBN 978-2-13-081332-3
ISSN 0291-0489

Dépôt légal — 1re édition : 1987
6e édition « Quadrige » : 2018, novembre

« Pratiques théoriques »
170 bis, boulevard du Montparnasse, 75014 Paris

SOMMAIRE

Prologue à la 13e édition VII

Prélude à la 12e édition XI

Préface à la 1re édition « Quadrige » XXI

Avant-propos à la 7e édition « Pratiques théoriques » XXIX

Introduction 1

Repères chronologiques 7

PREMIÈRE PARTIE

LE CODE NOIR
À LA LUMIÈRE DES PRÉJUGÉS

1. La malédiction liminaire 14
2. Des hommes ? Des bêtes ? 19
3. Des bêtes d'avant les hommes. Des hommes bestialisés ... 24
4. Les théologiens : blanco-biblisme et monogenèse, corruption morale et laideur physique 29
5. Les philosophes : polygenèse, couleurs, esclavage naturel et blanco-biblisme 35
6. Unité n'est pas égalité. De quelle couleur l'âme des Noirs ? 43
7. Sauvons-les. Par la traite au Paradis 53
8. Le Code Noir 66
9. La mémoire et l'oubli. Justification d'une réédition 73

DEUXIÈME PARTIE

LE CODE NOIR

Texte et commentaires

1. Préambule 84
2. Le catholicisme, religion unique et obligatoire pour les esclaves (art. 1-7) 86

3. Le concubinage, le mariage et leurs effets civils sur les esclaves (art. 8-13) 100
4. Inhumation des esclaves (art. 14) 112
5. L'esclavage au quotidien : réglementation des allées et venues (art. 15-21) 114
6. L'esclavage au quotidien : nourriture et habillement des esclaves (art. 22-27) 128
7. Incapacité de l'esclave à la propriété (art. 28-29) 140
8. Incapacité juridique de l'esclave (art. 30-31) 144
9. Responsabilité pénale de l'esclave (art. 32-37) 148
10. Délit de fuite et de recel (art. 38-39) 160
11. La justice et le maître face aux esclaves (art. 40-43) 164
12. L'esclave en tant que marchandise (art. 44-54) 172
13. L'affranchissement et ses conséquences (art. 55-59) 186
14. Conclusion (art. 60) 196

TROISIÈME PARTIE

LE CODE NOIR À L'OMBRE DES LUMIÈRES

1. La parole aux esclaves. More Lack, Cugoano 200
2. Les mirages de la liberté. La « loi du retour » 206
3. Les élégances de Montesquieu 215
4. Rousseau, ineffable esclavage 231
5. Raynal et les autres : un autre langage pour d'autres Noirs ? 248
6. Les subtilités des « Amis des Noirs » 255
7. Épilogue. De Napoléon à Schoelcher 268

BIBLIOGRAPHIE 275

INDEX DES NOMS PROPRES 283

Ce qu'écrivaient deux capucins en… 1681

Prologue à la 13e édition

Édit royal promulgué en 1685 pour « régler ce qui concerne l'état et la qualité des esclaves », maintes fois amendé et endurci, abrogé en 1848, *Code Noir* est le nom de ce document incontournable pour tous ceux — militants, politiques, écrivains, simples citoyens — qui s'intéressent à la mémoire et à l'histoire de la traite négrière de signe français ou, plus généralement, à l'histoire de la France et de son rayonnement dans le monde : chapitre fondamental au beau milieu du roman national parce que « liminaire » de celui de ses prestigieux impacts outre-mer.

Depuis une dizaine d'années, ce monstre est présenté de plus en plus fréquemment par certains historiens comme un texte juridique dont il est urgent de souligner avec force les douces positivités, et salutaire de négliger avec talent les barbares cruautés. Cruautés banales et insignifiantes en réalité à la seule, anodine, primaire condition de les renvoyer toutes et chacune aux pratiques judiciaires de son temps. Et, dans la foulée, à la littéralité du droit romain, auquel on remonte allègrement, car il faut bien greffer à quelques vieilles lois la toute nouvelle et pimpante légalisation de l'esclavage pour la rédimer de son péché originel. Comme s'il fallait préserver coûte que coûte le roman national de tout arrangement qui, tripatouillant l'un de ses chapitres, en interromprait et malmènerait le charme constant.

En trois mots et trois temps, les historiens zélateurs de la positivité du Code Noir argumentent d'angélique et hégélienne façon : historiquement explicable, la mise en esclavage à l'époque moderne fut une réalité ; juridiquement compréhensible, la couronne lui donna légalité réifiant en droit la relation roi-maître-esclave ; humainement supportable, par centaines de milliers des esclaves la vécurent, et survécurent.

Conclusion ? Rien de tout cela ne contournant la raison, il revient à la froide objectivité et à la constante neutralité des historiens d'en exposer les tenants et aboutissants. Ils s'y emploient. Ils rappellent la réalité de tant et tant de pratiques des maîtres dépassant en barbarie telles et telles cruautés programmées et légitimées par la loi. Sans souligner qu'aucune d'elles ne déborde ni n'égale cette sauvagerie absolue, dont le seul énoncé pétrifie l'entendement : la légalisation de l'esclavage par achat et par naissance. Sous l'éclat du Roi Soleil. En triomphante modernité.

Leur en fait-on la remarque ? Ils l'éludent et disculpent Louis XIV et Colbert en rappelant que la loi française n'en fut point affectée, car le droit portant l'esclavage des Noirs était dérogatoire. Mais qui donne à la dérogation force de loi : le pape ? les martiens ? le grand Moghol ? Admirable objectivité. Sereine neutralité.

Objectivité et neutralité sont pareillement convoquées pour aborder le débat actuel autour de l'exigence de réparations, essentiellement et juridiquement liées à la réalité historique de la traite et de l'esclavage des Noirs, qualifiés récemment par loi de « crime contre l'humanité ».

Criminaliser aujourd'hui, selon des critères moraux et des attendus juridiques et politiques hérités des Lumières (et, faisons du zèle, du Code Napoléon), des pratiques autrefois parfaitement tolérées parce qu'en accord total avec les exigences morales et les attendus juridiques et politiques d'antan : faute intolérable d'anachronisme, pérorent des savants et pontifient des académiciens, frimant d'oser vilipender avec ces ergoteries la lettre et l'esprit de la loi rappelée à l'instant.

Historiens guindés dans leur pure neutralité, juristes attifés de leur proverbiale équanimité, académiciens accoutrés de talent, jettent constamment l'accusation d'anachronisme impertinent à la face de ceux qui, légion en France et ailleurs, ne veulent plus parler de la traite et de l'esclavage des Noirs sans leur associer l'exigence de réparations.

Réparations de quoi, pour qui ? La glorieuse et éphémère IIe République résolvait la question à jamais en indemnisant avec du bel argent sonnant et trébuchant les esclavagistes dépossédés de leurs esclaves. Affaire conclue pour les maîtres. Et pour les esclaves ? Les dams de l'esclavage sont réparés à jamais par l'octroi de la liberté. Vous étiez esclaves, vous voilà libres. Vous étiez des biens meubles — outils, sommes d'argent, bêtes de somme —, vous voilà citoyens. Point final, joliment encerclé d'un mot d'ordre péremptoire : oubliez l'esclavage, oubliez le Code Noir.

Toute autre approche de cette question définitivement réglée résulterait donc de l'anachronisme le plus grossier. Toute autre revendication négligeant cet exploit juridique et républicain de 1848 ne serait que manipulation grotesque et projection irrecevable, des siècles en amont, de l'ampleur et la profondeur des notions de *culpabilité* ou de *victime* telles qu'actuellement nous savons les dégager, nous, de l'admirable prodigalité d'esprit des Lumières. Des Lumières et de nulle part et nulle saison ailleurs…

Réparations ? Qu'on cesse de nous déranger, plaident tribunaux et académies, en soulevant une question que personne n'avait posée lorsqu'il en était temps.

Au temps de l'esclavage, justement.

Personne ?

Passons sur les débats interminables entre théologiens jurisconsultes — espagnols notamment, mais pas seulement — dès le XVIe siècle sur la licité ou non du commerce esclavagiste, sur la possible ou impossible gestion moralement acceptable de ce commerce. Débats qui, deux siècles durant et davantage, s'effilochent toujours dans une casuistique légitimant en fin de compte et ce trafic et ses épouvantables conséquences.

1681. Quatre ans avant rédaction, signature et promulgation du Code Noir, deux capucins, un Aragonais et un Jurassien, l'espagnol dans un mémoire intitulé *Conclusions sur la liberté des Noirs et de leurs ascendants autrefois païens et désormais chrétiens*, le français dans un traité intitulé *Esclaves libres, ou Défense juridique de la liberté naturelle des esclaves*, osent démolir des combles aux fondations, pierre après pierre, en s'appuyant exclusivement sur le droit, la prétendue légalité de toute l'entreprise esclavagiste. L'un et l'autre ont été aux Îles espagnoles et françaises à esclaves, ont vu et vécu l'horreur absolue de l'esclavage au quotidien, dont ils campent une fresque terrifiante. Ils y ont anathématisé les maîtres et prêché la révolte aux esclaves. On les a renvoyés à leurs couvents en Europe. On prétendait les bâillonner : peine perdue. Clercs, ils en appellent à Rome et réussissent à se faire entendre à la cour papale.

Les déduisant des contenus de tous les droits, qu'ils énumèrent — « droit divin, droit divin positif, droit civil, droit canon, droit des gens » —, l'un et l'autre parviennent aux conclusions suivantes :

- quels qu'aient été les moyens et les circonstances de leur capture et monnayage en Afrique, les Noirs déportés ne sont pas des esclaves, mais des hommes et des femmes libres ;
- la liberté doit leur être rendue sur le champ ;
- adultes, on ne peut les forcer au baptême ;
- totalement illégaux, le commerce de chair humaine et la pratique de la mise en esclavage de ces hommes naturellement libres doivent cesser sans le moindre délai ;
- les souffrances endurées pendant la traversée de l'Atlantique et en esclavage aux Îles doivent être réparées ;
- nul ne naît esclave ;
- le travail de chaque Noir doit être payé à son juste prix ;

– rémunération du travail et réparation totale et immédiate pour les dams — déportation, perte de la liberté, viols, mutilations, tortures — sont dues aux vivants et, en qualité d'ayants-droit, aux descendants des décédés sans limite ni dans le temps, ni dans le nombre de générations.

Incroyable et vrai : le Vatican approuve. Mais ne persévère pas, et il oublie…

« Je dirai les droits de l'homme », écrit Francisco José de Jaca dans son mémoire ; « Je montrerai la lumière de la raison », écrit Épiphane de Moirans dans son traité.

La tête encore pleine du bruit des chaînes et du sifflement des fouets, ils parlent de « réparations » imposées par la pérennité du droit. Et ils ont le front d'invoquer « droits de l'homme » et « lumière de la raison » au crépuscule du XVIIe siècle… bien avant que l'aurore des Lumières n'ait inventé, édictent nos manuels, ces notions qui finiront un jour, bien plus tard, par nicher au cœur de la philosophie et du droit. Peut-on imaginer anachronisme plus obtus ? En pleine tragédie esclavagiste, certes. Mais avant l'avènement des Lumières. Absurde.

Rendons-nous à l'évidence. Ayant raison de dénoncer le non-sens absolu de l'exigence de réparations, pourquoi donc académiciens, juristes et savants d'aujourd'hui n'en auraient-ils pas d'ironiser sur pareille capucinade, si d'aventure ils l'évoquaient dans l'élégante subtilité de leurs raisonnements ?

Ils n'en soufflent mot. Le désordre avéré des faits ne saurait ni démentir le bel ordre d'une certaine vision de l'Histoire, ni affadir le clinquant du roman national.

L. S.-M.

Et si je mens…

Prélude à la 12e édition

> *« Déclarons les esclaves être meubles. »*
>
> Article 44 du Code Noir en vigueur avant, pendant et après les Lumières, de Louis XIV à l'orée de la IIe République, avec une parenthèse de 1794 à 1802.

> *« Nos colonies des îles Antilles sont admirables. »*
>
> Montesquieu, à l'aube des Lumières.

> *« L'humanité atteint sa plus grande perfection dans la race des Blancs. Les Indiens jaunes ont déjà moins de talent. Les Nègres sont situés bien plus bas. »*
>
> Kant, au zénith des Lumières.

Un quart de siècle déjà, de la première édition en 1986 à la douzième* en 2012. Il est grand temps, me conjure-t-on, d'avouer la gravité de mes forfaits et de demander pardon à tous et à chacun des lecteurs du *Code Noir ou le calvaire de Canaan* de les avoir misérablement trompés en leur racontant n'importe quoi sur les grands des Lumières sous prétexte de remettre au grand jour un document juridique longtemps tapi dans l'ombre, allez savoir pourquoi.

> À l'aube des Lumières, Montesquieu condamne à grandes clameurs la traite négrière et l'esclavage des Noirs. Rousseau en fait autant dans la solennité d'un silence magistralement méprisant. Buffon produit un beau nuancier des couleurs des gens sans aucunement hiérarchiser en même temps raison, beauté, humanité. En masse, les Encyclopédistes

* Sept éditions dans la collection « Pratiques théoriques », suivies de cinq, dont la présente, en « Quadrige » puis « Quadrige Grands Textes ».

> ne tolèrent pas la tragédie des Noirs aux colonies. Diderot et Raynal ne louvoient jamais dans leurs exigences abolitionnistes. Condorcet exige l'abolition, sans tarder, de l'esclavage.

Voilà quelques versets d'une singulière vulgate.

J'ai écrit tout le contraire. Mensonges ? Pire : affirmations scandaleusement pétulantes résumant mon incapacité à lire les grands des Lumières, à comprendre quoi que ce soit à leurs philosophies, à saisir les lignes maîtresses du tramé de leurs constructions théoriques, toutes et chacune ayant un but et un seul : dire la grandeur de l'homme, l'évidence de ses droits, la valeur universelle de sa définition.

J'écrivais bien imprudemment dans l'« Avant-propos » à la septième édition :

> Le jour où on me démontrera, textes en main et le tri bien fait entre imprécations inopérantes et interventions nettes, que les très grands de la pensée française du XVIIIe siècle exigent, à l'heure du bilan et des propositions pratiques, l'arrêt définitif et dans l'urgence de l'esclavage des Noirs dans les îles, ce jour-là je ferai amende honorable ; ce jour-là, dépoitraillé et une poignée de cendres sur la caboche, je rejoindrai le chœur qui chante sans trêve le dithyrambe de ces nobles libérateurs de la blanchitude, pitoyables esthètes du compromis pour la négritude.

Il m'a fallu du temps. Mais, à lire les diatribes dont ma présentation du Code Noir est l'objet de la part d'historiens sérieux, il semble bien que le jour soit arrivé de tenir parole, d'observer comme promis le rite pénitentiel et de fondre ma petite voix dans le chœur dithyrambique.

Et pourtant. En 2009, Catherine Coquery-Vidrovitch évoque la tenue, l'an 1985, à l'Université de Nantes, « d'un colloque mémorable sur l'histoire de la traite atlantique. Ce fut un événement considéré alors comme exceptionnel et resté longtemps comme tel, de même que la publication en 1987 du *Code Noir,* dont l'auteur, Louis Sala-Molins, fut critiqué pour sa virulence : il n'empêche, il exhuma un texte fondamental »[1]. Et l'auteure, qui dénonce le désintérêt général, à de très rares exceptions près, des historiens de chez nous pour l'histoire de la traite et de l'esclavage des Noirs, ne semble trouver rien à redire à cette « virulence », qu'elle se limite à constater. Mais, risquera-t-on, quelle est en ce domaine l'autorité de l'historienne Coquery-Vidrovitch ?

1. *Enjeux politiques de l'histoire coloniale*, Marseille, Agone, 2009, p. 70-71. On corrigera deux distractions de l'auteur dans ce passage, où il convient de lire « 1685 » à la place de « 1785 », et « Paris » à la place de « Toulouse ».

Et pourtant. S'interrogeant sur les charmes vénéneux du racisme, déjà bien avant que le mot ne vînt qualifier la chose, Jacques Derrida ose écrire en 2001 que « les plus glorieux et les plus incontestés des illustres Lumières nous apparaissent sous un jour plus cruel, c'est-à-dire nus à l'ombre de leur tentation esclavagiste. Qu'on lise dans le sillage du *Code Noir* de Louis Sala-Molins quelques terribles pages sur Voltaire, Rousseau, Condorcet, etc. »[2]. Troublant constat, téméraire suggestion, étrange invitation ; mais combien compréhensibles venant de quelqu'un dont l'autorité en philosophie et en son histoire est aussi nulle qu'en histoire de la traite et de l'esclavage celle de l'historienne citée à l'instant…

D'autres historiens, d'autres philosophes renchérissent sur les « zones d'ombre » des *« Aveuglantes Lumières »*, pour parler comme Régis Debray. Et si l'on m'accuse de « solliciter les textes et les témoignages », comme le relève Daniel Lindberg et c'est joliment dit[3] en renvoyant à Ehrard, on semble oublier (car on ne saurait l'ignorer) que bien d'autres avant moi, nombreux et pas sots, avec plus d'onction académique, beaucoup plus d'autorité et probablement guère moins de « virulence », se sont demandé de quel « homme » parlaient les Lumières aux temps bénis de la traite et de l'esclavage, qui étaient aussi les leurs. Je ne m'attarderai pas sur les brocards dont quelques touche-à-tout, genre Bruckner ou Chandernagor entre autres, célébrés par les médias, négligés par les chercheurs consciencieux, gratifient mes écrits sur les codifications de l'esclavage moderne. Mais le sérieux m'oblige à réagir aux admonestations de Georges Benrekassa[4] et de Jean Ehrard[5], qui, de toute évidence, ont réellement peiné pour faire le ménage dans mon approche des grands des Lumières.

Pour l'un et l'autre, j'aurais une exigence d'« absolu », que je plaquerais sur tous les philosophes des Lumières, abordés comme un tout atemporel en ignorant leurs évolutions au cours du siècle, sans distinction aucune du début à la fin, de Montesquieu à Kant. Avec pareil témoin en main, tout discours est boiteux, toute proposition insuffisante, toute pondération dénonciatrice de vacuité. Bien évidemment. Beau procès, belle gesticulation en l'air, car telle n'est pas ma position. L'« absolu » est l'affaire des théologiens et des dogmatistes, ensoutanés ou pas : je ne suis pas de leurs

2. Jacques Derrida, *La forme et la façon*, préface à Alain David, *Racisme et antisémitisme. Essai de philosophie sur l'avenir des concepts*, Paris, Ellipses, 201, p. 22 et 281.
3. Daniel Lindberg, *Le procès des Lumières. Essai sur la mondialisation des idées*, Paris, Seuil, 2009, p. 248.
4. Georges Benrekassa, « À propos d'une réédition : Montesquieu, les Lumières et l'esclavage », in *Revue Montesquieu*, n° 6, 2002, p. 265-277.
5. Jean Ehrard, *Lumières et esclavage. L'esclavage colonial et l'opinion publique en France au XVIIIe siècle*, Bruxelles, André Versaille, 2008.

confréries. Ma position ? En histoire des idées comme en histoire tout court la prétention d'objectivité pure étant irrecevable, j'avoue une fois de plus ma relativité de lecteur et de chercheur : j'essaye de lire toute cette tragédie en me glissant, autant que je le peux, non dans l'épiderme lisse et pommadé du penseur parisien, ou genevois ou bordelais ou d'où qu'il soit, mais dans la peau écorchée par le fouet et le corps mutilé de l'esclave noir aux Îles. Ce qui, sans me permettre de dire n'importe quoi ni de tricher avec mes lectures dont le choix m'appartient, m'autorise à relever l'insupportable, chaque fois qu'il éreinte la prosodie d'une réflexion parfaitement maîtrisée. Jacques Derrida emprunte à Alain David — et s'approprie — la question pertinemment incontournable pour celui qui, habité par la volonté de comprendre, approche la pensée des Lumières tout au long de sa durée : « quel est l'Homme des Droits de l'homme ? »[6]. C'est la question que j'ai objectivement et subjectivement le droit, sinon le devoir, de poser à Montesquieu et aux autres, jusqu'à Kant, Kant compris. De toute évidence, « l'Homme des Droits de l'homme » n'est pas l'esclave noir. Ce n'est pas davantage le Noir que la loi générale, dans la foulée de celle du commerce — ou à l'envers, comme il plaira à chacun de l'envisager —, destine tout « naturellement » à l'entaille des chaînes, à la morsure du fouet, à l'ombre brûlante du masque de fer, au tranchant du coutelas, à la corde du bourreau. Non, ce n'est pas le Noir, esclave déjà… ou pas encore. Lui, il n'est pas encore, loin de là, de cette humanité accomplie à la Linné, à la Buffon, dont cette glorieuse période conquiert, théorise, proclame l'indépassable dignité et désire l'immédiate libération.

L'un et l'autre se gaussent de ma grossièreté mentale dont ils fournissent la preuve : je lirais à plat le chapitre 5 du livre XV de *De l'esprit des lois* (« Si j'avais à soutenir le droit que nous avons eu de rendre les nègres esclaves […] de la miséricorde et de la pitié »). Standard unique, ce chapitre traditionnellement ânonné aux écoliers, aux lycéens, aux étudiants, systématiquement isolé de tout ce livre XV où il est écrit avec abondance de détails ce qu'il convient de faire pour bien *tenir les Nègres* et gérer au mieux leur esclavage sans mettre en danger la précieuse moralité des maîtres. Non. Ma bêtise a des limites. Qu'on lise ici même, pages 218-219, ce que je dis de cette célèbre tirade et on constatera que mon esprit ne répugne pas à s'alléger de sa lourdeur par l'aérien de quelque nuance.

6. Voir *supra*, n. 2, p. XIII, et p. 281. Remarquable, dans cet ouvrage, l'Appendice I, intitulé « Les Nègres », p. 279-293, déjà paru in *Lignes*, n° 12, décembre 1990.

« Nos colonies des îles Antilles sont admirables », lit-on au chapitre 21 du livre XXI, où l'on constate, sans plus, que pour en tirer profit et en bien commercialiser les richesses, « la navigation d'Afrique devint nécessaire ; elle fournissait des hommes pour le travail des mines et des terres d'Amérique ». Serait-ce de l'ironie ? Juste après les passages de ce chapitre déclinant l'admiration de notre façon de faire là-bas — aucune allusion à la vie de ces « hommes » en esclavage, tout a déjà été dit au livre XV — et de l'exemplarité de notre commerce auquel il n'est rien objecté, le chapitre suivant est consacré à une descente en flammes du commerce de l'Espagne avec ses colonies de là-bas, où tout est fait en dépit du bon sens dans l'exploitation des sols et des sous-sols. Et pour finir ce livre XXI, l'initiateur des Lumières se demande, chapitre 23 et dernier, s'il serait bien sage, tout compte fait, d'y revoir le fonctionnement des choses au risque, voulant mieux faire, de mettre en péril « la sûreté des Indes » en négligeant « les dangers d'un grand changement ». Cette « sûreté » à maintenir, ce « grand changement » si dangereux n'auraient-ils pas, par hasard, quelque rapport avec l'exploitation à mort de la main-d'œuvre noire ? Mais peut-être Monsieur le Baron ironise-t-il et mon esprit obtus ne s'en est point aperçu…

Pour Benrekassa et pour Ehrard, j'aurais par ailleurs inventé de toutes pièces la légende des compromissions (majeures ou mineures, épisodiques ou constantes : ici, c'est le principe qui compte, pas la minceur ou l'épaisseur du « temporel ») de Diderot-Raynal ou de Voltaire, ou encore de Montesquieu avec l'argent de la traite ou les « aumôneries » de Versailles. Précis, Ehrard donne les références utiles et argumente qu'il n'y a pas là de quoi fouetter un chat. Libre à chacun de pondérer comme bon lui semble. Relevant quelques menus arrangements monétaires, je traite Montesquieu de « négrier ». Le qualificatif passe mal. Je le risque, m'en explique[7], le maintiens et en rajoute : n'eût-il encaissé la moindre pistole et quoi qu'il ait écrit ailleurs, les derniers chapitres du livre XV de *De l'esprit des lois* légitiment suffisamment l'épithète.

Par ailleurs, sauf comique involontaire, je ne dois pas demander des comptes aux philosophes des Lumières d'avoir abondamment tergiversé pour mener l'humanité belle, sage, blanche, accomplie d'ici à la révolte et, du même train, tenir dans la résignation et la désespérante espérance l'humanité laide, stupide, en devenir, noire de là-bas. Je ne dois pas collationner les ardeurs très sincèrement compatissantes et moralisatrices

7. Louis Sala-Molins, *Les misères des Lumières. Sous la Raison l'outrage*, Paris, Robert Laffont, 1992 [épuisé] ; réédition corrigée et augmentée, Paris, Homnisphères, 2008, p. 85.

des uns avec la hardiesse des calculs monétaires des physiocrates dont il résulte mathématiquement que, là-bas, le travail salarié serait plus rentable que l'exploitation esclavagiste, pour m'offrir l'impudeur de suggérer sans l'écrire (parce que ça ne se fait pas, et pourtant ça a été fait maintes fois) qu'il fut, enfin !, de bon ton d'aller dire aux exploiteurs des esclaves noirs « ôtez donc leurs chaînes à vos Nègres et donnez-leur un salaire : ce sera gagnant-gagnant ». Lisant les très grands des Lumières, non bêtement comme je l'ai fait et sans aucun respect pour la *consecutio temporum*, mais en respectant scrupuleusement l'ordre chronologique des grands textes, je devrais souligner tout ce que leur doit « l'Homme des Droits de l'homme » — c'est immense, c'est gigantesque et, contrairement à ce qu'on m'objecte souvent, je n'ai jamais commis l'extravagance de le contester — et survoler, en regardant ailleurs, les mots, les phrases, les chapitres qui cadenassent négligemment parfois, sciemment souvent, le Noir des Antilles, de la Louisiane, des îles Bourbon à sa juridique condition d'humain dégénéré mais perfectible au mieux, de brute bipède ou d'objet au pire. À ce compte-là, j'aurais mieux employé mon temps à faire des réussites et inventer des charades plutôt qu'à étudier le Code Noir, ce texte infâme totalement bâti sur les combinaisons multiples mais univoques de deux mots, « *esclavage* et *droit* ». Sans que Rousseau s'en soit alerté. (Oh, pardon ! Sans que Rousseau ait trouvé le temps et l'espace, dans son œuvre immense, de lui consacrer une demi-ligne. Cette parenthèse pour parer aux critiques de ceux, nombreux, qui ont osé, à ce propos, me jeter à la face la non-valeur, pour cet homme et ce code, de l'*argumentum a silentio*. Chat échaudé…)

L'ordre chronologique donc, insiste Ehrard, puisqu'il convient de lire ce courant de pensée comme un mouvement, tout justement, qui commence petitement et se membre et se structure et s'innerve et se solidifie et se clarifie chemin faisant. Mille fois vraie cette évidence. Telle rudesse des débuts s'affine avec les années et devient finesse, ou s'affadit et disparaît du tableau avant la fin : c'est dans la nature des choses, j'en conviens avec tout le monde. Et on conviendra sans doute avec moi qu'il est aussi dans la nature des choses que des constructions idéologiques s'affinent au fil du temps, tout en charriant dans leurs maillages conceptuels des scories ne pouvant pas, par définition, mortes qu'elles sont, se régénérer au souffle vital qui les trimballe. Et si tel était le cas pour l'image du Nègre (parlons comme ils en parlent) du début jusqu'à la fin de la période des Lumières, de Montesquieu à Kant, l'un et l'autre compris ? Allons-y voir.

Je n'ai pas besoin de Benrekassa pour savoir ce que nous devons à l'auteur des trois *Critique*. Par pure bonté d'âme, je ne veux pas le soupçonner d'imaginer que j'aie pu occuper pendant la plus longue période de ma carrière une chaire de philosophie politique à la Sorbonne (Paris I) sans fréquenter assidûment l'auteur de *Qu'est-ce que les Lumières ?*. Il me fait pourtant la leçon le long d'une longue tirade amorcée comme ceci : « Peut-on ignorer que Kant (qui a tenu sur les Africains des propos qu'on n'oserait reproduire) est à la base d'un renversement de perspectives essentiel pour l'anthropologie moderne. »[8] Non, on ne peut pas l'ignorer et je ne l'ignore point. Mais, fort de ma relativité franchement avouée et sans avoir à déranger aucun « absolu », je retiens, aussi, les propos « qu'on n'oserait reproduire » du grand homme sur les Africains et quelques autres, et en reproduis ici un petit florilège pour les lecteurs du Code Noir qui les ignoreraient :

> Dans les pays chauds, les hommes mûrissent plus vite à tous égards, mais ils n'atteignent pas la perfection des zones tempérées. L'humanité atteint la plus grande perfection dans la race des Blancs. Les Indiens jaunes ont déjà moins de talent. Les Nègres sont situés bien plus bas.

Nous sommes à l'accomplissement total des Lumières : quel progrès, par rapport aux considérations de Montesquieu, à leur aube, sur les liens naturellement causaux entre climats chauds et paresse, lâcheté, esclavage ? Poursuivons :

> Montesquieu estime très justement que la délicatesse d'organes qui rend la mort si effrayante aux Indiens et aux Nègres leur fait aussi redouter plus que la mort bien des choses que les Européens sont capables de surmonter. L'esclave nègre de Guinée se saoule lorsqu'il est réduit en esclavage.

Est-ce tout ce qu'a à en dire, Kant l'espiègle ? Nègre, on t'achète, te ferre et, pour te consoler, on te file une gourde de tafia. Mais quand l'insigne européen Cervantès est réduit à l'esclavage chez les Turcs, il fête ça dans la rigolade en sifflant la bonne bouteille de Jerez qu'on lui offre pour l'occasion et en faisant dire deux messes d'action de grâces, l'une à la « Virgen del Pilar » et l'autre à la « Virgen del Rocío » ? Dans un long développement sur la dégénérescence, cet envers logiquement et catastrophiquement nécessaire de la théorie de la perfectibilité, l'auteur de *Qu'est-ce que les Lumières ?* insiste :

> L'habitant de la zone tempérée, surtout en sa partie centrale, a un corps plus beau, il est plus travailleur, plus enjoué, plus modéré

8. Voir *supra*, n. 4, p. XIII.

> dans ses passions, plus compréhensif que n'importe quel autre genre d'hommes au monde.

Je renonce à transcrire toutes les gentillesses — ce serait trop long — colportées sans recul par Kant à propos de chacune des régions du continent noir. Mais « la navigation d'Afrique » ayant rempli de Noirs l'Amérique, allons voir ce qu'il dit de quelques-uns de ceux qui, ayant survécu aux spasmes voluptueux du « voyage du milieu », ont débarqué au paradis terrestre des Antilles :

> Les Nègres qui sont esclaves ici sont très nombreux et souvent dangereux. Ceux qui viennent du Sénégal sont les plus drôles, ceux de Madagascar sont indomptables, ceux du Monomotapa meurent vite, sont souvent très bêtes, très habiles pour castrer, et prétentieux. Ils sont très indifférents à la mort ; ceux du Sierra Leone, en particulier, se donnent souvent la mort pour une affaire sans importance[9].

En point final à ce recueil de charmants *fioretti* de fin des Lumières, élargissons la perspective pour faire place à tous ceux, de quelque couleur qu'ils soient, dont les esclaves noirs, ayant bénéficié du programme perfectibilisant de la domination blanche :

> En considérant les nations non civilisées on voit bien, si longtemps qu'elles restent au service des Européens, qu'elles ne peuvent s'habituer à leur manière de vivre. Ce n'est pas chez elles, comme Rousseau et d'autres le veulent, un noble penchant à la liberté ; ce n'est qu'une certaine rudesse, puisque d'une certaine manière l'animal n'a pas encore développé en soi l'humanité[10].

On a bien lu, on n'a pas cauchemardé : « l'animal n'a pas encore développé en soi l'humanité »[11].

Au fond, je suis coupable de ne pas avoir lu le « mode d'emploi » des Lumières avant d'aborder l'ambiance philosophique du temps du Code Noir, temps d'avant, pendant et après elles. Mode d'emploi tenant en une phrase : la première de l'article premier de la Déclaration des droits de

9. Tous ces *fioretti* dans Emmanuel Kant, *Géographie*, trad. M. Cohen-Halimi, M. Marcuzzi et V. Seroussi, Paris, Aubier, 1999.

10. Emmanuel Kant, *Réflexions sur l'éducation*, trad. A. Philonenko, Paris, Vrin, 1974, p. 71. Cité dans l'introduction à *Géographie* — voir note 9, p. 49.

11. Après Kant et les Lumières sonnera l'heure de Hegel et de la Dialectique avec, sur l'Afrique et les Africains, des fétides logorrhées dont, tout juste avant hier, le président de la République française a eu l'impudence d'embaumer son discours de Dakar aux universitaires sénégalais. Voir plus haut, il est des scories à l'inertie terrifiante.

l'homme et du citoyen[12]. Elle est belle. On se l'enfonce dans le crâne et on la balade, en « absolu », des prémices montesquiviennes aux aboutissements kantiens. Mais qu'on lise le *Préambule* de ce texte célèbre : la *Déclaration* ne concerne en rien ceux dont, l'humanité juridique étant niée[13], la citoyenneté ne saurait être envisagée avant la fin d'interminables moratoires. Qu'à cela ne tienne, on fait comme si, et on va de l'avant.

La mouture la plus récente, à ma connaissance, de ce « mode d'emploi » figure dans *L'esprit des Lumières*[14]. Son auteur nous conjure de retenir uniquement leur « versant humaniste » et, de leur éclosion à nos jours, tout ce qui cadre avec lui. Tout ce qui y contrevient, en leur propre siècle ou dans ceux qui suivent, peut — comme du « Canada dry » — avoir le goût, l'odeur, la transparence, le bouquet des Lumières, mais… ce n'est pas elles. Ainsi, par exemple, des étendards des armées impériales claquant au vent dans l'Europe à libérer des tyrans. Au nom des Lumières, aurait-on oublié. Et de ceux de la République impériale, pour le dire avec les mots de Le Cour Grandmaison[15], accompagnant les canons libérateurs en Afrique et à Madagascar pour y transformer les Nègres en hommes. Au nom des Lumières. On est sérieux, on retient uniquement ce qu'il y a à retenir : le versant humaniste et l'esprit libérateur. Le reste, les viscosités assassines, genre hiérarchisations racistes dans les pensées et chevauchées conquérantes dans les étendues, on le gomme. Le reste, n'étant pas à retenir, ne vaut surtout pas la peine d'être évoqué. Du boitement disgracieux d'un penseur généralement alerte à la claudication massive de toute une armée généralement ingambe, on ne va pas gâcher d'un couac la cadence harmonieusement concertante d'un ensemble libérateur en ordre de marche. Voilà pourquoi, à l'ombre ou plutôt en sous-sol de ce magnifique galop de l'esprit, tout à la gloire de « l'Homme des Droits de l'homme » et du citoyen, le pluriséculaire esclavage des Noirs, ce détail de rien du tout, est généreusement réglé ici par Todorov en une douzaine de lignes. Très juste. On ne va tout de même pas s'éterniser sur une histoire de nègres, cette affaire sans importance.

12. « Les hommes naissent et demeurent libres et égaux en droits. »

13. Le Préambule précise en toutes lettres que la Déclaration est écrite pour qu'elle soit « constamment présente à tous les membres du corps social ». Corps social auquel les esclaves n'appartiennent pas.

14. Tzvetan Todorov, *L'esprit des Lumières*, Paris, Laffont, 2006.

15. Olivier Le Cour Grandmaison, *La République impériale. Politique et racisme d'État*, Paris, Fayard, 2009.

Préface à la 1re édition « Quadrige »

Mon manuscrit était prêt en 1986. En donnant ce travail à la collection « Quadrige », devrais-je modifier substantiellement tel ou tel jugement de valeur, gommer telle assertion, suppléer telle carence ? Les travaux en nombre considérable, publiés en France et ailleurs ces quinze dernières années sur le tramé juridique et idéologique de l'esclavage des Noirs en terres « françaises », m'ont plutôt réconforté dans mes pondérations de cette tragédie, de ce crime contre l'humanité, de ce génocide utilitariste. Certains d'entre eux me conduiraient, cependant, à autrement calibrer telles données utilisées, à différemment apprécier la portée de certains événements. Je parcours donc mon livre et relève au fil des pages ce dont je parlerais aujourd'hui autrement que je ne le fis alors.

J'insisterais davantage sur l'implication active des Noirs — évoquée ici et là — dans la traite. Noirs victimes, mais aussi Noirs agresseurs. Sans aucun doute. Et j'inviterais aussitôt le lecteur que cette précision pourrait troubler — ou combler d'aise — à considérer que si l'histoire de l'Afrique n'est pas d'abord celle du Continent mais celle de ses peuples, celle de l'Europe n'est pas davantage celle du Continent, mais celle des peuples qu'il contient. Il se souviendrait alors qu'affrontements et guerres, brigandages et asservissements, tueries et captivités entre Blancs européens constituent l'essentiel des désastres blanco-européens. Il en déduirait vraisemblablement ce que, comme chacun, j'en déduis en tournant mon regard vers l'Afrique noire. La « banalité » historique des querelles endémiques entre divers peuples noirs tourna soudain à la catastrophe non parce que, tout à coup, il faisait plus chaud, mais parce que la poussée blanche, modifiant là-bas de fond en comble la nature des conflits, transforma l'endémie en tragédie, la tragédie en génocide. Aux bagarres intra-africaines de nature économique, politique, culturelle succédait tout autre chose : « Capturé — dit le Blanc —, je te ferre, te déporte, te mutile, t'exploite à mort, te taille et te tue parce que tu es

Noir et je recommencerai tant qu'il me plaira et qu'il naîtra des Noirs dans ton Afrique. » J'insisterai car, bien que chacun le sache, beaucoup préfèrent avoir l'air de l'ignorer.

J'évoque trop rapidement les « engagés » blancs, les « trente-six-mois » juste pour rappeler que, contrairement aux Noirs, ils faisaient la traversée en volontaires. Quel qu'ait été mon souci de mettre en opposition le libre vouloir des uns et l'esclavage des autres, la vérité historique est moins tranchée : s'il y a eu des « trente-six-mois » volontaires, d'autres, très nombreux, étaient embarqués de force. Mais la codification de l'esclavage ne les concernait évidemment pas.

À force d'insister sur l'« exemplarité » incontestable du Code Noir de 1685, je crains de ne pas avoir trop facilement permis aux lecteurs de comprendre que d'autres codifications ont réglé le quotidien des esclaves noirs dans les colonies d'autres nations de chrétienté. Conscient de ce flou, je suis revenu longuement, en publiant en 1992 le Code noir carolin (*L'Afrique aux Amériques. Le Code noir espagnol*), sur l'articulation historique du Code Noir de Colbert et Louis XIV à une tradition de législation spécifique pour les populations esclaves noires. Reste incontestée l'« exemplarité » du Code versaillais si on le compare aux productions ibériques antérieures, désordonnées, cumulatives, arborescentes, contradictoires, dont toutefois s'inspirent les rédacteurs du texte français. Comparaisons faites, je répète que le Code Noir versaillais me paraît être le texte juridique le plus monstrueux qu'aient produit les temps modernes.

J'avouais une dette essentielle envers quatre historiens, préférés par la clarté et la rigueur de leurs analyses à beaucoup d'autres. La liste serait plus longue si j'entamais aujourd'hui la recherche, et nul doute que les travaux du regretté Serge Daget, dont l'amitié et les complicités m'honoraient, seraient abondamment sollicités.

Sur Bartolomé de Las Casas, je dois rectifier mes jugements. J'aurais tempéré mon enthousiasme pour son engagement sans réserves contre la déportation et l'esclavage des Noirs, si j'avais pu lire, dans l'excellent *Las Casas. Une politique de l'humanité* (Paris, Cerf, 1998) de Nestor Capdevila, que le très courageux évêque andalou, dont la lutte pour les Indiens fut sans faille, avait pris des dispositions testamentaires pour ne laisser savoir qu'après sa mort qu'il considérait la cause des Noirs identique à celle des Indiens. Ces précautions me troublent et troublent Capdevila, qui s'interroge sur le sens de cette étrange frilosité chez un homme dont toute la vie fut vouée à l'ardeur et à la témérité du plus beau des combats.

Les îles Mascareignes n'apparaissent presque jamais dans mon ouvrage. J'aurais pu rapprocher de la version du Code Noir pour la Louisiane celle dont « bénéficièrent » les Mascareignes. J'en décidais autrement, à tort peut-être, parce qu'il me semblait que la version de 1724 montrait suffisamment, collationnée avec la première, l'évolution et le raidissement du droit au détriment des esclaves.

Si je ne qualifierais pas, aujourd'hui, d'« inutile » l'abolition de 1794, j'insisterais davantage encore sur son caractère « provisoire ». Mais je ne crois pas devoir évoquer autrement que je le faisais les itinéraires des « Amis des Noirs ». Une autre lecture, beaucoup moins rude, infiniment plus nuancée que la mienne, est possible de leurs positions, stratégies, stratagèmes. Mais mon lecteur constate vite que j'ai choisi, dès la première ligne de mon livre, de lire l'histoire que je raconte en me situant, dans la mesure du possible, du côté des esclaves, non de celui des techniciens de la politique, aussi révolutionnaires fussent-ils. Les opprimés — y a-t-il au monde oppression pire que l'esclavage ? — comprennent mal les concessions, les atermoiements, les tergiversations, les stratégies d'attente, les fioritures et détours dont s'enlumine et contorsionne la ligne droite des libérateurs agissant chez les oppresseurs. Cet historien a probablement raison d'accorder positivité pleine à tous et à chacun des gestes des « amis », de souligner la rigueur des temps et de considérer que le résultat — l'abolition de 1794, après ces petits riens que furent la révolte de 1791 et le coup de force de Toussaint Louverture en 1793 — est la preuve indéniable de l'exactitude de la stratégie. Je ne pense pas avoir tort en m'approchant, à ce propos, d'Aimé Césaire pour insister sur la longue, très longue, trop longue distance entre la casuistique des « amis », à Paris, et l'attente (le désespoir, plutôt) en l'enfer des îles de ceux dont le collier labourait la nuque, dont les chaînes et les boulets mordaient au sang les chevilles. Parce qu'il me semblait en avoir insuffisamment dit à ce propos, j'y revenais et alourdissais le propos dans *Les misères des Lumières. Sous la raison l'outrage.*

Cette insistance parce que je suis de « ceux qui pensent bas », comme l'a écrit une historienne ? Ou parce que je suis un « contempteur des Lumières », comme le prétend un historien ?

Je laisse à son auteur la pétulance ridicule de ma qualification en « contempteur des Lumières ». Je sais, comme chacun, ce que la raison leur doit. C'est beaucoup. C'est énorme. Ce n'est pas tout. Pendant qu'elles éclairaient l'Europe, les Noirs en esclavage ne leur devaient rien. Je vois mal les conjurés de Bois Caïman tenir séminaire, la nuit, sur les climats chez Montesquieu, la sainteté du contrat social chez Rousseau, l'art voltairien, raynaldien, diderotien de rentabiliser les dividendes de la traite avant de voter le soulèvement immédiat à main levée.

« Penser bas » ? J'essaie de penser d'en bas. D'en bas, là où l'on taillait les corps. D'en bas, là où la peau et les chairs s'en allaient en lambeaux pendant que ceux qui « pensaient haut », là-haut, à Paris, obtempéraient et tergiversaient avant de choisir entre urgences et moratoires, mesures et demi-mesures, péroraient diversement sur la blancheur méritoire des « sang-mêlé » à rédimer séance tenante et la rédhibitoire noirceur des Noirs à maintenir sous les fers le temps qu'il faudrait.

Et j'en viendrais, pour finir, à tout juste hier soir.

Des Lumières il en fut beaucoup question à la Chambre des députés et au Sénat pendant les trois séances où les élus de la France examinaient, modifiaient, amendaient, émasculaient, dénaturaient, votaient enfin en 1999, en 2000 et, enfin, en mai 2001 la loi Taubira-Delannon qualifiant de crime contre l'humanité le couple traite-esclavage.

Tout en sachant que la comparaison est, ici, outrancière, je reprends le mot d'Aimé Césaire à propos de l'abolition de 1794 : « De ce qui aux sceptiques peut apparaître farce, le réel en fait l'ébauche et la grimace du sérieux futur. La farce, mais grandiose, est du pluviôse an II. » Le « sérieux futur » advint cinquante-quatre ans après, avec l'abolition de 1848…

Aux deux Chambres donc, en ces quatre séances de 1999, 2000 et 2001, on sanglota de grand cœur sur la traite et l'esclavage. Au fil des discours on évoqua une bonne trentaine de fois le Code Noir, ses inavouables amonts et ses tragiques avals.

La farce : la réduction d'un grand texte, celui que la députée de Guyane avait présenté à la Commission des lois exigeant mémoire et condamnation, justice et réparation, à une loi insipide, humiliante pour les Noirs et les métis, comportant condamnation, mémoire et… repentance. Le sérieux viendra plus tard, un jour ou l'autre.

La députée de Guyane souhaite qu'universitaires et historiens reprennent le débat escamoté par les élus. Reprenons. Posons au législateur la question la plus simple :

En droit, « tout crime exige réparation ». Or, voici que, selon le Parlement, l'imprescriptibilité de *ce* crime contre l'humanité n'implique pas l'obligation juridique de réparation, mais un devoir moral de mémoire. En chargeant le tribunal de la conscience de ce qui relève du prétoire, d'une seule pirouette le législateur condamne pour la galerie ce qu'il absout par la loi, abandonnant à la morale, où il n'a que faire, ce qui relève du droit, où il est souverain. Devons-nous nous en tenir à jamais à la forte parole de Tocqueville lors de l'abolition de 1848 : « Si les nègres ont le droit de devenir libres, il est incontestable que les colons ont droit à ne pas être ruinés par la liberté des nègres » ?

Que le sérieux advienne. L'imprescriptibilité exige la réponse à trois questions, et à trois seules, une fois le crime défini :

Que doit-on réparer ?
Qui doit réparer ?
Comment réparer ?

On doit réparer tout ce qui, dans le crime en question, est juridiquement pondérable, mesurable, quantifiable.

Non la valeur infinie des vies interrompues. Non l'immensité inénarrable de la tragédie sur la vastitude du sol africain, tout le long de l'interminable traversée de l'océan, sur chaque pied et chaque coudée des mouroirs insulaires et continentaux. Non la sauvagerie au quotidien. Non l'asservissement sexuel. Le vécu viscéral, existentiel, psychique, charnel de cette tragédie déborde la grammaire du droit et n'est aujourd'hui pondérable que dans le trouble effaré et muet des consciences.

Sont quantifiables les heures et les jours, les mois et les années, les décennies et les siècles d'esclavage. Quantifiable en terres d'esclavage l'écart en nombre d'années entre l'espérance moyenne de vie des colons esclavagistes, d'une part, des esclaves, d'autre part. Pondérable la quantité de travail fournie par l'esclave. Mesurable la part (la part ?) qui lui revient du « miracle économique » de l'industrie sucrière et de quelques autres. À combien la journée de travail sera-t-elle chiffrée ? Combien de millions d'esclaves ? Combien de journées ouvrables pour l'esclave dans l'année ? Combien d'années volées ? Tout cela fait combien de millions de journées, une fois additionnées les durées de vie de chaque esclave avant de mourir d'épuisement ou sous les coups ou les châtiments les plus cruels ? Et si l'espérance de vie des esclaves est brutalement inférieure à celle des colons et des petits Blancs, chiffrera-t-on les années volées, celles qui témoignent le plus fort de la nature indiscutablement génocidaire de toute l'entreprise, au même prix que les années de labeur ? L'État, qui choyait les compagnies négrières, versait au négrier une prime par tête de nègre — la prime devait atteindre sa valeur maximale aux années glorieuses du début de la Révolution — : ça fait combien toutes ces primes, du début à la fin de l'infâme commerce ? Quantifiables, les bouleversements des économies intra-africaines, dont la traite de signe chrétien (il ne sera pas question ici de la traite de signe musulman, aussi féroce, aussi brutale, aussi massive que celle qui nous occupe) est responsable. Combien, ces bouleversements ?

Toutes ces données sont quantifiables. Il faut et il suffit que des historiens de l'économie nourrissent de données leurs ordinateurs. Qui cracheront des chiffres. Dont la monstruosité des plus hauts épouvantera. Dont la minceur des plus bas sera néanmoins révoltante. Au beau milieu de cette fourchette, le chiffre moyen, cruellement spectaculaire, apparaîtra comme l'approximation la moins aberrante du vrai. Qu'on s'y tienne. Que le droit s'en empare. Et qu'il impose réparation à sa hauteur, sachant qu'il ne gommera pas pour autant la crapulerie de ce génocide utilitariste, dont les descendants actuels et à venir des victimes garderont inentamé le droit (parce qu'ils l'ont) d'en gérer la mémoire comme bon leur semblera… ou comme ils pourront. On n'aura quantifié que le quantifiable, pondéré que le pondérable. Et on aura fourni au droit les données économiques dont il a besoin pour s'imposer avec force. Il suffit de vouloir et de faire savoir qu'on veut à qui doit réparer.

Qui doit réparer ? Les nations de chrétienté, à la mesure exacte des légitimations qu'elles ont produites de ce commerce et de cette lente extermination génocidaire. À la mesure exacte des débordements de ces légitimations qu'elles ont tolérés, qu'elles n'ont pas poursuivis, dont elles se sont charitablement arrangées. Personne n'aura le front d'invoquer là contre une prescription quelconque résultant « logiquement » d'un changement de régime et de code, opérant une rupture totale avec un passé historique. Le crime dont nous parlons est imprescriptible. Si l'État y est impliqué, cette imprescriptibilité suppose, c'est une évidence, sa continuité.

Parlons France. Révolution, empires, restaurations, une quasi-demi-douzaine de républiques ou une petite paire, la continuité de l'État est, chez nous, un principe administratif, théorique, juridique, culturel incontournable, dont les incidences sont de tous les jours et de tous les instants. Dans cette continuité, la Ve République évoque les fastes de l'histoire de France, s'émeut du baptême de Clovis, célèbre le fantastique allant du juridisme de Colbert et la belle rigueur du Code Napoléon. Le très chrétien Code Noir naît avec Colbert, triomphe sous la Révolution et périclite avec elle, renaît avec Bonaparte, expire aux aurores de la IIe République. Belle continuité de l'État ! Et cet État chercherait, à grands frais d'avocats, ailleurs qu'en lui-même le criminel de ce crime contre l'humanité ? Ailleurs qu'en lui-même l'assassin devant réparation ? Irait-il, pour se dédouaner, fouiller dans les archives, fureter dans les livres de comptes des armateurs, des colons, des négriers, des moines, des archevêques, des békés, de tous ces parfaits serviteurs de sa politique de mort, et poursuivre leurs descendants, même ceux des prélats et des moines ?

Comment réparer ? Restons en France, bien que l'argumentaire développé vaille pour chacune des nations de chrétienté et des États qui les trament ayant participé à ce crime contre l'humanité.

Reprenons cet article 5 de la proposition de loi Taubira, qui tomba à la poubelle de l'histoire — c'est le cas de le dire — dès l'analyse du texte en Commission des lois, sans même franchir le seuil de l'hémicycle. Que disait-il ?

« Il est instauré un comité de personnalités qualifiées chargées de déterminer le préjudice subi et d'examiner les conditions de réparation due au titre de ce crime. Les compétences et les missions de ce comité seront fixées par décret du Conseil d'État. »

Que pourrait-il jumeler, ce comité, à titre de « réparation due », au désastre pluriséculaire et intercontinental, même abstraction faite de l'intensité du négoce avant codification franche et royale en 1685 et de sa continuation républicaine et chafouine après 1848 ? La rémission de la dette de tel et tel pays africains ci-devant razziés pour faire pousser la canne à sucre et le coton français ? La restitution à Haïti des 150 millions or dont la France républicaine aussi bien qu'impériale lui exigea le paiement en dédommagement de sa perte ? La levée de l'obstacle financier aux projets indépendantistes antillais ? La correction des inégalités scandaleuses, abyssales sur les « terres d'esclavage » entre les fortunes des héritiers des colons et les gagne-pain des descendants d'esclaves ? La constitution d'un fonds de solidarité géré par l'ONU, destiné au développement, l'éducation et la santé des groupes de populations civiles descendant d'esclaves déportés ? Tout cela à la fois, sans préjuger de tant d'autres projets que suggéreraient à coup sûr les ayants droit, si le comité daignait, la moindre des choses, demander leur avis ? Le comité aurait de quoi faire et l'État devrait favoriser le débat, qui déborderait évidemment le cercle des « personnalités qualifiées » dont il devrait seconder les efforts et s'approprier les décisions. Aussi simple que cela.

Dire, comme la ministre de la Justice en plein Parlement, que « le gouvernement ne pouvait se situer dans une perspective d'indemnisation, qui, en pratique, serait impossible à organiser » (*JO*, *Débats*, 19 février 1999, p. 1659), souhaiter, comme le secrétaire d'État à l'Outremer, qu'on ne parlât plus de réparations parce que « l'indemnisation et la réparation posent des problèmes très complexes », (*JO*, *ibid.*, p. 1664), c'est insulter, du haut du gouvernement, chacun des ayants droit tout en se moquant de l'État, qualifié en plein parlement par deux ministres socialistes d'incapable de pouvoir faire face à la « complexité » d'une urgence juridique criante.

Saluons donc pour finir, de M. de Tocqueville avant-hier au gouvernement socialiste ce matin, la merveilleuse continuité de l'État républicain.

Avant-propos à la 7e édition « Pratiques théoriques »

Des réactions diverses à la sortie en 1987 de la première édition du livre dont voici la septième. Du côté de ceux qui ne savaient pas, on s'indigne que cela ait été. Cela : non le Code Noir tout seul, mais le Code Noir et le traitement qu'en fait ou n'en fait pas la philosophie de son temps. La philosophie de son temps ? Les Lumières.

Du côté de ceux qui savaient, beaucoup se réjouissent que le Code Noir soit redevenu accessible et, sinon humainement compréhensible ou acceptable, tout au moins lisible dans son contexte. D'autres me reprochent le manque évident de cette onction dans le ton qui permet de parler des pires infamies sans déranger personne, de ce doigté académique par lequel les textes se lovent douillettement dans les méandres de leurs temps ; et aux temps alors de passer aux aveux, non à ceux dont les silences témoignent aussi éloquemment que les mots, les couardises aussi clairement que les hardiesses, les compromis aussi vaillamment que les témérités.

La surprise de la plupart devint chez beaucoup intérêt, envie d'en savoir davantage, d'aller voir si l'affaire était aussi monstrueuse qu'après d'autres je le rappelais. Cette envie se manifesta à gauche notamment. Mais puisqu'il y a autant de demeures à gauche que dans la maison du Seigneur, on bénit ou on brocarda la réédition du Code Noir et la confrontation de son substrat idéologique franchement raciste aux ratés anthropologiques des Lumières selon qu'on communiait avec ces lectures-ci ou celles-là de l'Histoire en usage à gauche, où, comme chez Bélial, « légion » est vertu. L'accord ne s'étant pas fait, à gauche, sur la date de naissance précise du racisme au registre de l'Histoire, on s'y fait abondamment traiter d'escroc si on dénonce des comportements racistes dans des saisons antérieures à la théorisation de la chose, théorisation dont le début est daté. Bien fait ! Des racistes avant le racisme, a-t-on idée ? Je parle de racisme. C'est aussi crétin que de parler d'agression microbienne de l'Europe sur l'Amérique et de l'Amérique sur l'Europe à la fin du XV*e siècle, bien avant l'invention du microscope. Seuls des malades ou des ignorants peuvent inventer pareilles incongruités. Certains m'encouragèrent à poursuivre mes recherches sur la confrontation Lumières-esclavage noir pendant que d'autres me sommaient de me taire et, coiffé du bonnet d'âne, m'envoyaient au coin ; ou m'expédiaient carrément à l'infirmerie. Selon les tempéraments.*

Considérer tout Noir naturellement esclavisable ; esclaviser le Noir parce que Noir ; évacuer le Noir parce que Noir de l'unité de l'accomplissement anthropologique ; le bestialiser ; bâtir sur ce fait et sur sa formulation juridique la légitimation d'une pratique plus que séculaire d'arrachement et d'exil, de torture et d'épuisement à mort : je parlai de génocide. Je précisai même, en quatrième de couverture, que le Code Noir « règle le génocide utilitariste le plus glacé de la modernité ». C'en était trop. Mes vigilants contradicteurs s'arrachèrent la cravate, s'échancrèrent le corsage et, choisissant pour la circonstance d'oublier la distinction primaire entre modernité et ère contemporaine, me grimèrent en comparatiste réactionnaire : — Il a dit génocide, il a dit modernité, il a utilisé le superlatif ! — Pas plus de microbes avant l'invention du microscope que de racistes avant la théorisation du racisme ou de génocides avant le nazisme. Triple bonnet d'âne. L'affaire étant d'importance, j'incluais dès la deuxième édition, en encadré clôturant la liste des repères chronologiques, l'essentiel de la définition du génocide établie par l'Assemblée générale des Nations Unies le 9 décembre 1948. Pour conforter les lecteurs sereins. Pour aider les autres à retrouver la sérénité et à mieux utiliser leur temps[1].

Le rappel des tergiversations des Amis des Noirs dénoncées dans la troisième partie du livre en agaça plus d'un. J'avais mal lu, pas lu, inventé. Je n'avais pas fait la part des choses : ce que les Amis voulaient vraiment et d'une inébranlable volonté, les concessions qu'ils devaient faire à l'agitation extrême de leur temps. Plutôt que d'alourdir mon texte lors des rééditions, je choisissais d'insister longuement dans un ouvrage postérieur sur les roublardises dont ces messieurs entrelardaient leurs enthousiasmes. Là, je m'attardais aussi sur le décalage — gro-

1. Le racisme et le microscope, in *Lignes*, n° 3, juin 1988, p. 11-31, Paris, Éd. Hazan. Voir aussi, même lieu, Michel SURYA, Avant-propos au texte de Louis Sala-Molins, p. 10.

tesque dans son apparaître, criminel dans ses effets — entre la sonorité des condamnations des rigueurs de l'esclavage, plutôt que du système en soi, chez d'aucuns et l'idiote mièvrerie, chez les mêmes, à l'heure d'exiger solutions et remèdes[2]*. Ailleurs, en comparant le Code Noir français à son rejeton le Code Noir espagnol (Code carolin) dont je donnais le texte, il me fut facile de revenir sur des recettes de Raynal et de Diderot pour faire trimer les esclaves dans la bonne humeur et sans leur donner le temps de penser à se révolter*[3]*. Pour préciser un point d'histoire ? Mais non ! Pour le plaisir de faire de la peine, ça va de soi, à ceux qui ont choisi de ne rien retenir chez Diderot qui puisse ternir en quoi que ce soit la beauté sans tache de son image littéraire et philosophique.*

On a insinué que je voulais rapetisser, rien que cela, les Lumières et la Révolution en les jugeant uniquement à partir de leurs estimations philosophiques et « techniques » de l'esclavage des Noirs. Je m'offre le ridicule de préciser que mon intention était plus modeste. J'essayais uniquement, en rééditant le Code Noir et en suivant en parallèle sa carrière et celle de la période philosophique la plus glorieuse de la culture française, de sortir le monstre de l'oubli dans un souci de salubrité politique et de fournir à qui en voudrait un instrument fiable pour pondérer les échecs d'une pensée dont il est, ici, nationalitairement obligatoire de ne retenir que les succès.

Il me semblait, en écrivant ce livre — et il me semble encore une bonne quinzaine d'années après —, qu'on a tout à gagner, toujours, et rien à perdre, jamais, en éclairant le lecteur sur les limites d'une pensée quelle qu'elle soit et notamment de celle dont une nation fait sa référence absolue. Et j'ai insisté sur mes critiques dans mes publications ultérieures sur ces mêmes sujets[4]*.*

Le jour où on me démontrera, textes en main et le tri bien fait entre imprécations inopérantes et interventions nettes, que les très grands de la pensée française du XVIIIe exigent, à l'heure du bilan et des propositions pratiques, l'arrêt effectif et dans l'urgence de l'esclavage des Noirs dans les Îles, ce jour-là je ferai amende honorable ; ce jour-là, dépoitraillé et une poignée de cendres sur la caboche, je rejoindrai le chœur

2. *Les misères des Lumières. Sous la raison, l'outrage*, Paris, Robert Laffont, 1992.
3. *L'Afrique aux Amériques. Le Code Noir espagnol*, Paris, PUF, 1992.
4. Cf. notes précédentes. Sur les crimes de la France napoléonienne à Saint-Domingue : Tuez-les tous ! La France en nourrira ses chiens, in *Quaderni*, n° 22, hiver 1994, Paris I-Sorbonne, p. 67-80.

qui chante sans trêve le dithyrambe de ces nobles libérateurs de la blanchitude, pitoyables esthètes du compromis pour la négritude.

En attendant, je ne me résigne pas à ne pas m'inquiéter que cet esthétisme du compromis puisse ne pas inquiéter tous ceux qui « savaient déjà » bien avant ma réédition du Code Noir, dont ils n'ignoraient ni la parfaite inhumanité ni la féroce sérénité. Et je trouve extravagant que des historiens de cette période acceptent, une fois les faits soupesés, de dresser un bilan de l'« épisode » esclavage-aboliton somme toute passable et reconduisent la vision idyllique d'un esthétisme dont l'empan de beauté est le corps innombrable, mutilé et exsangue du Noir à terre, les fers au cou, les chaînes aux chevilles, les épaules fleurdelisées, le nez et les oreilles coupés, les chairs labourées au fouet jusqu'à l'os. Ils détiennent le chiffre exact de la mesure. Leur arrive-t-il de songer que — peut-être, allez savoir, sait-on jamais — un Noir pourrait faire autrement coulisser le seuil entre l'esthétisme, la concession, l'usage, l'abus en deçà, l'horreur juste au-delà ? Ou, les prenant au sérieux lorsqu'ils disent qu'en réalité les Lumières n'éjectent personne hors le genre humain accompli et que, chez elles, le caraïbe et le négrillon valent, sans hésitation, ce que vaut un manant bien blanc et bien de chez nous, pourquoi donc s'offusqueraient-ils qu'on demandât des comptes à la pensée tant célébrée pour avoir joué la petite musiquette du compromis, quand la victime du génocide était l'homme d'ailleurs, tout simplement ? L'homme donc, tout bonnement.

La norme académique : ne jamais dépasser la mesure dans la critique, si la cochonnerie submerge à pleins tombereaux des êtres problématiques, à la perfectibilité interminablement somnolente.

La norme ? En voici trois échantillons. Le premier sur la façon dont on s'embirlificote dans les dates pour faire de la France la première, dans les temps modernes, à abolir l'esclavage des Noirs. Le suivant, sur l'art et la manière de banaliser cet esclavage, le réduisant à simple épisode de l'éternel pas de chance des pauvres gens. Le troisième sur la façon de censurer la parole « mal dite » en lui faisant dire n'importe quoi.

Comme tant d'autres l'ont fait avant moi et, parmi eux, le grand historien mexicain Silvio Zavala dont j'ai écrit m'être servi pour les repères chronologiques, j'ai rappelé que l'abolition de l'esclavage par la Convention le 4 février 1794 (16 pluviôse an II) n'inaugurait pas la série des abolitions, mais que d'autres États avaient aboli l'esclavage avant la France conventionnelle. Marcel Dorigny veut absolument qu'on commence par le 16 pluviôse an II, mais il sait que là n'est pas le commencement. Et avant de rappeler que le décret du 16 pluviôse avait quelque chose à voir avec « un rapport de force favorable aux esclaves insurgés depuis 1791 », rapport de force aboutissant à un petit autre chose en septembre 1793, il évoque les abolitions, qui, dans « plusieurs des nouveaux États indépendants d'Amérique du Nord, ont précédé de plusieurs années l'acte de la Convention, suivant en cela l'enseignement des quakers ; de même que le Danemark a interdit la traite sur ses navires dès 1792 ». Alors, la Convention inaugure-t-elle oui ou non ? Il semblerait bien que non… « Peu importe, finalement, que des publicistes plus ou moins bien informés proclament haut et fort que la Révolution française n'a pas été la première à abolir l'esclavage », ose Dorigny. Alors ? Intenable suspens, dont il nous libère vite fait : « Certes, il ne saurait être question de nier ces faits, connus de tous, mais il convient de les replacer dans leur contexte géopolitique global. » À la poubelle le contexte philosophico-juridique. Et l'historien de rappeler que l'enjeu économique de l'abolition étant incomparablement moindre dans ces États, le fait que ces États aient aboli l'esclavage ne compte pas pour l'Histoire. « Ainsi, peut-il conclure, la Convention, par son décret du 16 pluviôse an II, a bien fait œuvre pionnière : pour la première fois une métropole coloniale puissante, chez qui l'économie esclavagiste passait pour essentielle à sa prospérité, renonçait à l'esclavage. »[5] Grâce à quoi on renvoie les « publicistes plus ou moins bien informés » à leurs irritants à-peu-près, et la France, par la subtilité des arrangements de ses historiens, est bel et bien « première »-comme-il-se-doit. Dans la foulée, on économise une réflexion nécessaire — délicate pour la réception des Lumières — sur les tenants peu montesquiviens ou rousseauistes, mais sporadiquement rationnels et constamment théologiques de tous ces abolitionnistes de là-bas, qui abolissent avant la France parce que l'esclavage leur est idéologiquement insupportable.

Deuxième échantillon. Mon édition du Code Noir paraît ? Il était temps. Cela permettra de « reposer avec force le jeu complexe des rapports entre une éthique, le droit positif et l'application même de ce droit ». Ainsi s'exprime Philippe Hesse, qui rappelle en continuant et dans le mouvement de l'historien Verlinden l'endémie des situations d'esclavage en Europe chrétienne tout le long du Moyen Âge jusqu'au

5. Marcel Dorigny, Les abolitions de l'esclavage. Une célébration nécessaire, en introduction à *Les abolitions de l'esclavage, 1793, 1794, 1848. De L. F. Sonthonax à V. Schoelcher*, Actes du Colloque international de l'Université de Paris VIII, 416 p., p. 7-17, Paris, PU Vincennes, et Éditions Unesco, 1995.

XVIe siècle et, sur cette même ère géographique et culturelle, et cette même durée, des épisodes de bestialisation juridique. On souffre partout, mon beau monsieur, et quand vient l'heure à pas de chance pour les Noirs et que la poisse s'épaissit, leur histoire est banalement réductible à celle des calamités en série qui sont le lot des marginaux et des va-nu-pieds. Au point que « la question reste de savoir si l'on peut, pour ces XVIIe-XVIIIe siècles, remplacer le mot "esclave" par autre chose, ce qui resituerait le calvaire de Canaan dans le grand Calvaire du faible ou bien même si — allant encore plus loin — on ne peut continuer à soutenir que l'esclave devient, dans la pensée des auteurs du Code Noir, un être devant jouir d'une protection spéciale ». Pour illustrer son propos, Hesse évoque les limites à l'arbitraire magistral établies par le Code Noir avant d'énumérer les mille infamies — en Europe, en France — de ces siècles d'« enfermement », se demande si j'ai jamais entendu parler des travaux de Michel Foucault et risque, pour conclure, la comparaison suivante : « L'esclave ou l'affranchi noir qui ne montrerait pas assez de respect au seigneur blanc est-il traité de façon si totalement différente du manant, voire de l'aristocrate qui ne saluerait pas le Saint Sacrement, ou du valet insolent, qui passerait de la comédie à la vie réelle ? » J'ai dit et redit que mon intention était non de publier le Code Noir dans l'obscène nudité de ses articles, mais en le situant dans les viscosités idéologiques qui le précédèrent, l'accompagnèrent, le débordèrent. Hesse : « Pierre utile donc que celle posée par Sala-Molins (...) mais pierre qui évoque trop souvent pour l'historien ce "château dans les Pyrénées" de René Magritte, masse rocheuse qui gravite dans son propre espace de surréaliste. »[6]

Me revoici donc invité à faire la part des choses. Je l'ai faite. Le brigandage inouï que le Code Noir légitime dépasse qualitativement et quantitativement toutes et chacune des calamités auxquelles Hesse m'invite à le comparer. Et ne change rien au superlatif tragique de cette monstruosité l'évocation de l'interminable esclavage intra-européen, dont Hesse sait parfaitement à quel point il est négligé par les historiens. Je fréquente Foucault, qui ne m'est ici d'aucun secours et, plutôt que de le déranger sur une question qu'il ne traita pas spécialement, je préfère éclairer mon propos avec ceux des esthètes du compromis précédemment évoqués. Et avec leurs silences.

6. Philippe Hesse, Note de lecture : *Le Code Noir ou le calvaire de Canaan*, in *Revue française d'histoire d'outre-mer*, t. LXXV, 1988, n° 279, p. 223-226.

Dernier échantillon. Je ne fais pas mystère de mes prédilections parmi les auteurs ayant réfléchi sur les supports idéologiques de l'esclavagisme français. Carminella Biondi me semble plus exigeante, plus attentive que Michèle Duchet sur tout ce qui touche à la problématique de l'esclavage et aux positions des philosophes. J'ai, bien entendu, consulté Anthropologie et histoire au siècle des Lumières, *ouvrage incontournable dans toute enquête sur le négatif de la pensée de ce siècle, auquel je me réfère abondamment dans* Les misères des Lumières. *Michèle Duchet fait allusion à mon livre, sans en donner le titre, dans un article sur Malouet. Elle évoque soudain des acquis historiques dont il ne convient plus de rappeler l'importance et elle enchaîne : « Il est plus intéressant peut-être de se reporter au livre étonnant de M. Sala-Molins (PUF, 1987) qui reproche aux hommes des Lumières, et singulièrement aux philosophes, d'avoir ignoré le Code Noir et les atrocités qu'il autorise et de ne pas avoir lutté contre les systèmes de l'esclavage avec toute l'énergie nécessaire. Je ne puis reprocher à M. Sala-Molins d'avoir souligné une sorte d'indifférence qui permet à Montesquieu l'ironie et à Voltaire une protestation sans ampleur (...) Mais je le soupçonne d'avoir méconnu les textes qui posent dans ses véritables termes le problème de l'esclavage au XVIIIe siècle. Le lien entre administrateurs éclairés et milieux philosophiques est trop évident désormais pour qu'il faille reprendre une telle démonstration. Mais l'absence de certains textes altère fortement la thèse de l'auteur. »[7] Je passe mon temps à montrer et démontrer que les philosophes des Lumières n'ignorent point « le Code Noir et les atrocités qu'il autorise » et m'étonne qu'ils continuent à regarder, impavides, le concept d'homme, de citoyen, de liberté, etc., sous toutes leurs coutures — ou presque — comme si de rien n'était. Je crois avoir suffisamment insisté dans* Le Code Noir ou le calvaire de Canaan *sur le travail d'occultation du véritable rapport esclavage-Lumières dans la lecture que l'Université française impose de la pensée du XVIIIe, occultation que Michèle Duchet a dénoncée hardiment et contre laquelle j'entendais aussi et j'entends ferrailler. Pour mener ce combat, il me sembla et il me semble encore que l'enquête est à mener chez les théoriciens incontestés du concept. Ce que j'ai fait. Je n'ai pas méconnu les écrits (ni le train-train) des administrateurs. Ils ne font pas, de loin, le poids historique des textes sur lesquels je m'attarde : ceux des très grands, qui, dans le*

7. Michèle Duchet, Malouet et le problème de l'esclavage, in *Malouet (1740-1814)*, Actes du Colloque de Riom, 1990, 205 p., p. 63-70.

mouvement logique de la rationalité de cette saison-là, devaient nécessairement, sauf forfaiture, poser la question en termes de philosophie, non en calculs de physiocratie. Contre le cannibalisme du système de l'esclavage, aux antipodes du lyrisme universaliste des Lumières, on est en droit de s'attendre aux grandes orgues : ce que j'ai trouvé, c'est du pipeau. Or, dans ce néant et non ailleurs se noue, à mon sens, le nœud culturel de l'intégration, de la critique ou du rejet de l'esclavage. Comme il plaira à chacun d'en conclure.

L'admirable travail de Biondi n'est pas pour rien dans la détermination de ma propre optique. Que Duchet me sache désolé d'avoir, en toute candeur, lourdement mésusé du sien.

Les lecteurs qui, culturellement, se situent et situent leurs ancêtres du côté de ceux dont nous avons, dans notre arrogance, nié l'humanité et, avec notre histoire, ravagé la leur, n'ont pas jugé démesurée ma critique. Beaucoup me l'ont fait savoir. Témoignages inestimables de sympathie et de reconnaissance.

Démesurément ceci compense cela.

Pour Dimien,
que j'aime

Introduction

Le Code Noir raconte une très longue histoire qui commence à Versailles, à la Cour du Roi Soleil, en mars 1685 et se termine à Paris en avril 1848 sous Arago, au début de l'éphémère IIe République. En très peu de pages, avec l'aridité qui convient au sérieux des lois, il raconte la vie et la mort de ceux qui, justement, n'ont pas d'histoire. En cinq douzaines d'articles, il balise sur du néant le chemin que suivront forcément des centaines de milliers, des millions d'hommes, de femmes et d'enfants dont le destin aurait dû être de ne laisser aucune trace de leur passage entre naissance et mort.

L'histoire sans histoire que raconte le Code Noir ne commence pas avec « il était une fois dans un lointain pays », les textes juridiques ne s'accommodant jamais de ce genre d'exorde. Ses rédacteurs ne divaguent pas inutilement sur les préambules. Ils jettent d'emblée l'esclave noir sur les quais, au bout des ports de Saint-Domingue.

D'où vient-il ? Qui l'a mené là-bas ? Pourquoi donc est-il esclave ? Le Code Noir n'en dit rien. Pour lui, un Noir aux îles du Vent et Sous-le-Vent vient d'ailleurs et il est esclave, voilà tout. Mais d'où viennent-ils par dizaines et centaines de milliers, par millions ? D'une terre que le grand luminaire châtie de tous ses feux. D'une terre qui accouche des monstres ; dont on prétend que la Bible l'a maudite ; dont on affirme, en remontant jusqu'à Aristote par un long chapelet de syllogismes, que les habitants sont des esclaves de naissance, si on accepte qu'ils soient des hommes. C'est de là qu'ils viennent, c'est là qu'on les chasse.

La traite, chacun sait. Le Code Noir n'en souffle mot. C'est normal. D'autres édits, nombreux, qui ne concernent pas, comme lui, la façon dont les planteurs et l'officialité du roi de France traiteront leurs esclaves, mais celle dont les compagnies négrières chasseront en Afrique et transporteront leur gibier, réglemente harmonieusement cette activité dans ses lignes générales et dans ses moindres détails. Mais que le Code Noir suppose la traite, c'est l'évidence.

Imaginons, si nous pouvons, ce qu'a pu représenter l'irruption des négriers sur les côtes occidentales africaines. La politique génocidaire de l'Espagne et du Portugal en Amérique a fourni le prétexte. Par la volonté de Leurs Majestés très catholiques de la péninsule Ibérique, la désolation de l'Afrique est l'effet immédiat de la désolation de l'Amérique. L'Espagne et le Portugal d'abord pour leurs colonies, puis d'autres nations européennes pour les leurs, les grandes puissances chrétiennes du vieux continent vampirisent l'Afrique trois siècles durant. Impossible de mesurer l'étendue du massacre. La traite désorganise jusqu'à des profondeurs insondables la vie du continent noir. La faconde, la puissance et la poudre d'un côté. La massue, l'arc et la fronde de l'autre. La poudre et les boissons fortes comme majeure et mineure de la syllogistique marchande. Les négriers chassent par leurs propres moyens et font chasser. Chasser et rabattre. Les compagnies négrières interviennent dans les rivalités endémiques entre peuples africains qu'elles exaspèrent. Elles poussent — et savent argumenter leur pression — les uns et les autres à guerroyer, fournissent le cas échéant les « conseillers techniques » et les fusils. Elles échangent des prisonniers contre des armes à feu et de la poudre, contre de la pacotille et des barres de fer. Ou contre de l'alcool : l'alcool figure toujours dans les lots à troquer. Le besoin d'esclaves sur le continent américain augmente au fil des décennies en des proportions saisissantes. Les conditions de vie des Noirs au travail, là-bas à l'autre rive de l'océan, sont d'une telle rigueur, le rythme de progression des exploitations agricoles est tel, que le commerce de « bois d'ébène » arrivera à constituer, pour la France par exemple, le pilier essentiel de l'économie du pays. Pour satisfaire à la demande des planteurs, Versailles comblera d'avantages et d'exonérations les compagnies, et les compagnies razzieront, terroriseront et déstabiliseront de plus en plus profondément le continent noir. Le trafic triangulaire (des ports européens vers l'Afrique, des côtes africaines vers l'Amérique, de l'Amérique aux ports européens) peut progresser parce qu'il enfonce sa pointe africaine toujours plus profondément au cœur du continent. Les Noirs fuient les zones côtières. La razzia et le jeu des alliances et des conflits s'étendent. Le déplacement des habitants des côtes vers l'intérieur provoque des rejets chez les peuples installés en zone continentale. Tout cela se règle par le sang. Le cauchemar durera pendant trois siècles. Et jamais ne sera comblé le décalage vertigineux entre les techniques de pénétration, de chasse et d'asservissement des compagnies négrières et la totale vulnérabilité des Africains. Cette tragédie a été souvent décrite. On a risqué des estimations sur le nombre, en millions, de Noirs razziés et amenés à « bon port » et sur la proportion, « négligeable » probablement, qu'ils représentent du chiffre total de pertes et de morts provoquées en Afrique directement et indirectement par la traite.

Le Code Noir ne parle pas de tout cela : pas une seule allusion. Je n'en parlerai pas davantage.

Pas de trace dans ces articles, et pour cause, de ces « engagés » volontaires blancs, qui, le plus souvent pour une période de trente-six mois (d'où leur nom : les « trente-six-mois »), se vendaient aux planteurs, le temps de leur payer en travail le prix de leur passage, et retrouvaient leur liberté à la fin du contrat. Il y a une relation directe, pour ce qui concerne les colonies françaises du Couchant, entre le tarissement, très rapide, de l'embauche des « trente-six-mois » et le développement massif du trafic des Noirs.

Il sera ici question uniquement de la France et de ses esclaves. On ne parlera ni des autres nations européennes ni de leur comportement dans leurs colonies ; ni des querelles entre les puissants du vieux continent pour s'assurer tel ou tel avantage, au détriment du voisin, dans les domaines de la traite ou dans le contrôle des itinéraires maritimes. Certes, il y a une relation flagrante entre l'évolution du marché du sucre, du tabac et du café en Europe, puis en Amérique, et la politique coloniale des nations ; une relation plus évidente encore s'il se peut entre les impératifs de ces marchés-là et les réalités de la traite et de l'esclavage. De tout cela l'historiographie française s'est occupée et s'occupe. On n'y fera que des allusions furtives, étayées par des renvois à des travaux accessibles à chacun.

Mon affaire est le Code Noir, sa lisibilité, la longue vie au cœur de l'histoire de France de ce que je considère comme le texte juridique le plus monstrueux qu'aient produit les Temps modernes et préservé pourtant tout un demi-siècle l'ère contemporaine. Je pars d'un constat : la France codifie la première une pratique juridique spécifique à un moment caractéristique de son histoire. Elle réussit dans la modernité cette performance théorique de dire sur la même ligne esclavage et droit, esclavage et code. Le destin « juridique » des « trente-six-mois » et des esclaves noirs amenés sur le sol français avant que Louis XIV ne signe le Code Noir ne m'intéresse pas ; ni la littérature esclavagiste — abondante — qui bestialise l'Africain en Afrique pour mieux le ferrer aux Antilles. Non que ce destin et cette littérature n'aient déchiré à pleines dents la chair de l'histoire ni balafré jusqu'à l'os la chair vive ; mais la recherche à leur propos est une tout autre recherche. Ayant affaire avec un texte du genre le plus officiel qui soit, un code, m'intéresse la façon dont la pensée officielle (ou « progressiste », l'une et l'autre disant à différents stades l'officialité que l'édit royal codifie) a ruminé le génocide* afro-antillais ou s'en est désintéressée. Je ne veux pas trier, dans le brigandage plus que séculaire dont le Code Noir marque les limites, ce qui relève du « racisme » ou des faux pas de la biologie et de la zoologie de saison, pour le bien distinguer de ce dont l'« esclavagisme » donne toute l'explication. Je constate que les deux attitudes, arborées chapelet en main, ou le doigt à la bonne page de Buffon ou de Voltaire, ou affichées sans lectures ni patenôtres, se confondent pleinement ; et que s'il leur arrive de se distinguer l'une de l'autre, l'une et l'autre plaquent le fer ou le fouet sur la peau noire avec autant d'efficacité. Étampée ou fouettée, croit-on vraiment qu'en hurlant de douleur la victime se demande si on lui fait ça parce qu'elle est noire plutôt qu'esclave, esclave plutôt que noire, ou les deux « choses » à la fois ?

Le silence de très grands philosophes français m'intéresse. Ils savent et s'en moquent. Les silences des Lumières m'intéressent (eux surtout, contemporanéité oblige), parce que les manuels d'histoire et les manuels de philosophie n'en finissent pas de déborder d'enthousiasme, en France, quand vient l'heure de la raison et quand sonne à tous les vents le clairon de la philanthrophie universelle.

Le Code Noir en soi, dans l'intolérable obscénité de tous et chacun de ses articles ; son existence aberrante et parfaitement logique ; la consistance du bouillon conceptuel qui rend possible son avènement ; la façon dont ce bouillon peut tranquillement se grumeler, fermenter et engraisser la pensée en un siècle, le XVIIIe, dont la raison est le maître mot ; la façon dont le Code Noir est accepté, rejeté, occulté par les nobles esprits d'un siècle, le XVIIIe, qui se gargarise de « vertu » : tout cela m'intéresse. Les silences d'une vertu toute rationnelle et volontiers raisonnable, ou d'une raison toute vertueuse, mais souvent canaille, sur la réalité que le Code Noir offre en spectacle, et depuis les prétoires, aux théologiens et aux philosophes les plus remarquables de la saison où la France est « exemplaire » : ces silences assourdissants me semblent bien mériter quelque méditation.

* Voir encadré p. 12.

Je ne parle pas de la traite transsaharienne. Elle n'a affecté en rien ni la pensée française ni le système de lois « négricides » de la France dans les siècles qui nous occupent, et c'est historiquement compréhensible, géographiquement aussi. J'insiste en revanche sur la seule comparaison qui m'ait semblé s'imposer : la philosophie française, raison et Lumières, et ses « nègres » d'une part ; et de l'autre, deux cents ans plus tôt, la théologie et le juridisme hispaniques, Bible et raison, et leurs « Indiens ». Cette comparaison m'a semblé riche. Riche et attristante. J'y reviendrai jusqu'à la lassitude. Elle a beau pratiquer la chasse au « préjugé », la rationalité française d'avant ou de pendant les Lumières n'a pas le souffle de la théologie hispanique, qui ne déclenche pourtant pas des ouragans.

Je suis, dans ma recherche autour du Code Noir et de son histoire, un classique, Lucien Peytraud, dont le travail réalisé en ce domaine force l'admiration, et, de préférence à beaucoup d'autres, trois contemporains : William B. Cohen, Antoine Gisler, Carminella Biondi[1]. Ils m'ont semblé avoir réussi à mettre au clair la persistance ou les absences d'un questionnement théologico-philosophique, tout en maintenant rivés les regards à la quotidienneté que se partagent (car le soleil brille pour les bons et pour les méchants, pour les crève-la-faim et pour les repus) l'infinie détresse des Noirs, la suffisance infinie des Blancs. La rigueur des analyses théoriques de Carminella Biondi notamment impose l'adhésion page après page de son splendide diptyque.

L'irruption de Napoléon dans l'histoire du Code Noir et ce qui s'ensuit jusqu'à l'abolition de l'esclavage en 1848 m'ont semblé d'un intérêt théorique d'une tout autre nature ; je me limite à en évoquer les grandes lignes. Les personnages qui mènent le débat en cette période n'ont pas la taille ni le prestige, dans les manuels et sur les fresques nationales, de ceux qu'on doit forcément interpeller à propos du même débat (ou de son absence) pendant le XVIIIe siècle. Il n'empêche : Schoelcher a bien mérité le Panthéon.

1. Lucien Peytraud, *L'esclavage aux Antilles françaises avant 1789. D'après des documents inédits des Archives coloniales*, Paris, Hachette, 1897, 472 p. ; Carminella Biondi, *Mon frère, tu es mon esclave ! Teorie schiaviste e dibattiti antropologico-razziali nel Settecento francese*, Prefazione di Corrado Rosso, Pisa, Goliardica, 1973, 290 p. ; Carminella Biondi, *Ces esclaves sont des hommes. Lotta abolizionista e letteratura negrofila nella Francia del Settecento*, Prefazione di Corrado Rosso, Pisa, Goliardica, 1979, 314 p. ; Antoine Gisler, *L'esclavage aux Antilles françaises (XVIIe-XIXe siècle). Contribution au problème de l'esclavage*, nouv. éd., Paris, Karthala, 1981, 230 p. ; William B. Cohen, *Français et Africains. Les Noirs dans le regard des Blancs, 1530-1880*, traduit de l'anglais par Camille Garnier, Paris, Gallimard, 1981, 410 p.

Et la philosophie française un blâme. Celui qui terrasse définitivement le monstre n'est pas des siens. Les siens ont laissé faire.

Pour bien raconter une histoire, il faut planter le décor. Pas de méditation correcte, comme disait cet Ignace de Loyola dont les enfants osèrent le meilleur et le pire sur la peau noire des Africains, sans « composition de lieu ». J'essaie de le composer quelque peu en donnant un minimum de repères chronologiques pour que le lecteur puisse mesurer d'un coup d'œil l'étendue des massacres et la durée du calvaire. Afin de mieux situer la France et son rôle dans toute cette histoire, les défaillances de sa pensée, le jésuitisme de sa politique d'universalismes et de philanthropies, les repères chronologiques vont du début de la traite triangulaire jusqu'aux dernières abolitions officielles de l'esclavage par les différentes nations et jusqu'à la fin effective de la traite par contrebande[2]. Il me semble qu'au regard de cette grille chronologique, ni la « Raison », ni les « Lumières », ni la Révolution, ni évidemment l'Empire n'ont pas tellement de quoi pavoiser, de quoi pouvoir faire honte aux voisins.

2. Je relève la plupart des repères chronologiques dans le fonds inépuisable contenu p. 411-466 du t. II du magnifique ouvrage de Silvio Zavala, *El mundo americano en la época colonial*, Mexico, Porrúa, 1967 ; 2 vol., 644 et 672 p.

REPÈRES CHRONOLOGIQUES

1455, 8 janvier. Le pape Nicolas V autorise le roi du Portugal à pratiquer la traite (itinéraire : Afrique-Portugal).

1492. Premier voyage transatlantique de Christophe Colomb. Début de la conquête et de la colonisation ibériques. La Couronne de Castille subventionne les voyages de Colomb jusqu'en 1504. Des Noirs dans les caravelles dès le deuxième voyage.

1493. Ligne de partage entre l'Espagne et le Portugal. Bulles du pape Alexandre VI Borgia.

1513. Découverte du Pacifique par Vasco Núñez de Balboa.

1514. Le *Requerimiento.*

1519. Las Casas : égalitarisme absolu. Il n'y a, il ne peut y avoir ni d'esclaves par nature, ni de gens sans « liberté et pouvoirs », ni de peuples sans souveraineté.

1525 environ. Débuts de l'importation de « pièces d'Indes », organisation systématique de la traite esclavagiste.

1526. La Couronne espagnole envisage que l'esclavage du Noir soit réduit à quelques années : chaque esclave retrouverait la liberté au bout d'un temps de servitude. Échec de cette mesure.

1530. Charles V : première interdiction de l'esclavage indien.

1532. Les franciscains à Sao Vicente. Première plantation de canne à sucre.

1537. Aux instances de Las Casas et de théologiens espagnols, le pape Jules III condamne toute mise en doute de la pleine humanité des Indiens.

1550. Charles V : affranchissement de tous les esclaves des Indes occidentales. Mais système de *la encomienda.*

1555. Implantation de Français au Brésil : colonie de Villegaignon, Rio de Janeiro.

1567. Expulsion des Français de Rio de Janeiro.

1570. Le roi du Portugal, Don Sebastiao, interdit la réduction des Indiens à l'esclavage.

1573. Condamnation radicale de la traite : fray Bartolomé de Albornoz. Ordonnances de Philippe II d'Espagne : le terme *conquista* est remplacé par celui de *pacificación.*

1584. 120 entreprises sucrières au Brésil.

1595. Quatre raffineries de sucre en Hollande.

1600. Compagnie de l'Inde orientale (anglaise).

1602. Compagnie des Indes orientales (hollandaise).

1604. Fondation de la première colonie française permanente en Amérique : Port-Royal (Acadie).
1604-1606. Tentatives anglaises de colonisation de la Guyane.
1612. Occupation partielle des côtes de la Guinée par les Hollandais.
1612-1614. Les Français tentent d'occuper le Maranhao.
1617. Compagnie des Indes occidentales (hollandaise).
1620. Premiers arrivages d'esclaves africains dans les colonies continentales anglaises.
1622. 29 raffineries de sucre en Hollande.
1623. Mêlés aux migrants hollandais, des Wallons, des huguenots français et des Allemands débarquent au Nouveau Monde.
1625. Caractéristiques d'une traversée. — Dans 5 navires portugais, 1 211 esclaves africains, dont 583 meurent pendant le voyage et 68 peu de jours après l'arrivée. Français et Anglais se partagent l'île de Saint-Christophe.
1626. Richelieu : autorisation de colonisation de la Guyane.
1627. Richelieu : la colonisation française doit être exclusivement catholique et avoir pour but l'expansion missionnaire.
1635. Compagnie des îles d'Amérique (française). De 1635 à 1680 : organisation de convois de femmes blanches vers les plantations françaises des Antilles.
1637. La Hollande s'organise pour importer des Noirs.
1638. Prévision figurant sur un contrat de transport d'Africains en Amérique : 10 % de mortalité en cours de traversée.
1650. Fin de la Compagnie des îles d'Amérique. Abandon provisoire du système de convoi de femmes blanches.
1651. Compagnie de la France équinoxiale ou de Cayenne.
1654. Les Anglais de la Nouvelle-Angleterre occupent l'Acadie.
1660. Martinique : révolte des travailleurs des plantations de tabac.
1663. Sous Colbert : la Nouvelle-France réunie à la Couronne.
1664. Jusqu'à cette date, les Hollandais exportent des îles françaises le sucre brut, qu'ils raffinent. Colbert crée la Compagnie des Indes occidentales. Fondation de la Compagnie des Indes orientales.
1667. L'Acadie revient à la France.
1670. Colbert communique à De Baas qu'il n'est pas favorable au recrutement forcé d'immigrants. Il réduit le temps de service des « engagés ».
1672. Organisation de la Royal African Company (anglaise).
1673. La Compagnie du Sénégal — française — conduit des Noirs aux Antilles et à la Guyane.
1674. Le tabac, monopole d'État en France.
1678. 27 000 esclaves aux Antilles françaises.
1682 et 1683. Mémoires de Patoulet et de Begon (bases de la rédaction du Code Noir).

1683. 30 raffineries de sucre en France. 25 paroisses catholiques en Franco-Amérique. Persécution des « religionnaires » et des juifs aux Antilles, n'allant pas jusqu'à l'expulsion.
1684. La France interdit la création de nouvelles raffineries de sucre aux colonies. La Compagnie de Guinée — française — transporte des Noirs aux Antilles et à la Guyane.
1685. Le Code Noir.
1686. Jusqu'en 1806 : des esclaves noirs au Canada, en relativement petit nombre.
1697. Occupation française de la partie occidentale de Saint-Domingue.
1698. Les Français en Louisiane. Convention entre la Compagnie de Saint-Domingue et la Compagnie de Guinée pour activer la traite et apporter davantage de Noirs à Saint-Domingue.
1699. Les « engagés » soumis de nouveau à un « contrat » de trente-six mois.
1700. Constitution d'une compagnie pour administrer le monopole du commerce franco-américain. Affranchis et esclaves : à Saint-Domingue 500 affranchis, 9 000 esclaves ; à la Guadeloupe 239 affranchis, 4 780 esclaves ; à la Martinique 507 affranchis, 14 566 esclaves.
1701. La France obtient l'*asiento* (exclusivité de la fourniture d'esclaves noirs pour les colonies espagnoles). À partir de cette date et jusqu'en 1713, la Compagnie française de la Guinée livre des esclaves au Venezuela en échange de cacao.
1705. Saint-Domingue : la castration proposée comme peine juridique pour les esclaves, la Couronne rejette cette proposition.
1709. Louis XIV déclare que l'objet de la guerre de succession en Espagne est le commerce avec les Indes occidentales.
1712. Création de la deuxième Compagnie de la Louisiane.
1713. Ordonnance exigeant la permission écrite du gouverneur et de l'intendant, dans les colonies françaises, pour affranchir un esclave. Interdiction de « baptiser comme libres des enfants de mères esclaves ».
1715. Débuts de la culture du café à Saint-Domingue.
1716. Réglementation du séjour des esclaves en France métropolitaine.
1719. Création de la Compagnie des Indes (française).
1721. La culture du café à la Martinique. Pour pouvoir affranchir, un maître doit avoir 25 ans.
1724. Refonte du Code Noir pour la Louisiane.
1726. Saint-Domingue : 130 000 habitants, dont 100 000 esclaves.
1730. De cette année à l'année 1780 ; intensité maxima de l'importation d'esclaves africains dans tout le continent américain.
1738. Durcissement de la réglementation du séjour des esclaves en France.
1746-1774. Mortalité sur les navires négriers (port de Nantes) : entre 5 % et 34 %.
1750 environ. Épopée de Macandal, qui sera exécuté en janvier 1758.

1751. Les jésuites introduisent la canne à sucre et des Noirs en Nouvelle-Orléans. Jusqu'en 1791 : intensification de la culture sucrière en Louisiane.
1753. Saint-Domingue : 172 000 habitants, dont 154 000 esclaves.
1754. 300 000 esclaves aux Antilles françaises.
1759. Création aux Antilles de chambres d'agriculture et de commerce qui disposeront d'un délégué à Versailles.
1769. Troubles politiques à Saint-Domingue. Abolition de l'esclavage en Pennsylvanie (les quakers).
1770 environ. Les colons des Antilles françaises semblent s'intéresser aux mariages et à la natalité des esclaves. Mais natalité : 0,8-0,9 % en moyenne ; mortalité, entre 10 et 12 % par année. Depuis cette date et au-delà, les Français « traitent » davantage que les Portugais et les Anglais.
1774. Le système d'engagement des « trente-six-mois » définitivement supprimé.
1775. Début des guerres d'Indépendance en Amérique (jusqu'en 1825).
1777. Une nouvelle Compagnie de Cayenne. L'Assemblée de Vermont déclare l'abolition légale de l'esclavage. Interdiction totale de séjour des esclaves en France.
1778. Saint-Domingue, 288 800 habitants, dont 7 055 gens de couleur libres et 249 000 esclaves.
1779. L'Assemblée de New York abolit l'esclavage. Antilles françaises : rechute des affranchis dans l'esclavage en cas de manquement de respect envers n'importe quel Blanc.
1780. 673 000 esclaves aux Antilles françaises. Réitération de l'abolition de l'esclavage en Pennsylvanie.
1783. Abolition de l'esclavage au Massachusetts et à New Hampshire.
1784. Abolition de l'esclavage par les Assemblées du Connecticut et de Rhode Island. Antilles françaises : registre spécial de naissances et de décès des Noirs, ne valant pas d'« état civil ».
1785. Restructuration de la Compagnie française des Indes. Le Code Noir a cent ans.
1786. Ordonnance de Louis XVI pour améliorer le sort des esclaves (repos entre midi et deux heures, du coucher du soleil à son lever).
1787. Débuts du mouvement abolitionniste au Canada. Assemblée coloniale à la Martinique et à la Guadeloupe. Constitution politique des États-Unis. Abolition de l'esclavage par l'Assemblée du North-West Territory.
1788. En France, la Société des Amis des Noirs.
1789. Saint-Domingue : 523 000 habitants, dont 27 548 gens de couleur libres et 465 400 esclaves. 700 000 esclaves aux Antilles françaises. Saint-Domingue : assemblée électorale, gouvernement militaire. France : prise de la Bastille.
1790. Le 8 mars, la Constituante considère les colonies comme partie de l'Empire français. 25 mars : l'assemblée coloniale de Saint-Marc se

proclame Assemblée générale de Saint-Domingue. 28 mars, instruction sur les lois préparées au sein des assemblées coloniales françaises. Début de l'insurrection à Saint-Domingue.

1791. Le 3 septembre : Constitution française. 22 septembre : loi de navigation maintenant le principe du système exclusif de commerce entre la France et ses colonies. 15 mai : statut sur les droits des gens de couleur. 23 juin : la Constituante assimile les colonies à la métropole. Août : révolte des esclaves noirs de Saint-Domingue. 24 septembre : l'Assemblée confie aux assemblées coloniales la charge de produire des lois sur le statut des personnes « non libres ».

1792. 21 septembre : proclamation de la République.

1793. Suppression, par la Convention, des primes aux armateurs de navires négriers. 29 août : Toussaint Louverture impose à Sonthonax l'abolition de l'esclavage à Saint-Domingue.

1794. 4 février : la Convention décrète l'abolition de l'esclavage dans toutes les colonies. Le décret n'est pas appliqué.

1802. Le 30 floréal an X : les décrets d'abolition sont annulés. Retour au Code Noir.

1803. Cession de la Louisiane aux États-Unis. Avril : mort de Toussaint Louverture. Novembre : Haïti : proclamation de l'indépendance.

1804. L'Assemblée de New Jersey abolit l'esclavage.

1805. France : le Code civil. Antilles et Colonies : réaffirmation du maintien du Code Noir.

1807. Fin officielle de la traite des Noirs aux États-Unis. Intense activité, jusqu'en 1833, pour en finir avec la traite.

1818. Rappel de l'interdiction de séjour des Noirs en France.

1820. Retour des Noirs américains en Afrique : Libéria.

1825. De cette date à 1850 la Grande-Bretagne négocie une douzaine de traités pour poursuivre ses activités de traite en Amérique.

1829. Abolition légale de l'esclavage au Mexique (indépendant depuis 1821).

1833. Martinique et Guadeloupe : droit de vote réservé aux Blancs. Abolition de l'esclavage dans les colonies anglaises.

1845. Antilles françaises : limitation des peines corporelles, l'esclave noir a droit à se constituer un pécule pour acheter sa liberté.

1847. Le Danemark abolit l'esclavage.

1848. Le 4 mars et le 27 avril : abolition de l'esclavage par la France. Cent soixante-trois ans après sa publication, le Code Noir a vécu.

1850. Fin officielle du trafic d'esclaves au Brésil. Le Brésil aura importé jusqu'à cette date quelque 3 600 000 esclaves noirs.

1860. La traite continue clandestinement en Amérique. En 15 États de l'Union l'esclavage n'est pas encore aboli.

1861. Jusqu'à cette date, et depuis 1852, la traite française continue au « bénéfice » des Antilles et de la Réunion : 50 000 Noirs environ.

1863. Mesures abolitionnistes dans la Constitution des Antilles hollandaises.

1873. Abolition de l'esclavage dans la colonie espagnole de Puerto Rico.
1880. Abolition de l'esclavage à Cuba, colonie espagnole.
1885. (2e centenaire du Code Noir). La France et l'Allemagne convoquent conjointement les puissances européennes et les États-Unis d'Amérique à la conférence de Berlin : main basse sur l'Afrique, partage du continent austral, condamnation de la traite.
1929. Ouverture à Vincennes de l'Exposition sur la colonisation française.
1985. Tricentenaire du Code Noir, totalement ignoré par la presse, la radio, la télévision françaises. Indépendantisme kanak : proposition du gouvernement français d'un moratoire vers la « liberté » et l'« indépendance » de la Kanakie.

1948, 9 décembre. Définition du génocide* par l'Assemblée générale des Nations Unies.

« Reconnaissant qu'à toutes les périodes de l'histoire le génocide a infligé de grandes pertes à l'humanité », l'AG proclame :

« Dans la présente Convention le génocide s'entend de l'un quelconque des actes ci-après, commis dans l'intention de détruire, en tout ou en partie, un groupe national, ethnique, racial ou religieux, comme tel :

« *a)* Meurtre de membres du groupe ;
« *b)* Atteinte grave à l'intégrité physique ou mentale de membres du groupe ;
« *c)* Soumission intentionnelle du groupe à des conditions d'existence devant entraîner sa destruction physique totale ou partielle ;
« *d)* Mesures visant à entraver les naissances au sein du groupe ;
« *e)* Transfert forcé d'enfants du groupe à un autre groupe. »

* Cf. *infra*, n. 64, p. 227, et n. 67, p. 229.

Première Partie

Le Code Noir à la lumière des préjugés

1. La malédiction liminaire

Ottobah Cugoano, Africain, « esclave à la Grenade et libre en Angleterre », raconte[1]. Nous sommes en 1788. En exergue à son histoire, ce passage de l'Exode : « Celui qui volera un homme et le vendra, mourra dès qu'il sera convaincu de son crime. »[2] Son récit est l'un des réquisitoires les plus insoutenables qu'un Noir ait jamais écrit contre l'esclavage auquel les corps et les âmes des siens ont été réduits siècle après siècle. Impossible de le lire jusqu'au bout sans en poser cent fois le texte pour reprendre haleine, pour donner aux atrocités décrites, aux accusations lancées contre les Blancs, tous les Blancs, le temps de ne pas trop se bousculer dans la tête ; à l'imagination des répits dans sa traversée d'une mer de larmes et de sang où elle risque de se noyer dans le désordre d'un délire, dans la frayeur d'un cauchemar.

Cugoano raconte. Écoutons : « Si les gémissements des nègres n'ont pas été écoutés, ils ne sont pas absolument étouffés (...) Les nègres acquerront de nouvelles forces. Peut-être alors vous épouvanteront-ils.

1. Ottobah Cugoano, *Réflexions sur la traite et l'esclavage des nègres, traduites de l'anglais d'Ottobah Cugoano, Africain, esclave à la Grenade et libre en Angleterre* (par Antoine Diannyère), Londres et Paris, Royer, 1788, XII-194 p. La reproduction de l'édition de 1788 constitue le t. X de *La Révolution française et l'abolition de l'esclavage*, Paris, Éditions d'Histoire sociale, 1968. Les renvois à cet ensemble de textes seront faits désormais par le sigle *EDHIS*, le numéro du volume et, éventuellement, le numéro d'ordre du document cité à l'intérieur du volume.

2. La traduction de ce verset est tout à fait fidèle à la Vulgate : « Qui furatus fuerit hominem, et vendiderit eum, convictus noxae, morte moriatur » (Exode 21, 16).

Rien ne pourra les arrêter : les mers, les montagnes, les rochers, les déserts, les forêts ne les empêcheront pas de venir jusqu'à vous ; la bonhomie des Noirs deviendra une fureur indomptable, qui renversera tout ; les cœurs les plus intrépides frémiront, et une aveugle confiance en votre bravoure sera le dernier piège que vous tendra votre entêtement. »[3] Ce sont les dernières phrases de son plaidoyer pour les siens, de son réquisitoire contre les Blancs.

Plaidoyer et réquisitoire le long duquel il évoque maintes et maintes fois les raisons dont se targuent les esclavagistes pour légitimer leur monstrueuse besogne. C'est dans les Écritures qu'ils font leur miel, les négriers.

C'est d'elles, dit-il, qu'ils nous parlent pendant que leur fouet nous taille. Certes, précise Cugoano, « c'est abuser de la Bible que d'y chercher la justification de [leurs] crimes. Il vau[drait] mieux n'en faire aucun usage ou même ne pas y croire que d'imiter ceux qui la tordent pour s'autoriser dans le trafic injuste et abominable des nègres »[4].

Pourquoi la Bible ? En quoi concerne-t-elle la traite des Noirs et l'esclavage auquel la chrétienté blanche réduit les Noirs africains ? En ceci au moins – et nous verrons chemin faisant que les raisons de l'évoquer s'ajouteront aux raisons de l'invoquer dans une théorie sans fin de syllogismes – que « les protecteurs et les fauteurs de l'esclavage soutiennent, pour excuser leur brigandage, que la loi de Moïse et la pratique constante de tous les siècles autorisent la servitude ; et ils ajoutent que les Africains, par leur caractère et leur couleur, sont particulièrement destinés à porter des fers »[5]. Ce n'est pas tout. « Les voleurs d'esclaves, les marchands de chair humaine et leurs vils agents (...) ont été contraints de masquer leur avarice avec des lambeaux qu'ils disent avoir pris dans les livres saints (...) Ainsi les guerres des Israélites, l'exil et l'esclavage des Cananéens ont toujours servi de prétexte aux cruels oppresseurs des Africains. Ainsi les ravisseurs des Noirs veulent faire croire que la loi de Moïse est la sauvegarde de leur barbarie. »[6]

La loi de Moïse, les Cananéens, les Africains ? L'esclavage des Cananéens prétexte à l'esclavage des Africains ? Oui, tout cela se tient. Tout cela est d'une touchante simplicité :

Après le déluge, Noé planta une vigne. Ayant à son heure goûté abondamment au jus fermenté des grappes, il s'enivra « et se dénuda

3. Cugoano, *EDHIS* 10, p. 193-194.
4. *Ibid.*, p. 50.
5. *Ibid.*, p. 48.
6. *Ibid.*, p. 72.

à l'intérieur de sa tente. Cham, père de Canaan, vit la nudité de son père et avertit ses deux frères dehors. Mais Sem et Japhet prirent le manteau, le mirent tous deux sur leurs épaules et, marchant à reculons, couvrirent la nudité de leur père ; leurs visages étaient tournés en arrière et ils ne virent pas la nudité de leur père. Lorsque Noé se réveilla de son ivresse, il apprit ce que lui avait fait son fils le plus jeune. Et il dit : – Maudit soit Canaan ! Qu'il soit pour ses frères le dernier des esclaves. Il dit aussi : – Béni soit Yahvé, le dieu de Sem, et que Canaan soit son esclave ! Que Dieu mette Japhet au large, qu'il habite dans les tentes de Sem, et que Canaan soit son esclave »[7].

Longue histoire celle des exégèses bibliques noircissant petit à petit, mais avec une constance sans faille, la descendance de Cham et l'installant dans des régions lointaines, inconnues, dont l'émergence massive dans les lettres des blancs « japhétites » sera concomitante à celle de l'Afrique noire. La tradition exégétique combinera son propre délire à celui colporté par les récits gréco-romains qui installent dans l'Afrique d'au-delà de l'Égypte et du désert, c'est-à-dire au-delà du connu, mille merveilles et dix mille monstruosités. Le caractère de vérité absolue concédé par chacun au langage ecclésiastique pendant des siècles et des siècles fera le reste. Dans ce langage, la paternité chamite ou cananéenne de l'ensemble de la population noire et africaine n'est pas mise en doute : elle vaut par conséquent pure conformité avec les exigences de la raison. Bien entendu, ce rapport de paternité et de filiation ne vaut pas seulement pour Cham et les chamites, il vaut aussi pour Sem et les sémites, pour Japhet et les japhétites. Il ne vaut pas seulement pour les territoires de ces trois-là, mais aussi et surtout pour leur rapport constant à la souveraineté et à la servitude imposé par Noé et, dans sa bouche, par Yahvé lui-même.

Les hommes d'Église s'en tirent à merveille : « … cette nation porte sur le visage une malédiction temporelle, et est héritière de Cham, dont elle est descendue ; ainsi elle est née à l'esclavage de père en fils, et à la servitude éternelle (…) la prière de Noé est entérinée : *dilatet Dominus Japhet*[8], etc. Dieu a épandu les Européens dans l'Amérique pour habiter les demeures des Américains, descendus de Sem[9] ; et les descendants

7. Genèse 9, 21-27.
8. « Que Dieu mette Japhet au large… » (Genèse 9, 27).
9. Allusion au thème des dix tribus perdues d'Israël. Aux débuts de la colonisation de l'Amérique, l'une des réponses apportées au problème « théologique » de l'existence des Indiens consista à en faire les descendants des « dix tribus perdues ». Comment seraient-elles arrivées là-bas ? Mystère. Mais en sémitisant les Indiens, on les reliait à l'héritage de Noé et on résolvait le problème qu'ils posaient à la crédi-

de Cham, qui sont nos nègres africains, les y servent »[10]. Et Dieu, qui ne fait jamais les choses à moitié, s'est arrangé pour que sa malédiction ne fût pas oubliée des maudits eux-mêmes, de sorte qu'ils pussent en référer à ses fidèles blancs et chrétiens pour le contentement et l'édification de leurs esprits : « Ces misérables avouent, dit-on, qu'ils se regardent eux-mêmes comme une nation maudite. Les plus spirituels, qui sont ceux du Sénégal, racontent, dit-on, sur une ancienne tradition dont ils ne connaissent pas l'origine, que ce malheur leur vient du péché de leur premier père, qu'ils nomment Tam. »[11] De Cham à Tam… Cette histoire plaît. On la reprend : « Ceux du Sénégal ont appris par une tradition qui se perpétue parmi eux, que ce malheur [de l'esclavage] est une suite du péché de leur Papa Tam, qui se moqua de son père. »[12]

À l'autre bout de l'histoire de l'esclavage noir aux Antilles et sur le continent américain, Cugoano témoigne : la malédiction de Cham est et reste l'argument fondamental des esclavagistes[13]. Colons et négriers anglais ou hollandais ne sont pas les seuls à tirer profit des arrangements apportés à pareille fatalité historique : l'esclavagisme français, tout comme l'espagnol, enjolive avec ferveur le testament de Noé[14] depuis le premier jour de la traite et bien après que l'heure n'eut sonné de l'abolition de l'esclavage.

Argument fondamental des esclavagistes, témoigne Cugoano[15]. Mais pas unique. L'assise biblique du constat traditionnel que l'esclavage

bilité de la valeur universelle du récit biblique concernant les origines de toute l'humanité. Dans cette perspective, les « japhétites » habitent effectivement les demeures des « sémites » en toute fidélité aux décrets géopolitiques de l'Éternel.

10. Maurile de Saint-Michel, *Voyages des îles Camercanes*, 1652, p. 85 ; cité par Gisler, *L'esclavage*, p. 153.

11. Prévost, *Histoire générale des voyages ou nouvelle collection de toutes les relations de voyages par mer et par terre, qui ont été publiées jusqu'à présent dans les différentes langues de toutes les nations connues*, Paris, Didot, 1746-1759, 16 vol. in-4° ; et 64 vol. in-12 ; édition in-12, vol. 59, p. 58.

12. Du P. Le Pers, cité par Charlevoix, *Histoire de l'île espagnole de Saint-Domingue*, t. 2, p. 498 (Gisler, *L'esclavage*, p. 160 et 53). Témoignages marginaux cueillis dans les récits des clercs de troisième rang ? Certainement pas : thème colporté inlassablement dans les relations des hommes d'Église.

13. « Les avocats de l'esclavage n'emploient que ces moyens de défense, et leurs adhérents, en général, les répètent sans savoir ce qu'ils disent » (Cugoano, *EDHIS* 10, p. 48).

14. On entend par testament de Noé les versets 9, 25-27 de la Genèse.

15. « Les personnes qui croient à la Bible disent que Cham et toute sa postérité ont été maudits de Dieu ; elles ajoutent que l'Afrique a été vraisemblablement peuplée par les descendants de Cham. Mais elles fournissent aux protecteurs de l'esclavage de vrais moyens de défense » (Cugoano, *EDHIS* 10, p. 53). L'auteur développe ensuite, contre la thèse de l'ascendance chamite des Africains, celle de l'ascendance chussite, bien connue des biblistes.

convient aux Noirs tout aussi naturellement que la noirceur sera considérée insuffisante pour porter tant de malheur par les grands esprits dont la pensée européenne s'ornera pendant les siècles XVIIe et XVIIIe. Mais les beaux discours qu'on tiendra à ce propos dans les salons, les pages qu'on osera sur cette matière dans les académies, et les interjections dont on aura le cran de ponctuer les débats ne seront d'aucun recours pour le Noir que le négrier volera en Afrique, pour celui dont le colon taillera la chair et brisera l'âme et le corps à la Grenade ou aux îles du Vent et Sous-le-Vent. Là-bas, sur place, c'est de Cham et de Canaan qu'on parlera aux Noirs. Parce que c'est plus court ; et que le récit n'offre pas d'échappatoire, puisqu'il ferre l'âme du Noir et l'étampe avant même que le fer rouge ne lui fleurdelise la poitrine et les épaules. Les histoires de climats, d'ensoleillement plus ou moins intense ou d'humeurs diverses jaillissant du sol aux différentes latitudes sont franchement trop complexes et pour celui qui tient le fouet ou dresse les fourches et pour celui qui reçoit les coups ou que l'on pend.

Versailles, mars de 1685. Sa Majesté Louis XIV, dans cette année théologienne par excellence dont on parle tant à cause de la révocation de l'édit de Nantes par la promulgation de celui de Fontainebleau, signe un autre édit en soixante articles, dont on parle infiniment moins chez les honnêtes gens, touchant le maintien dans « nos îles de l'Amérique » de « la discipline de l'Église catholique, apostolique et romaine et pour y régler l'état et la qualité des esclaves »[16]. C'est le Code Noir. Un code qui réussit cette performance incroyable de montrer que *la monarchie française fonde en droit le non-droit à l'État de droit des esclaves noirs, dont l'inexistence juridique constitue la seule et unique définition légale*. La malédiction liminaire pesant sur l'Afrique et sur les Africains n'est évoquée ni dans les articles du Code ni dans le préambule. Pourtant, ce texte fondamental pour l'histoire de la partie du continent africain ayant souffert de la traite, et pour l'histoire du siècle et demi d'esclavage français, blanc et chrétien aux Antilles et aux côtes orientales du continent du couchant n'est compréhensible dans son horreur qu'à une condition : il doit être lu en le référant constamment, article après article, à la suffisance culturelle blanco-biblique, dont la rigueur théologique et rationnelle n'est contestée par personne en ce crépuscule du XVIIe siècle et ne le sera pas par grand monde tout le long de sa longue carrière. Et dans cette suffisance, la malédiction de Cham mettant en relief la bénédiction de Japhet occupe une place de choix qu'elle saura garder

16. Cf. *infra*, préambule au Code Noir, p. 84.

en se masquant de tous les fards de la science, lorsque les Lumières feront – avec, sur ce point, une touchante parcimonie – la chasse au préjugé, quand elles ne choisiront pas de jardiner le silence.

2. Des hommes ? Des bêtes ?

Les préjugés ont ceci de désagréable qu'ils collent comme la gale à la peau des cultures. Et chacun de tirer argument de tout et de n'importe quoi pour bien se convaincre qu'il voit l'harmonie d'une savante osmose entre eux et la vie du savoir, alors qu'ils la parasitent et la boursouflent de redoutable façon. L'animalité, la bestialité des Noirs, ce ne sont pas les exégèses délirantes du testament de Noé qui l'inventent ; mais ces exégèses la réconfortent, et elles réussissent à plaquer sur une exaltation de soi-même par la supériorité d'une culture la glorification de soi-même par l'exclusivité d'un salut.

Hérodote racontant que le sperme des Noirs n'est pas d'un blanc subtilement nacré du plus bel effet, mais noir comme leur peau [1] – il le sait, il l'a vu – réconforte l'exégète dans sa conviction que la malédiction divine a atteint l'Éthiopien dans sa chair et dans la source même de toute négritude. Le Grec télescope hors nature humaine – du sperme noir, la cause est entendue – celui-là même que l'analyse théologique télescopera hors salut. Anthropologie et théologie auront du mal à préserver l'étanchéité totale des murs qu'elles dresseront – tantôt en coopérant aimablement, tantôt en se rudoyant l'une l'autre sur le chantier – entre les mille et une qualités dont hérite le Blanc par le seul fait de naître, les mille et un mérites dont il devient dépositaire du seul fait d'ajouter à sa blancheur le christianisme, et les mille et une turpitudes qui enlaidissent le Noir dès sa naissance et dont il n'est pas dit, loin s'en faut, que la christianisation puisse le libérer.

En chrétienté triomphante, l'affaire des Noirs est entendue et prati-

1. « Leur semence n'est pas blanche, comme celle des autres hommes, mais noire comme leur peau. Les Éthiopiens ont, eux aussi, le sperme de la même couleur. » Hérodote précise dans la foulée que tout ce beau monde « copule en public, comme les bêtes », Hérodote, *Histoires* (cf. Biondi, *Mon frère*, p. 188). Copuler en public – ignorer le sentiment de la pudeur – demeure jusqu'à très tard dans la modernité un signe clair de bestialité lorsqu'il s'agit, pour les philosophes ou les théologiens, de tracer des frontières nettes entre les hommes et les bêtes.

quement indiscutée. Yahvé ayant parlé par la bouche de Noé, l'asservissement du Noir par le Blanc ne pose aucun problème. N'en pose pas davantage l'étrangeté de l'Africain dans une perspective de salut. Le Noir est bel et bien un homme. Il descend bel et bien d'Adam, par Noé. On ne saurait théologiquement l'exclure d'une économie de salut. Il y a essentiellement accès, de plein droit. Néanmoins le poids de la malédiction liminaire est tel, l'abrutissement a atteint sa nature dans des profondeurs telles qu'il est quasiment impossible au Noir d'accéder aux avantages de la prédication, à la compréhension de la Bonne Nouvelle, d'avoir quelque disposition réelle aux délices de la vertu. C'est à peine s'il a conscience de disposer d'un potentiel psychique (d'une intelligence, d'une mémoire, d'une volonté), cet être que les instincts les plus bas et les appétits les plus vils tiennent à leur merci et dirigent à leur gré.

Des hommes ? Des bêtes ? Des hommes assurément, puisqu'ils dérivent de Noé et d'Adam et qu'ils ont, par conséquent, terrées et assoupies au plus profondément inaccessible de leur nature, les conditions du salut.

Des bêtes sans l'ombre d'un doute, puisque l'esclavage est leur lot, leur part dans l'héritage, et que la malédiction liminaire les tient inexorablement éloignés de la vie politique, du droit, du pouvoir, de tout ce qui en bonne théologie scolastique – et déjà en bon augustinisme, tout comme en bon aristotélisme – arrime, comme l'attribut à la substance, l'humanité à la cité et la cité à l'humanité.

Des bêtes assurément, puisque la théologie et l'homilétique ont réussi très tôt, dans le droit fil de la patristique et de la tradition stoïcienne, à penser la carte et la charte de l'humanité en fonction de celles de l'exercice du pouvoir et de la transmission des souverainetés. L'esclavage par nature ou par déchéance étant le verrouillage le plus efficace qu'on puisse imaginer à tout exercice public de la volonté[2] inhérent à la rationalité, la théologie n'a somme toute pas trop de problèmes – et, avec elle pas davantage le pouvoir et le savoir ecclésiastiques – à bénir des deux mains ceux qui asservissent les Noirs et les vampirisent, tout en jurant son grand dieu qu'il n'est pas impossible au Noir de faire individuellement son salut.

Du premier jour de la traite jusque bien au-delà de la publication du Code Noir, le christianisme européen – toutes réformes et contre-réformes, tous schismes, toutes sectes confondus quand ce sera l'heure –

2. L'expression « exercice public de la volonté » tient compte de la distinction juridique et canonique des deux fors. L'esclave reste maître de son for interne (il est donc, dans une perspective de salut, capable de mériter et de démériter), quelle que soit la rigueur des lois qui le soumettent au for externe.

reconduira cette étonnante réduction anecdotique en balade littéraire du chemin agonique des Noirs au milieu des Blancs.

Le Code Noir, légiférant d'une même voix et d'une autorité seule sur l'affermissement du catholicisme aux Antilles et sur l'esclavage des Noirs, traduit à la perfection l'un et l'autre de ces deux moments de l'analyse théologienne :

Les « nègres » esclaves ? Socialement : des bêtes, voire des objets[3]. Individuellement : des créatures humaines, susceptibles du salut par le baptême[4].

Le Code Noir traduit tout aussi bien l'analyse anthropologique de facture stoïcienne (aussi délavée qu'on voudra, mais reconnaissable tout de même) : les esclaves noirs croupissant au fond le plus extrême de l'abrutissement, sont capables de vertu et, par conséquent, susceptibles d'approcher quelque peu les bénéfices d'un exercice public de leur volonté. Bref, ils sont éthiquement – et de là, politiquement et juridiquement – quelque peu socialisables. Pas trop. Juste un peu. Tout juste assez pour savoir se mettre en rang et bêcher en cadence[5].

Le Code Noir n'invente rien. Il rappelle et amende pour les Noirs en Amérique l'essentiel d'un passé relativement récent. C'était il y avait un peu moins de deux siècles, à la toute fin du XVe : l'histoire chrétienne de l'Amérique commence à Castille. Les théologiens hispaniques ont à résoudre un problème de taille. Aux Indes occidentales il y a des Indiens. Il y en a beaucoup. On s'inquiète de savoir où, sur quel passage du Pentateuque, dans quelle métaphore du Cantique ou sur quelle parabole christique on pourrait bien fonder – fût-ce au moyen de quelque bricolage philosophique au mieux, analogique au pire – la prémonition de leur existence, et de là, la détermination de leur statut face aux critères différentiels d'humanité et de bestialité et aux repères axiologiques de droit ou de non-droit au salut. Il fallut déchanter. Non, décidément, la Bible ne prévoyait pas l'existence d'un continent au couchant, au-delà des mers, ni, évidemment, celle d'une foule pour le peupler. On essaya bien de sémitiser tous les Indiens, en les faisant tous descendre des dix tribus perdues d'Israël, qui se

3. Code Noir, art. 45 à 54.
4. Code Noir, art. 2 à 7.
5. On remarquera à ce propos que le Code contemple la responsabilité juridique individuelle de l'esclave – il peut mériter des châtiments –, bien qu'il lui interdise dans la lettre et dans les faits d'être acteur sur la scène du droit. Il sera souvent question des contradictions à ce niveau entre divers articles et notamment entre l'article 26 et les articles 30 et 31.

seraient retrouvées là-bas[6]. L'explication, exploitable à certains égards, eut son heure de gloire et surtout son déclin. La suite de cette histoire, chacun la sait. Le génocide perpétré par l'Espagne d'abord, puis par les autres, aux Indes occidentales, nul ne l'ignore. Mais on ne lit tout de même pas dans tous les manuels scolaires combien fut vif le débat entre théologiens espagnols concernant la question qu'on vient d'évoquer à propos des Noirs : ces Indiens, des bêtes ou des hommes ? Si ce n'étaient pas des hommes, à quoi bon tenter de les évangéliser ? Si c'étaient des hommes, étaient-ils libres par nature ou esclaves par nature ? Autrement dit : jouissaient-ils, chez eux, de la plénitude du pouvoir monastique, domestique et politique[7] ? Avaient-ils des princes et des lois ? Vivaient-ils sans princes ni lois, ou selon une conception telle de la souveraineté et de la légalité qu'elle pouvait être considérée par les Blancs – c'est-à-dire en raison et en théologie – comme fondamentalement et totalement aberrante ? Le débat fut long, violent. L'enjeu, quelque difficulté qu'on puisse avoir à le mesurer aujourd'hui, était de taille. Il y allait de la cohérence de l'entreprise de la colonisation, en une époque où le droit et la théologie disaient la totalité du vrai. « Aristotéliciens » et « biblistes », juristes et canonistes mobilisèrent tout ce qu'il leur était possible de mobiliser au bénéfice de deux lectures : celle qui dépossédait l'Indien de toute souveraineté, celle qui la lui conservait. Au plan juridique, les biblistes finirent par l'emporter. Trop tard. Lorsque Charles V abolit l'esclavage des Indiens[8], lorsque le pape daigne rappeler que les Indiens ne sont pas des singes mais des hommes[9]

6. Voir n. 9, p. 16.

7. L'expression « souveraineté monastique » (on dit généralement « pouvoir individuel » ou « liberté individuelle »), formant triptyque avec les souverainetés domestique et politique, est utilisée constamment par Bartolomé de Las Casas. Construite sur le terme *monos* (un seul), elle me semble particulièrement heureuse pour désigner le premier niveau de la volonté et de la capacité d'accomplir par soi-même et sur soi-même.

8. L'abolition est prononcée le 2 août 1530. Charles V déclare notamment que les Indiens n'avaient jamais donné prétexte ni à mériter l'esclavage ni à perdre la liberté qu'ils avaient et qu'ils ont de droit naturel. Il interdit, dans l'avenir, toute « possibilité de captiver et réduire à l'esclavage les Indiens au cours des guerres, fussent-elles justes, les Indiens et naturels eussent-ils donné ou dussent-ils donner un prétexte à cela (...) Personne ne devra donc réduire à l'esclavage aucun Indien, ni au cours d'une guerre ni en temps de paix ; ni garder aucun esclave sous prétexte d'acquisition par guerre juste, ou de rachat, ou d'achat, ou de troc ni sous quelque titre ou prétexte que ce soit, même s'il s'agissait de ces Indiens que les aborigènes de ces îles et ces terres continentales considèrent eux-mêmes comme des esclaves » (*Amérique latine, Philosophie de la Conquête*, Paris, Mouton, 1977, p. 153-154).

9. Bref papal publié par Paul III le 9 juin 1537. Contrairement à ceux qui prétendent que « les Indiens des terres occidentales et des terres méridionales et tous les

et jette l'anathème à qui prétendrait le contraire, les *conquistadores* ont déjà brisé les peuples, les royaumes et les empires du couchant, les *adelantados* et les *encomenderos* ont trouvé la synthèse juridique et économique permettant de ferrer sans réduire à l'esclavage, et les missionnaires ont mis au point les sermonnaires adéquats à la situation des Indiens : reconnaissance éternelle à l'Espagne qui les délivre des démons dont ils étaient les esclaves, et obéissance aux autorités très chrétiennes de Castille pour bien mériter le paradis.

Il ne convient pas ici d'en dire davantage. Les Amérindiens n'étaient pas des Africains, c'est l'évidence. Mais il est évident aussi qu'anthropologie et théologie, à plus d'un siècle de distance entre le temps de Charles V et celui de Louis XIV, n'avancent pas d'un pouce dans leurs raisonnements ni dans leurs stratagèmes lorsqu'il s'agit d'imposer à d'autres, avec quelles formidables conséquences, le schéma culturel et légal blanco-biblique. Pire que cela. Le Code Noir est en retrait, s'il se peut, à ce propos sur les lois hispaniques. À moins qu'il ne convienne de dire – et je crains fort que ce soit là la bonne hypothèse – que le Noir, du seul fait d'être situé mieux que l'Indien dans la hiérarchie des rejets dont se réconforte la blanchitude (Hérodote ne pouvait pas savoir que le sperme des Indiens était forcément rouge, et les fils de Cham n'avaient pas essaimé au-delà de l'Atlantique)[10], était prédestiné à porter le fardeau le plus lourd le jour où il ferait sérieusement irruption dans la façon blanche et chrétienne d'écrire l'histoire et de modeler l'espace.

On sera tenté d'argumenter contre cela que c'est faire la part trop

gens des régions récemment découvertes doivent être réduits par la force (…) et traités comme des animaux sauvages », Paul III, les sachant hommes véritables, déclare « que ces Indiens et tous les gens qui dorénavant seraient découverts par les chrétiens, bien qu'ils vivent en dehors de la foi du Christ, ne sont pas dépourvus de liberté et ne sauraient en être privés, pas davantage de la souveraineté sur leurs biens » (*Amérique latine*, cf. note précédente, p. 163-164).

10. À moins que les descendants de Cham ne soient les Anglais ! Cugoano argumente très finement à ce propos. Ce sont les enfants de Chus, l'aîné des fils de Cham, qui « pénétrèrent dans les parties intérieures et méridionales de l'Afrique ; et comme ils fixèrent leur séjour sur la zone torride, ou près des Tropiques, leurs descendants devinrent graduellement très noirs. Cette couleur est naturelle aux habitants des climats brûlants » (*EDHIS* 10, p. 55-56). « En revanche, les descendants de Canaan peuplèrent, dans l'Asie occidentale, le pays auquel ils donnèrent leur nom. N'oublions pas qu'il n'y eut que Canaan et sa postérité qui aient été frappés de la malédiction divine (…) Ressouvenons-nous que quelques Cananéens, suivant les historiens, s'enfuirent de leur pays à l'approche de Josué et se retirèrent en Angleterre. Ne pouvons-nous pas croire que, s'ils sont toujours maudits de Dieu, ils sont plutôt reconnus par leur méchanceté que par leur couleur ? Quels sont donc les enfants de Canaan ? Les Africains ou les voleurs d'esclaves ? Comparez leurs actions et prononcez » (*ibid.*, p. 54-55).

belle à la théologie et aux théologiens dans cette histoire que de rappeler de façon si fastidieuse leurs exploits théoriques. On rétorquera que nous parlons d'une période où théologie et Église – ou Églises – sont maîtresses incontestées du vrai ; et, le temps d'un soupir, on jouera à croire que les choses évoluèrent, sur ce registre, à l'époque heureuse des Lumières. Mais aux Lumières nous n'y sommes pas encore, et le Code Noir les précède au fil de la chronologie avant de les accompagner sur toute leur durée. Il faut donc, bon gré mal gré, garder l'œil sur la théologie et les théologiens pendant qu'on surveille la mise en place du génocide dont ce texte codifie la célébration au bénéfice de vastes régions africaines et de tels et tels rivages de l'Atlantique.

3. Des bêtes d'avant les hommes. Des hommes bestialisés

Le Kouch des Hébreux et des Égyptiens, l'Éthiopie des Grecs[1], la Nubie des Romains, derechef l'Éthiopie des médiévaux, enfin l'Afrique des Arabes et de tout le monde est le lieu de toutes les désolations et de quelques délices. Les êtres qui le peuplent divaguent aux frontières de l'humanité et de la bestialité. On les soupçonne d'avoir des affinités de sang avec les grands singes. On ne les en soupçonne pas, on en est sûr. Des affinités qui autoriseraient le mélange sexuel, si elles ne l'exigeaient. Les privautés des Noirs avec les primates ne sont à la limite, chez eux, qu'un souvenir enluminé en mythe ou en fable. C'est égal : il n'y a pas de fumée sans feu ni de mythe sans socle historique. Cela pour commencer. Pour continuer, les schémas de la rationalité chérissant les bonnes globalisations une fois les frontières

1. L'Éthiopie évoque, pour les Grecs, la chaleur, le brûlé, la noirceur. Les Éthiopiens, puis l'ensemble des Africains, sont désignés souvent dans les généalogies construites sur la base des textes bibliques, comme étant les descendants de Chus, cet autre fils de Cham, dont l'« histoire » est aussi édifiante que celle de Canaan. Désobéissant à Noé qui avait interdit à ses fils d'avoir des rapports sexuels avec leurs femmes dans l'Arche, Cham conçut un enfant durant le déluge : c'est Chus. Dieu le maudit et le fit naître noir. De lui naquirent les Éthiopiens et tous les Noirs africains. Dans la couleur de Chus, Dieu désignait une source constante de corruption pour toute l'humanité. Guillaume Postel garantit de toute sa science cette vieille histoire au beau milieu du XVIe siècle (*Cosmographicae Disciplinae Compendium*, Bâle, 1561). Deux siècles plus tard, le P. Tournemine (*Remarques sur le mémoire touchant l'origine des nègres et des Américains*, 1734) retient encore les explications de Postel.

tracées et bien gardées, il convient de ne pas se perdre dans des détails inutiles et de ne point émietter en je ne sais combien de sous-catégories la sous-catégorie du Noir : ce qui vaut pour l'Éthiopie vaut pour le Soudan, ce qui vaut pour le Soudan vaudra pour le Cap, lorsque Cap il y aura, et ce qu'on plaque sur la Casamance on l'étire sur la totalité du continent sous-saharien[2]. On isole et on date le merveilleux lorsqu'on dit en avoir trouvé ; car le merveilleux, aussi fréquent soit-il, est exceptionnel, c'est un pléonasme. Le monstrueux exige, lui aussi, la rareté. C'est égal : on généralise et éternise le monstrueux, puisqu'on a décidé de définir ainsi, en anthropologie, ce qu'on a situé le plus loin possible de la merveilleuse merveille du Blanc chrétien, ce qu'on a relégué à l'autre bout du savant dégradé qui, à travers un splendide nuancier pneumatique et chromatique, aboutit à la noirceur pure et au pur abrutissement. On ferraillera dur au XVIIIe siècle pour démontrer – dans un souci très savant et parfaitement compréhensible de traquer « le préjugé » et de rendre à la science ses droits à dire sa vérité là où la Bible imposait la sienne – que la loi des climats et celle de l'environnement culturel, celle de l'anthropologie et celle de la zoologie, celle de la nature et celle de la raison ne font qu'un lorsqu'il s'agit de dessiner l'échelle des perfections des hommes et des animaux et d'en souder, tantôt à l'échelon du singe (orang-outan de préférence), tantôt à celui du Noir (avec des tendresses particulières, s'il se peut, pour l'Hottentot) la touchante continuité physiologique et l'émouvante brisure pneumatique.

Avec des hésitations flagrantes, quant à ces deux-là, le Noir et le singe.

2. Guillaume Postel peut puiser à pleines mains dans la littérature théologique et canonique médiévales pour jouer le jeu de la synthèse entre noirceur, ténèbres et Noirs. Dans le *Speculum* de Henri Bate on trouve que « *nigrum velut negatio lucidi est et privatio* ». Et si, dans un quodlibet, Nicolas Trevet (*Quodlibet* II, question 34) écrit que « *nigritudo entis est in Ethiopia ex mixtione elementorum, et non ex ratione animae* », il retient dans les *Sententiae ex Aristotele collectae* (*PL* 90, 1029 B) que « *nigredo est privatio albedinis* », et que « *nigredo est qualitas minus perfecta quam albedo* ». Godefroy de Fontaine ne le contredit pas, en précisant, à propos du « *genus humanum* » que « *illud esse nigrum non est completum et perfectum sicut esse album* » (*Quodlibet* I, 7). Höffner démontre suffisamment que le Moyen Âge chrétien aime à caractériser les Noirs, tous les Noirs, à la fois par leur robustesse physique et leur « simplicité mentale » (avec tout un jeu de nuances entre la *simplicitas* qui déjà ne va pas bien loin, la *stultitia* et l'*insipientia* au sens plus que transparent). « Robustesse » et « simplicité » qui faisaient des Noirs le type même des peuples esclaves par nature dans l'acception aristotélicienne du terme (Höffner Joseph, *Christentum und Menschenwurde. Das Anliegen des Spanischen Kolonialethik in Goldener Zeitalter*, Trèves, 1947). Avant d'en venir au siècle d'or hispanique, Höffner consacre toute une partie de sa recherche aux idées de la chrétienté médiévale sur l'esclavage.

Il y aura qui posera volontiers le singe comme intermédiaire entre le Blanc et le Noir, il y aura qui posera le Noir comme intermédiaire entre le Blanc et le singe. Il fallait encore situer, dans ce mouvement descendant de l'homme blanc à l'huître, juste en dessous des anges et juste au-dessus de la masse visqueuse et stridente de la vermine et des insectes et en passant par le singe et le Noir ou par le Noir et le singe, le « nègre-blanc » (l'albinos)[3], dont beaucoup juraient qu'il constituait un grand peuple au beau milieu de l'Afrique[4] ; et l'homme-poisson, dont on ne doutait pas qu'il hantait les mers et terrorisait les côtes et les plages, dont l'existence réelle ne faisait plus de problèmes depuis ce jour béni où des pêcheurs andalous en prirent un dans leurs filets, qu'ils présentèrent à la très sainte Inquisition où il n'avoua rien, qui vécut au sec pendant neuf ans avant de s'enfuir retrouver la paix de l'âme dans l'eau salée[5].

Tout cela, fort complexe, devait se régler, comme certaines philosophies, dans le boudoir et, mieux encore, dans le douillet confortable de la chambre de madame.

Qui dit « nègre » dit « négrillons ». Et qui dit Paris dit raffinement. Fontenelle, dans les *Lettres galantes*, parle sous le ton de la plaisanterie ou de l'ironie à cette dame qui reçoit en cadeau un singe et un négrillon : « L'Afrique s'épuise pour vous, Madame, elle vous envoie les deux plus vilains animaux qu'elle ait produits… Voilà le plus stupide de tous les Maures et le plus malicieux de tous les singes. Je vous assure qu'il y a une de ces bêtes-là qui respecte fort l'autre, et qui en admire tous les traits d'esprit. Vous jugez bien que l'admirateur est le Maure. Outre que tous ceux de sa nation croient fermement que les singes ont autant d'esprit qu'eux, mais qu'ils s'en cachent le plus qu'ils peuvent en ne parlant point, de peur qu'on ne les fît travailler, ce Maure-ci a conçu une estime particulière pour le singe, par la longue

3. L'albinos pose à la science des XVIIe-XVIIIe siècles un problème insoluble. Comment harmoniser tant de blancheur avec la théorie des climats qui combine noirceur et tropiques, noirceur et ensoleillement excessif ?

4. Le peuple albinos sera parfois assimilé à la nation légendaire du « prêtre Jean ». Ignace de Loyola somme les missionnaires qu'il envoie en Afrique de ne rien y entreprendre sans avoir préalablement contacté ce mystérieux prêtre-roi de l'intérieur des terres. L'albinos était-il plus fort, plus beau que le Noir ? Était-il le plus noble des animaux ou le plus incomplet des hommes ? On en discutait ferme.

5. Et quels rapports hiérarchiques entretenaient-ils, l'albinos et l'homme-poisson ? Voir, à propos du sérieux avec lequel toutes ces questions étaient étudiées par de très grands esprits, Carminella Biondi, Il « drame raisonnable » di Delisle de Sales : gli ultimi saranno i primi, in *Studi sull' uguaglianza* I, Pisa, Goliardica, 1973. Dans cette même étude, la relation de la capture de l'homme-poisson par des marins andalous.

habitude qu'il a eue avec lui, et il n'a de raisonnement qu'autant qu'il en a acquis dans ce commerce. »[6] Carminella Biondi, qui relève le texte et souligne qu'il est écrit en pleine traite des Noirs, en plein fonctionnement du Code Noir[7], commente avec un à-propos total : « Le seul fait que la mode ait vraiment banalisé en un seul cadeau "exotique" le négrillon et le singe et qu'ils représentent indifféremment l'un et l'autre au cours du XVIIIe siècle des jouets des dames raffinées toujours en quête de nouveaux passe-temps, met en évidence l'abîme d'indifférence et de superficialité, au moins, que suppose cette *histoire drôle.* »[8]

Bon pour faire joujou avec madame après avoir été à l'école du singe, le Noir est incapable de noblesse ou de vertu. W. B. Cohen rappelle à ce propos que « les liens entre apparence physique et qualités morales étaient si étroits que la dramaturge anglaise Aphra Behn donna à son héros noir, Oronoko[9], une peau peu foncée, cette attribution étant apparemment le seul moyen de rendre ses origines aristocratiques acceptables[10]. Mais lorsque La Place traduisit en 1745 cette même pièce, il alla beaucoup plus loin ; d'une des protagonistes franchement noire, il fit une femme blanche et il supprima les passages mentionnant la couleur des autres personnages. Il semblerait donc qu'un héros ne pouvait être sur scène à la fois noble et noir, sous peine de choquer le public. Shakespeare avait osé présenter devant ce dernier un Maure d'origine aristocratique, Othello, mais lorsque ce personnage fut interprété en France, il avait perdu la couleur de sa race »[11].

6. Fontenelle, *Les lettres galantes* (1re éd., 1683).

7. Plus précisément, les *Lettres galantes* paraissent de nouveau en plein fonctionnement du Code Noir et de la traite, en 1715.

8. Biondi, *Mon frère*, p. 154. « Le singe, dont les femmes raffolaient, admis à leurs toilettes, appelé sur leurs genoux, a été relégué dans les antichambres. La perruche, la levrette, l'épagneul, l'angora (...) ces êtres chers ont perdu tout à coup de leur crédit, et les femmes ont pris de petits nègres (...) Un petit nègre aux dents blanches, aux lèvres épaisses, à la peau satinée, caresse mieux qu'un épagneul et qu'un angora... », Sébastien Mercier, *Tableau de Paris*, cité par Biondi, *Mon frère*, p. 95).

9. *Oroonoko, or the Royal Slave* paraît en Angleterre en 1688.

10. La beauté du prince noir est décrite selon les canons de l'esthétique européenne. À la couleur près, qui n'est tout de même pas aussi noire que celle des gens de son peuple, on confondrait facilement Oronoko avec un prince européen. L'essai de François Bernier définissant les races selon les particularités physiques est de 1684. La synonymie entre noirceur et laideur physique et morale s'exprime en langage scientifique chez Bernier, s'affirme davantage chez Camper, triomphe à la fin du XVIIIe siècle chez Cuvier.

11. W. B. Cohen, *Français et Africains*, p. 137. Cohen renvoie pour le destin français et blanc du héros shakespearien et noir à Léon-François Hoffmann, *Le nègre*

La science blanche s'y prend comme elle peut. Mais au fond d'elle-même, elle bricole tant qu'elle peut pour pouvoir asservir avec tout le confort idéologique, en pleine sécurité rationnelle, ceux dont elle a besoin pour faire pousser sa canne à sucre et la moudre, fleurir son café et le ramasser.

La Castille ne procéda pas autrement tout le long du XVIe siècle après avoir décidé de planter ses étendards en Amérique. Et il serait très facile de proposer côte à côte tel portrait de l'Africain brossé par un homme de lettres – ou de religion, ou de commerce – de la France du XVIIIe siècle à tel portrait de l'Indo-Américain brossé par un homme de commerce – ou de religion ou de lettres – de la Castille du XVIe siècle[12]. Identiques, les tentatives de rejet hors humanité. Identiques les scrupules de dernière minute[13]. Identiques les recours à la science du temps pour lui faire confirmer ce que l'on sait et dont on ne veut point douter, ce à quoi il faut croire au risque d'avoir, dans le cas contraire, à plier bagages et à rentrer chez soi. Identique et également révoltante la façon dont on recourra aux « autorités » pour que l'histoire de Cham demeure une belle histoire même lorsqu'on joue à l'esprit fort et se moque de la Bible ; et pour que les Noirs (comme, avant eux, les Indiens) soient irrémédiablement idiots, même lorsque leur idiotie ne leur viendra plus de la noirceur du sperme, mais de l'impitoyable ardeur du soleil. Nous les admirerons, chemin faisant,

romantique, Paris, 1973, et à James Walmin, *Black and White : The Negro and English Society, 1555-1945*, Londres, 1973.

12. Voir, à ce propos, le portrait des Indiens brossé par un ecclésiastique espagnol en 1605 (*in* Silvio Zavala, *Amérique latine, philosophie de la conquête*, Paris, Mouton, 1977, p. 164-165), dont voici le début : « Et tout d'abord, ce qui est fondamental, ce qui est la source même des bonnes ou des mauvaises habitudes morales, ils ont l'esprit le plus vil et le plus bas que nulle nation ait jamais possédé. Ils semblent réellement nés pour servir ; ils reconnaissent dans les esclaves nègres leurs supérieurs. » Les traits se précisent : l'Indien est lâche, cruel, paresseux, servile ; ingrat, ignore le sens de l'honneur : il est menteur, ivrogne, impudique, sale. D'un pamphlet intitulé *Mémoire sur l'esclavage des nègres, par MDLDMFY*, Paris, 1790 : « Il est inné chez la plus grande partie des nègres d'être injustes, cruels, barbares, anthropophages, traîtres, trompeurs, voleurs, ivrognes, orgueilleux, paresseux, malpropres, impudiques, jaloux à la fureur et poltrons. »

13. Partout, même chez Sepúlveda pour l'Espagne et les Indiens, même chez les esclavagistes les plus radicaux pour la France et les Noirs, le rappel *in extremis*, juste après les kyrielles de diatribes, de ce qui fonde la possibilité même de conduire l'Indien ou le Noir au travail : sa capacité à recevoir des ordres, à comprendre le prédicateur, à obéir joyeusement. Manière constante d'invoquer cette « perfectibilité » dont la trouvaille est vieille de plusieurs siècles lorsque les Lumières croient l'avoir inventée.

ces subtilités de la climatologie qui émurent Montesquieu longtemps après en avoir ému bien d'autres.

Il convient d'essayer d'y voir clair dans ce qui se reconduit comme dans ce qui se modifie en ce domaine. La façon la plus utile de mettre de l'ordre dans l'arborescence d'un seul et unique délire est, me semble-t-il, de voir comment l'explication théologisante et l'explication philosophante divergent dans les considérants qu'elles charrient avant de se rencontrer dans une manière de compromis. Et cela, quelles que soient les contaminations réciproques des deux types d'explication. Les théologiens donc. Puis, les philosophes. Enfin, le ton sublime de leur unanimisme malgré les empoignades de passage.

4. Les théologiens : blanco-biblisme et monogenèse, corruption morale et laideur physique

Les théologiens, quelques combinaisons qu'ils inventent, ne peuvent pas mettre en doute et ne mettent pas en doute le principe sacro-saint du monogénisme, nous l'avons déjà indiqué. « Faisons l'homme à notre image », dit Yahvé[1]. La tradition théologienne gomme, au bénéfice de la monogenèse, les passages bibliques qui en infirment le principe[2]. Adam constitue bel et bien, de la tradition apostolique et patristique jusqu'à la néoscolastique, le socle commun de l'humanité[3]. Ses descendants sont les seules créatures participant de la chair et de l'esprit, douées et d'une âme immortelle et d'une rationalité. Dès Augustin, tous les éléments théoriques sont réunis pour étendre à tous les animaux rationnels, quelles que soient leurs morphologies, quelques bizarreries qu'on leur attribue, l'humanité pleine et entière[4] ; en même temps, la possibilité est contemplée en toute sérénité de l'existence de nations entières à l'aspect physique totalement différent de

1. Genèse 1, 26.
2. Genèse 4, 13-15 ; 6, 2-4.
3. La tradition retient les deux récits de la création de l'humanité (« Dieu créa l'homme à son image, à l'image de Dieu il le créa, homme et femme il les créa », Genèse 1, 27 ; Dieu forme Adam avec la glaise du sol et avec son souffle, et façonne Ève d'une côte d'Adam, Genèse 2, 7 et 22), mais elle privilégie la seconde, qui instaure hiérarchie et dépendance.
4. Augustin, *Cité de Dieu*, liv. 16, chap. 8 et 9.

celui qui dit la norme[5]. Il y a de la place pour des géants, des nains, des acéphales : Augustin n'est pas prêt à croire pour autant à toutes les fables qu'on lui raconterait sur les bizarreries des unes ou des autres de ces nations[6]. Sont-elles là ? Lui apporte-t-on la preuve de leur existence ? Il n'a aucune difficulté à leur reconnaître d'office l'exercice de la rationalité. Mais déjà chez lui est nettement isolé le germe de l'historicité de la dégénérescence morale liée à l'historicité indéniable de l'esclavage.

Augustin constate que le mot d'« esclave » apparaît pour la première fois dans le testament de Noé et dans la malédiction de Canaan, fils de Cham, et qu'il est institué par Dieu – parole révélée, parole divine – en punition d'un péché[7]. Dès lors, les éléments essentiels de l'analyse augustinienne du thème de l'adéquation de l'esclavage en tant que préservation de la nature (bonne) face à ce qui viendrait mettre des obstacles à sa finalité (le bien) seront repris et étoffés au cours des siècles pour s'épanouir, à travers Isidore de Séville et Albert le Grand, chez Thomas d'Aquin et Bonaventure, puis dans la néo-scolastique jusqu'à Suarez et au-delà[8]. L'esclavage, dirions-nous dans notre langage habituel, n'est pas dans les gènes, il n'est pas le fait de la nature ni biologiquement ni rationnellement considérée. Ce ne sont pas des défaillances biologiques ou rationnelles chez certains qui les désigneraient comme devant bénéficier ou ayant bénéficié, pour leur bien, de l'aliénation totale de la volonté, c'est-à-dire de l'esclavage. C'est la marque d'une faute qui les désigne, un germe de méchanceté, qui se développerait et tendrait à coup sûr à envahir en arborescence la nature entière, somatique et pneumatique du méchant. Il convient donc, non de supprimer, mais d'isoler le méchant, de façon à limiter les conséquences néfastes de l'expansion du mal, de son arborescence au beau milieu du sujet marqué et de la communauté. Bref, déjà chez Augustin – et l'affaire ne fera que se redéfinir chemin faisant sur la voie royale des théologiens – l'esclavage punit une faute

5. *Ibid.*

6. *Ibid.*

7. *Cité de Dieu*, liv. 19, chap. 15 : « Dieu voulut que l'homme rationnel, créé à son image, dominât uniquement les irrationnels : pas de domination de l'homme sur l'homme, mais de l'homme sur la brute *(non hominem homini, sed hominem pecori)*. De là que les premiers justes aient été des bergers, non des rois (...). Le mot d'esclave n'est jamais employé dans les Écritures avant que le juste Noé n'ait châtié avec ce mot le péché de son fils *(hoc vocabulo... peccatum filii vindicaret)*. »

8. Gisler (ouvr. cité, p. 8-11) rappelle de façon succincte, mais claire et documentée, les moments forts de ce développement exégético-théologique.

commise et prévient le développement de la méchanceté[9]. On réduit le méchant à l'esclavage parce qu'on tient à ce que la nature humaine dans son ensemble ne dévie pas de sa propre finalité, qui, comme chacun sait, est le bien. Précisons qu'en bonne dogmatique chrétienne on distingue la notion de péché de celle de chute, même s'il leur arrive de s'entremêler souvent. Le péché relève de la pleine connaissance et de la volonté consentante, et engage la nature pneumatique. La chute est l'effet du péché sur la nature du pécheur. Si un lien juridique, de quelque nature que soit la loi qui l'impose, vient s'établir entre un péché spécifique et des données somatiques et pneumatiques repérables dans l'espace et dans le temps, il n'y aura pas d'incongruence théorique à étendre sur toute une zone et sur toute une durée la culpabilité du pécheur. Or, ce genre de liens se créent par simple affirmation. Nous retrouvons le modèle Cham, dont la culpabilité est isolée, d'entrée de jeu, en son fils Canaan ; ou de façon moins précise mais combien pleine de sens, le thème biblique du Dieu jaloux punissant dans les enfants jusqu'à la septième génération le péché des parents. Le modèle Cham-Canaan et le traitement qui en est fait d'Augustin à Suarez et à Molina sauvegardent pleinement et entièrement la perfectibilité du « coupable », ne mettent pas en doute sa capacité d'être « pardonné », racheté au plan individuel[10].

Les Pères de l'Église raisonnent pour rendre compte bibliquement de l'esclavage gréco-romain. Les théologiens font de même, mais ils songent aussi au servage en Europe. Le thème de l'esclavage africain ne concerne pas au premier chef ni les Pères ni les théologiens. En revanche, ils s'inquiètent de l'implantation du christianisme, de ses avancées et de ses replis. Là, Augustin fournit aussi des réponses définitives auxquelles on ne cesse de se référer jusqu'au XVIe siècle au moins. Le pauvre Cham se retrouve le dos au mur. Flanqué de Sem « dont le nom signifie le Nommé et dont la semence générera le Christ selon la chair », et de Japhet « dont le nom signifie l'Étendue

9. *Cité de Dieu*, liv. 19, chap. 15 : L'homme, tel que Dieu l'a créé, n'est esclave ni d'un autre homme ni du péché. Mais l'esclavage pénal est ordonné par cette loi qui oblige à conserver l'ordre naturel et qui interdit de le troubler.

10. Il y a eu, conjecture Augustin, de véritables contempteurs de l'Éternel chez les descendants de Sem et de Japhet, et il n'a jamais manqué de vrais adorateurs de l'Éternel chez les descendants de Cham (*Cité de Dieu*, liv. 16, chap. 10). Augustin consacre à l'analyse du sens historique et théologique du testament de Noé et à ses retombées juridiques les trois premiers chapitres du livre 16 de la *Cité de Dieu*. Les chap. 1 et 2 (1, ce qui fut prophétiquement figuré dans les fils de Noé ; 2, descendance des trois fils de Noé) concernent plus spécifiquement le thème chamite-cananéen.

des nations » ; Cham, dont le nom « signifie le Rusé (...) fils intermédiaire de Noé, irréductible à l'un et à l'autre de ses deux frères et demeurant au milieu d'eux, n'appartenant ni aux *prémices des israélites* ni à la *plénitude des gentils*, que peut-il signifier d'autre que le genre bouillonnant des hérétiques, dont l'esprit d'impatience, et non l'esprit de sagesse, enflamme les entrailles au grand dam de la paix des justes ? Mais cela tourne en somme à leur avantage. Car n'est-il pas dit qu'il faut qu'il y ait des hérétiques[11] afin que l'on distingue parmi nous ceux dont la vertu est éprouvée ? Et n'est-il pas écrit que "le fils avisé sera sage et se servira du frère crétin comme d'un esclave" ? »[12]. Et Augustin ne s'arrête pas en si bon chemin. « "Vous les connaîtrez à leurs fruits", dit Jésus[13]. C'est pour cela que Cham fut maudit dans son fils, c'est-à-dire dans son œuvre (...) le mauvais frère est l'esclave en son fils – c'est-à-dire en son œuvre – des bons frères, lorsque ceux-ci soumettent délibérément les méchants. »[14] L'exégèse augustinienne a beau nous donner l'impression de tourner au délire : la tradition augustinienne en fait grand cas. Et lorsque, au thème de la déchéance par le péché – première image de Cham et de la punition de Canaan –, viendra s'ajouter le thème des « hérésies historiques »[15] ; lorsqu'un glissement de sens se sera produit entre hérésie et paganisme, paganisme et démonolâtrie[16], tout sera prêt aux yeux des théologiens pour qu'ils puissent confondre dans le peu qu'ils savent et le beaucoup qu'ils ignorent des Noirs africains l'image pitoyable en soi – mais magnifique pour le contraste que lui oppose le peuple blanco-biblique, l'« Étendue des nations » japhétites – d'une foule immense d'esclaves démonolâtres. Qu'il convient, peut-être, d'évangéliser, bien que nul ne s'empresse

11. Paul, I Cor. 11, 19.

12. Proverbes 10, 4 dans la Bible des Septante (ce proverbe ne réapparaît pas dans la Vulgate). *Cité de Dieu*, 16, 2.

13. Matthieu 7, 20.

14. *Cité de Dieu*, 16, 2. Finissons tout de même la phrase : « ... lorsque ceux-ci soumettent délibérément les méchants, soit pour les accoutumer à la patience, soit pour tirer profit de leur savoir ».

15. On parlera d'« hérésie historique » lorsqu'il conviendra de rendre compte de ce type particulier de rapport qu'entretient historiquement avec le christianisme tout peuple, qui, ayant été christianisé, retombe globalement dans l'hérésie. Le Moyen Âge songe singulièrement à l'islam, à sa naissance et à son développement sur des territoires ayant connu le christianisme et l'ayant globalement abandonné.

16. Glissements de sens accomplis avant Augustin, mais que l'exégèse augustinienne traitera avec son emphase et son génie redoutables partout dans la *Cité de Dieu*. Non qu'Augustin ne prenne garde de distinguer le sens des mots ; mais il ne résiste jamais au plaisir d'établir des analogies et de combiner en des envolées lyriques ce qu'il sait pertinemment différencier par ailleurs.

de le faire ; mais dont on pourra le jour venu, lorsque les contingences historiques en auront décidé ainsi, rappeler la condition liminaire d'esclave sans trop de scrupules. Ce ne sera pas trop difficile : le flou théorique des raisonnements patristiques, puis scolastiques et néoscolastiques enfin s'adapte de mille manières à toutes sortes de situations [17].

Il serait agréable de pouvoir rêver quelques instants que toute cette farce avait vécu depuis des décennies à l'époque du Code Noir, et que, plus tard, plus personne n'osait parler d'une implantation fatale de l'esclavage dans l'espace ou de l'histoire de sa transmission de génération en génération, comme d'un chancre dans la chair ou dans l'esprit, comme du besoin propre d'une nature coupable parce que bibliquement et patristiquement culpabilisée. Rêvons. Cela ne coûte pas cher. Mais sachons que nous rêvons.

Des théologiens ont fait le ménage dans ce fatras. Ils ont insisté avec force sur le thème de l'adéquation de l'esclavage à la méchanceté pour en protéger la société, pour mettre à l'abri le méchant lui-même des conséquences de sa méchanceté. Fort bien. Il est même des moines que le calvaire constant de Canaan a attendris aux larmes. Tout comme Augustin décelait de vrais adorateurs du vrai Dieu dans la semence de Cham [18], il est permis de relever de la tendresse chez des théologiens en proie à la nécessité de rendre compte de toutes choses à chacun et toujours. Mais de même que François d'Assise ne gomme pas, par sa seule existence, la carrière multiséculaire du droit canonique et du droit inquisitorial, l'attendrissement – pas très opérationnel – d'un Pierre Gaver sur l'épouvantable situation des Noirs n'a pas suffi en son temps à changer le style de la réflexion théologienne ni à délivrer les esclaves de leurs fers.

De la quantité impressionnante de témoignages écrits sur la permanence du schéma blanco-biblique fleurissant sur l'immolation des « fils de Cham », retenons-en quelques-uns suffisamment tardifs pour qu'il ne faille pas même les commenter.

C'est Michiels, anti-esclavagiste notoire, qui écrit tranquillement en 1853, à propos des Africains, que « la couleur noire, la couleur des ténèbres, est vraiment le signe de leur dépravation » [19], ce qui nous

17. Sur ces capacités d'adaptation et ce blocage théorique, cf. la très longue note de Gisler, ouvr. cité, p. 154-156.

18. Cf. *supra*, n. 10, p. 31.

19. Alfred Michiels, *Le capitaine Firmin, ou la vie des nègres en Afrique*, Paris, 1853. Michiels est le traducteur de *La case de l'oncle Tom*, le roman de Harriet Beecher-Stowe, qui connut en France un succès retentissant.

renvoie tout droit à la thématique de la culpabilité théologienne. C'est Bonnemain qui note, pour s'en indigner, que « l'on a examiné de nos jours si les nègres descendent de Canaan et si la malédiction divine a dû tomber sur les enfants de Japhet. De pareilles dissertations sont aussi oiseuses que ridicules et criminelles »[20], ajoute-t-il. Et il enchaîne : « Si nous étions dans un siècle d'ignorance et de barbarie, il faudrait, pour savoir si l'homme doit être libre, faire une infinité de recherches. Mais aujourd'hui que les connaissances humaines sont portées à une haute latitude (...) aujourd'hui que les droits de l'homme sont en évidence, une pareille proposition choque toutes nos conventions humaines et politiques. »[21]

Au diable donc les théologiens ? Débarrassons-en le plancher qu'ils occupent avec tant de fanfaronnerie[22]. C'est Cugoano enfin (dans cette affaire, n'en déplaise à l'archivistique froide, c'est le point de vue des « vaincus », des esclaves, des « chamites » qui compte, c'est ce qu'on leur dit pendant qu'on les taille et les étampe qui intéresse) qui, racontant de quelle tendancieuse façon les curés dans les colonies orientent leur prêche pour ne pas toucher aux sacro-saintes généralités dont nous parlons ici, de peur qu'en les ébranlant, ils ne se fassent rappeler à l'ordre par la pétulance des colons, par la nervosité des esclaves, par les blâmes de l'administration, se résume comme ceci : « ... Quoi de moins orthodoxe que les sermons prêchés quelquefois au peuple ? Quoi de plus inutile que des discours qui (...) sont seulement enrichis des ornements extérieurs de la religion ? Ainsi ces orateurs ignorants sont-ils chargés des crimes qu'ils n'ont pas combattus (...). Telles sont les erreurs des hommes. Le clergé peut les détruire, il le doit, il le fera (...). Mais que doit-on attendre de ceux qui demeurent dans les Indes occi-

20. Antoine Jean Thomas Bonnemain, *Régénération des colonies, ou moyen de restituer graduellement aux hommes leur état politique, et d'assurer la prospérité des Nations ; et moyens pour rétablir promptement l'ordre dans les colonies françaises*, Paris, mars 1792, 112 p. et 12 tableaux (*EDHIS* 5, 1), p. 24.

21. *Ibid.*

22. Il faudrait, avant de clore ce chapitre, citer longuement les textes conciliaires du concile Vatican I concernant l'apostolat à entreprendre en Afrique centrale. La malédiction chamite est rappelée – et déplorée – jusqu'à l'absurde. Faut-il évangéliser les maudits ? Peut-on le faire ? L'Église peut-elle sauver massivement ceux que massivement Dieu a maudits ? Retenons au moins ce passage d'une prière divulguée en toute officialité par la Congrégation des Indulgences en 1874 : « Prions aussi pour les très misérables peuples éthiopiens de l'Afrique centrale, qui constituent un dixième de tout le genre humain. Que Dieu tout-puissant libère un jour leurs cœurs de la malédiction de Cham et qu'il les bénisse en Jésus-Christ Notre Seigneur. »

dentales et qui sont les associés des voleurs d'esclaves ? Pourront-ils jamais faire le bien ? Pourront-ils le vouloir ? »[23]

Mais là où les hommes d'Église trichent misérablement par le seul fait d'imposer leur logique véreuse, les philosophes ne tricheront pas, peut-être.

23. Cugoano, *Réflexions*, p. 190.

5. Les philosophes : polygenèse, couleurs, esclavage naturel, et blanco-biblisme

Détecter la parole philosophique au cours des siècles pendant lesquels la théologie dit la totalité du vrai n'est pas chose facile. Répétons-nous. Quelle que soit la profondeur des contaminations du langage des philosophes par celui des théologiens, il est admis qu'on range du côté de la respiration philosophique ce qui, dans la formulation des questions fondamentales et des réponses qu'il convient d'y apporter, ne mobilise pas directement la parole « révélée » et chemine selon des critères d'adéquation au fonctionnement même de la raison, et non à la logique de tel ou tel récit fondateur qu'elle aurait reçu tout fait et adapté après coup à ses propres exigences.

Or voici qu'à l'orée de la philosophie l'esclavage est donné comme allant de soi. La philosophie telle que nous la connaissons et vénérons naît dans une société esclavagiste, dans laquelle les hommes libres ne se posent qu'en passant le problème de la situation des esclaves. Il y a des esclaves, point provisoirement final. Platon ne s'en inquiète pas plus que Socrate, qui ne s'en inquiète point. Il lui suffit de faire valoir, au plan éthico-politique, que si le maître a bel et bien pouvoir d'user et d'abuser de ses esclaves, il doit faire en sorte de ne les utiliser qu'en vue de ce qui ne contrarie pas le bien, entendant cette fois sous cette notion le bel intérêt du maître ou l'intérêt supérieur de la cité, forcément beau[1].

1. *Lois* XI, 914 *e*-915 *c*. À remarquer que Platon « légifère » sur les esclaves juste après avoir dit très sérieusement le droit en matière d'objets trouvés ou dont la possession fait l'objet de litige (XI, 914 *b-e*), juste avant de confondre l'esclave et la brute dans l'analyse de ce qu'il convient de faire lorsque « quelqu'un revendique, comme son bien à lui, un être vivant, quel que soit cet être » (XI, 915 *c*).

C'est avec Aristote que la réflexion s'affine à ce propos. Contrairement à une thèse répandue en son temps[2], il théorise, lui, l'existence d'un esclavage naturel, à ne pas confondre avec celui dont les causes légitimes sont les impondérables des guerres et des razzias. En établissant une équation entre « homme » et « citoyen »[3], Aristote autorise une lecture de sa philosophie politique en termes d'attribution de la rationalité à la cité grecque et à ses citoyens ; puis de distribution de cette même denrée très rare en qualités décroissantes aux agglomérats humains selon leur distance matérielle ou leur degré culturel d'éloignement du foyer même de toute sagesse. Farouchement ethnocentriste, la cité aristotélicienne distribue autour d'elle les labels de civilisation et d'humanité, de barbarie ou d'esclavage naturel et d'animalité avec une arrogance et une sérénité à vous couper le souffle. Aucun obstacle, dans ce système, à la prise en compte d'une circulation possible d'esclaves chez les citoyens, de citoyens chez les barbares : elle est historiquement donnée, il suffit de le constater. Et aucun obstacle théorique à l'hypothèse des diversités d'origine de tel ou tel agglomérat de barbares, tant les effets de l'équation « homme-citoyen » sont conduits en amont et en aval jusqu'à leurs dernières manifestations, et premières explications, économiques et juridiques, cultuelles et culturelles. L'esclave par nature, mis en présence du citoyen, n'est pour lui qu'un objet en vue de la production de quelque effet. Un outil, voilà tout. « Il est évident, dit Aristote, qu'il y a par nature des gens qui sont libres, d'autres qui sont esclaves. »[4] Et il est clair que la condition de l'esclavage convient aux barbares comme celle de la liberté convient aux Grecs, et que la domination actuelle et souhaitée du peuple hellène sur les barbares constitue une situation avantageuse pour les uns et les autres. L'animalité des barbares a tout à gagner à être contrôlée, contenue par la raison grecque, raison qui, grâce aux cieux, peut s'instrumentaliser à merveille par l'emploi intelligent qu'elle fait de la barbarie[5].

2. Et dont il porte témoignage pour s'en bien détacher. Certains auteurs « pensent que la puissance du maître sur l'esclave est contre nature, parce que c'est seulement la convention qui fait l'un esclave et l'autre libre, mais que selon la nature, il n'y a, entre eux, aucune différence, et c'est ce qui rend aussi cette distinction injuste, car elle repose sur la force » (*Politique* I, 3, 1253 *b* ; trad. Tricot).

3. En réalité entre citoyen et mâle-adulte-grec-propriétaire, si on prend au sérieux la définition du citoyen élaborée par décantation méthodique de tous ceux qui ne le sont pas, *Politique* I, 3-7 ; 1253 *b*-1255 *b*.

4. « … et que, pour ces derniers, demeurer dans l'esclavage est à la fois bienfaisant et juste » (*Politique* I, 5, 1255 *a*).

5. Cf. surtout *Politique* I, 6, 1255 *ab*.

L'ethnocentrisme de type aristotélicien s'élargira plus tard jusqu'à perdre sa raison d'être pour laisser place à l'universalisme de type stoïcien. Au plan philosophique, sinon encore au plan juridique, on parlera avec les stoïciens d'égalité naturelle. On tiendra compte de l'esclavage « par transactions » ou par faits de guerre ou d'occupation, mais on saura attribuer à l'issue fatale des combats ce qu'Aristote incluait dans la nature de l'ennemi combattu. Plus d'esclavage naturel.

Le christianisme trouve dans le stoïcisme un terrain propice à recevoir sa propre thématique. Gratien, Rufin, Raymond de Penyafort, Thomas d'Aquin[6] proposeront en leurs temps des éléments de synthèse entre la politique aristotélicienne (avec l'héritage difficile à exploiter, difficile à éjecter, de l'« esclavage par nature ») et l'universalisme égalitaire de facture stoïcienne qu'ils confronteront aux impératifs éthiques et monogénétiques imposés par la révélation vétéro- et néo-testamentaire.

Comme la théologie, la philosophie raisonnait pour le monde gréco-romain. On peut s'amuser à considérer, si on est à ce point désœuvré, qu'avec la Renaissance la philosophie se dégage de la tutelle de la théologie. Il est amusant en effet que la pensée philosophique de ce nouveau genre ne bouscule pas trop ni la patristique ni la théologie sur ces histoires d'esclaves ; elle ne leur accorde pas d'intérêt particulier pour le présent, les litiges occasionnés par le servage trouvant à son avis des solutions adéquates dans la souche canonique des lois civiles de chaque région et de chaque saison. La philosophie s'émancipe comme elle peut.

L'affaire redevient d'actualité, et avec quelle intensité, lorsque le monde des Européens s'élargit tout à coup jusqu'à l'Hispaniola, puis jusqu'aux côtes orientales du Pacifique, et lorsque l'Afrique, qui fournissait déjà des esclaves aux Blancs[7], sera brutalement transplantée sur

6. Il ne suffirait pas d'évoquer à ce stade Thomas d'Aquin. L'interpénétration de la théologie et du droit canonique est telle (avec, à son apogée, l'œuvre théologique de Thomas et le corps canonique de Raymond de Penyafort), qu'il convient d'évoquer ensemble l'œuvre des théologiens et celle des canonistes pour se donner quelque chance de comprendre l'évolution de la christianisation des schémas philosophiques et juridiques et les transformations qu'ils subiront avant l'ère moderne.

7. La traite transsaharienne relève d'une tout autre étude. Je me limite donc à en évoquer l'existence et à rappeler que la péninsule Ibérique « bénéficie » traditionnellement du marché d'esclaves noirs achetés ou razziés par les pays de la rive sud de la Méditerranée de l'autre côté du Sahara et conduits au nord du désert. On consultera à ce propos C.-A. Julien, *Histoire de l'Afrique*, Paris, 1955. Mais on lui opposera Ch. Verlinden, *L'esclavage dans l'Europe méridionale*, Bruges, 1955, qui, tout en limitant de façon très sensible l'importance attribuée par Ch.-A. Julien

le Nouveau Continent. C'est l'Espagne qui est d'abord sollicitée. Et c'est en elle, par l'ardente polémique de Las Casas, que le rejet d'Aristote se fera de la façon la plus radicale : « Au diable Aristote ! Ce n'était qu'un païen et sa parole ne vaut rien lorsqu'elle contredit le contenu de l'Écriture. »[8] Mais la néoscolastique avec Vitoria, Bañez, Molina, de Soto et Suarez se montra plus « raisonnable » et réussit à mener ensemble la théorisation de la sauvegarde du droit des Indiens à la souveraineté, et la reconduction de l'aristotélisme. Elle tira argument, justement, de l'équation « homme-citoyen ». Elle remodela le vieux thème du droit des gens. Elle le poussa jusqu'à l'absolue égalité entre la légitimité du droit des Indiens à être maîtres chez eux et le droit des nations européennes à l'être chez elles[9]. En revanche, elle ne corrigea pas le récit biblique dans le passage capital de la malédiction liminaire sur Cham. Elle ne gomma de ses références ni l'exégèse augustinienne dont nous avons déjà parlé[10], ni les arrangements thomistes touchant à la relecture des bienfaits de l'esclavage en termes de punition d'une faute, d'exercice partiel ou total de la souveraineté, de remède aux conséquences fâcheuses de la culpabilité[11]. L'Indien, non prévu au programme biblique, échappe au destin « politique » de Canaan et se voit octroyer les trois souverainetés (monastique, domestique, politique).

à l'activité négrière des Arabes, insiste sur l'incidence du phénomène dans certaines régions du Vieux Continent avant le début des grandes découvertes réalisées par les Européens. On consultera aussi V. Magalhaes Godinho, *O Mediterrâneo Saariano e as caravanas do ouro. Geografía econômica e social do Sáara Occidental e Central do XI ao XVI século*, São Paulo, 1956.

8. Las Casas, *Apología*, f. 21 *r*. Cité par Marcel Bataillon, *Las Casas face à la pensée d'Aristote sur l'esclavage*, p. 415, in *Platon et Aristote à la Renaissance*, Paris, 1976, 588 p. (Actes du XVIe Colloque international de Tours).

9. Fondamentales à ce propos deux des *relectiones* de Vitoria, consacrées l'une aux Indiens *(De Indis)*, l'autre au droit de guerre *(De jure belli)*. En castillan : *Relecciones sobre los indios y el derecho de guerra*, Madrid, Espasa-Calpe, 1975.

10. Cf. *supra*, p. 29-32.

11. La *Somme théologique* évoque à plusieurs reprises le thème de l'esclavage. Contre nature dans une perspective prélapsaire, l'esclavage est conforme à la nature, postlapsaire (1.2, q. 94 ; reprise de la thématique augustinienne). L'esclavage dérivé du droit des gens est conforme à la nature non dans l'absolu, mais relativement à ses conséquences : que le maître sage gouverne l'esclave, que l'esclave lui prête son aide (2.2, q. 57). L'esclave est asservi dans son corps, mais son esprit demeure libre (2.2, q. 104 et 122). Le fils d'une esclave est esclave, et cela en pleine conformité avec le Décret de Gratien, avec la Bible (Exode 21, 4) et avec la raison : « Il est raisonnable en effet que, conformément à ce qu'on observe dans la nature où ce qui est reçu l'est selon le mode de ce qui reçoit, la semence reçue par la femme reçoive la condition de celle-ci. » Thomas justifie aussi, bien entendu, le célèbre passage de l'Ecclésiastique : « Le joug et la bride font plier la nuque, au mauvais serviteur la torture et la question » (Eccl. 33, 27) en distinguant, conformément au Droit canon, entre les coups (licites) et les amputations (illicites). Tout cela : 2.2, 65.

Homme néanmoins (on a tardé à s'en convaincre, mais on y est parvenu), il n'échappe pas à la condamnation par démonolâtrie, pas davantage aux conséquences déplaisantes de cette attitude culturelle. Homme, il s'accroche à la souche adamite de l'humanité : on ne sait trop par quelles racines ou quels greffages, mais on ne veut pas sérieusement en douter.

Le Noir, lui, ne trouve pas si facilement grâce aux yeux de la néo-scolastique. Seul Las Casas, encore lui, pleurera toutes les larmes de son corps pour avoir cru un temps à la légende de l'incroyable robustesse des Africains et pour avoir plaidé l'emploi des Noirs aux travaux qui terrassaient les Indiens. Avait-il cru, aussi, à la légendaire impassibilité des Noirs ? Il constate que la canaillerie espagnole achevait les Noirs aussi facilement qu'elle faisait succomber les Indiens. Pas la peine d'insister sur l'inutilité historique du repentir de celui qui se hâtait, après son erreur dont le zèle pour arrêter le massacre des Indiens était la seule cause, de crier aux quatre vents qu'il n'y avait pas plus de justice dans la réduction à l'esclavage du Noir libre et souverain comme chacun, qu'il n'y en avait dans l'asservissement et le massacre de l'Indien[12]. Pire. L'image de Las Casas sera ternie ici et là par la légende souvent colportée faisant de l'intrépide avocat des Indiens l'initiateur de l'esclavage noir sur le continent américain[13].

La France hérite, du XVIe au XVIIIe siècle, du legs théorique de ces débats outre-Pyrénées, dont le ton et la motivation se veulent juridiques et philosophiques, dont les postulats sont empruntés aux lois canoniques

12. Quelques jalons essentiels de l'itinéraire mental de Las Casas sur l'institution de l'esclavage. En 1543 il demande au roi d'Espagne qu'il restitue aux Indiens « leur liberté naturelle et originelle ». En 1552 il disserte sur le thème « tout homme est présumé être libre » ; toutes les créatures rationnelles naissent libres et la liberté de chacun est de droit naturel ; l'esclavage ne peut être qu'accidentel, conséquence du hasard ou de la fortune, effet du droit *secondaire* des gens ; en cas de doute sur la liberté d'une personne, on doit trancher en faveur de sa liberté. Il résulte de tout cela que le roi doit ordonner la mise en liberté de tous les Indiens que les Espagnols ont en esclavage. Et les Noirs ? Au liv. 3, chap. 103 de son *Histoire des Indes* il rappelle que, ayant proposé d'utiliser des Noirs pour soulager les Indiens, il constata son erreur et ne cessa depuis lors de tenir pour injuste et tyrannique l'esclavage des Noirs « parce que la même raison existe pour eux et pour les Indiens ». Et cf. *infra*, n. 45, p. 65. Mérite historique incontestable de Las Casas ; reconnaissance à chaque homme et à chaque peuple « découverts ou à découvrir » de la plénitude de la liberté et de ses effets individuels, civils et politiques.

13. L'abbé Grégoire et l'abbé Raynal glorifient le souvenir de Las Casas, Bonnemain (ouvr. cité, p. 9), moins averti, ne fait pas de détail : « À peine le Nouveau Monde fut-il découvert que l'on y transporta des hommes noirs (en note : c'est en 1503 que le transfert se fit) pour y remplacer les malheureux Indiens détruits

et à la théologie[14]. Il est inutile d'insister ici sur ce point. Qu'il suffise de rappeler le poids colossal dont la pensée castillane pèsera sur la contre-Réforme, l'influence de la contre-Réforme sur la pensée française, celle du système de Suarez sur l'idéologie des siècles XVIIe et XVIIIe en France et en Europe catholique et réformée. Au XVIIe siècle, la France est pratiquement muette sur le thème de l'esclavage des Noirs. Ce n'est pas son affaire. L'Indien, encore une fois, posait problème. Le Noir n'en posait aucun. S'il existait, son statut était réglé depuis toujours par la série définitive d'« à-peu-près » que l'on sait. Lorsqu'il y aura débat, ce sera entre une monogenèse orthodoxe et une polygenèse sentant la fronde antithéologienne. On retrouvera la possibilité d'un recours à l'aristotélisme et on dépoussiérera le thème de l'esclavage naturel. On insistera jusqu'à l'écœurement sur l'ethnocentrisme blanco-chrétien. On remettra à la mode le « monstruaire » des Grecs, des Romains et des médiévaux pour charger le continent, naturellement, de toutes les calamités et lui réserver, évidemment, quelques curiosités amusantes. On moquera le récit noachique au bénéfice d'une série d'explications scientifiques des perversions diverses des races diverses. On bestialisera à outrance. Et on reviendra encore et toujours à Aristote pendant la longue saison de la traite pour bien faire savoir que, somme toute et trêve de scrupules, les Noirs se razziant et se vendant les uns les autres aux négriers[15], ceux-ci n'achetaient, forcément, que des esclaves, c'est-à-dire des biens meubles ; et que, pour un esclave, le changement de maître était fatalement avantageux quand un maître noir et païen s'en dépossédait au bénéfice d'un maître blanc et chrétien.

Mais la Bible ? Il ne fallait pas négliger l'arsenal de bonnes raisons qu'elle pouvait apporter au trafic. On se servira généreusement de tout ce qu'elle contenait de récits et de versets susceptibles de légitimer la

par la cruauté des Espagnols : le conseil révoltant en fut donné par un moine intrigant et ambitieux, moins élevé au rang des philosophes par un prêtre éloquent. » L'« intrigant » c'est Las Casas, l'« éloquent » c'est Raynal.

14. Certes, indépendamment des sources castillanes, la France théologienne et philosophique sait très bien jongler, elle aussi, avec les innombrables renvois aux autorités juridiques romaines et médiévales évoquées par la scolastique et par le nominalisme.

15. L'historiographie moderne accepte de moins en moins la thèse classique d'une Afrique dans laquelle tout le monde achète et vend tout le monde pour avoir de la pacotille européenne. Les innombrables travaux de J. Debien ont contribué beaucoup à modifier les schémas européens sur la question. Mais les récits *contemporains* insistaient sans relâche sur cette vision pessimiste du « marché » africain. Voir, néanmoins, Claude Meillassoux, *Anthropologie de l'esclavage. Le ventre de fer et d'argent*, Paris, PUF, 1986. Je reviens sur cette appréciation p. VII de la préface.

besogne de la traite et la condition de l'esclavage ; récits et versets ne manquaient pas[16]. Le schéma blanco-biblique fonctionnera à merveille. Les théorisations hispaniques et réformées reconduisaient mécaniquement, sans aller chercher plus loin, les thèmes de la coïncidence pure et simple de la blanchitude et de sa raison avec l'axiologie de structure biblique et celui, qui en résultait comme un simple corollaire, de la culpabilité et de la méchanceté stigmatisées sur des zones d'« hérésie historique », de « paganisme » et de « démonolâtrie ». Personne, nulle part, ne mettait en doute la véracité de l'exégèse augustinienne : les japhétites, l'« Étendue des nations », « la plénitude des gentils » christianisés détenaient l'héritage du bien, du juste, du vrai[17]. Cham gambadait en solitaire, en hérétique et en comploteur chez les sémites et les japhétites. Il dominait, menaçant, des profondeurs de sa culpabilité, de sa duplicité et, pour tout dire, de son inexistence juridique[18] les vastes espaces aux frontières de la chrétienté, qui de fait étaient asservis au Prince des ténèbres, alors que de droit ils relevaient de la puissance de la blancheur chrétienne[19].

Voit-on assez clairement comment la mission blanco-biblique des Européens s'inscrit dans tout cela, conformément aux volontés que déjà les Rois catholiques pressent Alexandre VI d'expliciter dans la bulle qui leur livre, non l'espace indo-américain, mais le droit sur cet espace[20] : « Régnez-y pour évangéliser » ? Lorsque vient le tour de l'Afrique, la formule reste valable : troquez, vendez, pillez, asservissez, maintenez les esclaves dans l'esclavage pour évangéliser.

16. Mis à part le thème chamite et les neuf versets de l'Ecclésiastique (33, 25-33), les références au Deutéronome pour l'Ancien Testament et à l'épître de Paul aux Romains (notamment 13, 1-5) seront utilisées avec gourmandise.

17. Cf. *supra*, p. 31-37.

18. Juridique et politique. Les deux se tiennent dans la tradition aristotélicienne, dans celle des jurisconsultes, dans les synthèses qu'en propose le thomisme sur la base des questions relevées plus haut (n. 11, p. 38).

19. La glose d'Henri de Suse, cardinal d'Ostie († 1271), donne au pape toute souveraineté de droit (quoi qu'il en soit du fait) sur la totalité des chrétiens et des infidèles. Il en résulte que le pape peut revendiquer quand bon lui semble l'exercice de cette souveraineté sur telle ou telle contrée habitée par des infidèles. La doctrine d'Henri de Suse fut condamnée par le concile de Constance (1415-1416). Il n'empêche. Elle garde toute sa vigueur longtemps après cette condamnation. Vitoria et Las Casas devront la combattre encore en plein XVIe siècle (*Amérique latine*, déjà cité, éd. castillane, p. 26-37).

20. Les deux bulles « américaines » d'Alexandre VI doivent être lues dans la mouvance idéologique de la glose de l'Ostiensis ; et c'est encore cette glose qui donne sens au « Requerimiento » (dont le texte complet in *Amérique latine*, déjà citée, annexes documentaires) de Palacios Rubios, d'après lequel les royaumes des infidèles étaient sommés de reconnaître la souveraineté du siège romain et de se soumettre à son pouvoir ou à celui du souverain qu'il leur désignait.

La couleur des Noirs, leurs caractéristiques somatiques, l'inexistence chez eux – de l'avis des Blancs – de toute loi et de toute morale disent assez, pour la norme blanche, ou bien la dépravation ou bien l'origine non adamique[21]. Si dépravation[22], alors servitude. Si origine non adamique, alors différence de nature et par conséquent libre cours à la pratique d'asservissement. Mais dans les deux cas, les Blancs intelligents ne vont pas jusqu'à verrouiller aux Noirs les portes du paradis céleste, quitte à inventer pour eux un paradis au rabais. On asservira et on évangélisera[23].

La théorie des climats viendra tempérer un peu ces jugements à l'emporte-pièce. Mais ne nous faisons pas trop d'illusions. Résumons plutôt et concluons avec Gisler : « Devenu l'exception en Europe, l'esclavage cessait de préoccuper les esprits lorsque la décision d'introduire des Noirs dans les colonies d'Amérique fit rebondir le problème. Les théologiens y appliquèrent la théorie décrite[24], mais vidée de son esprit au profit de considérants juridiques purement positifs. Elle continue sous cette forme à prévaloir en France jusqu'à la publication, en 1748, du *De l'Esprit des lois de Montesquieu.* »[25]

Nous reparlerons quand il conviendra de Montesquieu. Mais avant qu'il n'entre en scène, cherchez le Noir déjà victime de la traite chez La Boétie ou chez Bodin[26], qui raisonnent liberté et souveraineté si joliment. Furetez chez Descartes, qui sait son Suarez par cœur. Fouillez de fond en comble Pascal, qui n'ignore rien de la néoscolastique. Voyez Malebranche le moine. Sondez Fénelon l'évêque. Et puisque Leibniz s'inquiète de tout, sait tout résoudre et s'exprime volontiers en français, allez voir chez lui. Peine perdue.

21. Pour Thévet (*Les singularités de la France antarctique*, Paris, 1558), les femmes africaines sont « incontinentes ». Pour La Croix, les Africains vivent « sans lois ». Pour Lemeyre, les Sénégalais « se vendent l'un l'autre sans égard au degré de sang », et selon François de Paris, là-bas « un homme vendera sa femme ou la femme son mary, un père vendera son enfant ou l'enfant son père » (relevé par Cohen, ouvr. cité, p. 41 et suiv.).

22. Si Rabelais déclare que l'« Affrique est coustumière toujours choses produire nouvelles et monstrueuses » (*Pantagruel* 3), Bodin parle de la bestialité des Africains en des termes définitifs : « Ils ne peuvent (...) se contenir, et une fois lancés dans la débauche, ils se livrent aux voluptés les plus exécrables. De là ces rapports intimes entre les hommes et les bêtes qui donnent encore naissance à tant de monstres en Afrique » (*La méthode de l'histoire*, éd. Mesnard, Paris, 1941).

23. Cf. *infra* : obligation royale d'évangéliser, p. 55-56.

24. Une « méchanceté » à réprimer, un redressement de la nature des Noirs qu'il fallait reconduire à sa fin première et fondamentale.

25. Gisler, p. 11 et 12.

26. Cf. *supra*, n. 22, p. 42.

Le Code Noir installe ses normes dans l'indifférence générale, totale de la pensée philosophique française, parfaitement au courant de la traite et de l'esclavage. L'obscénité de son silence démontre avec éclat à quel point elle se moque d'un problème qui ne concerne aucunement ni la splendeur du concept ni le balancement du syllogisme.

6. Unité n'est pas égalité. De quelle couleur l'âme des Noirs ?

La méthode consistant à bien distinguer dans les textes et les attitudes concernant les Noirs l'esclavagisme du racisme est excellente. Si on la pousse jusqu'à cataloguer séparément les esclavagistes racistes, les racistes non esclavagistes et les esclavagistes non racistes, on fait un travail d'analyse remarquable, dont l'apport à l'étude de l'histoire du calvaire de Canaan est loin d'être négligeable. Cette méthode a été employée. Ces analyses ont été faites, ces stockages étiquetés [1]. Leur point faible résiderait peut-être dans l'imprécision des définitions du racisme et de l'esclavagisme et dans l'absence de rigueur lors du balisage des chemins suivis par l'un et l'autre critère tout le long des générations et de la succession des systèmes rationnels ou scientifiques. Mais Cugoano fouetté par un raciste non esclavagiste souffre-t-il moins dans sa chair que s'il est taillé par un esclavagiste non raciste ? Je ne sais si la question est décente. Il est clair, en revanche, que chez certains des plus ardents abolitionnistes de la fin du XVIIIe siècle et des débuts du XIXe, l'antiesclavagisme militant se combinait avec des critères d'un racisme flagrant [2]. Attendons : nous n'en sommes pas encore à l'abolition.

Le Code Noir sacrifie abondamment aux deux critères qu'on tente

1. Labat raciste et esclavagiste. Du Tertre aussi. Prévost, Buffon et Voltaire sont convaincus que le Noir est un être inférieur ; mais le racisme de Voltaire est beaucoup plus flagrant que celui de Prévost ou de Buffon – « l'intervalle qui sépare le singe du nègre est difficile à saisir », dit-il – bien que la lecture de l'un ou de l'autre dissipe toute ambiguïté. Pourtant Voltaire a critiqué avec beaucoup de vigueur l'esclavagisme colonial. Montesquieu sera raciste ou ne le sera pas selon la valeur que l'on choisira d'attribuer aux déterminismes physiques qui affectent l'esprit des différentes races et nations ; mais qu'il ne soit pas particulièrement opposé à l'esclavage des Noirs est évident (cf. *infra*, le chapitre qui lui est consacré). Raynal n'est certes pas esclavagiste, pas plus que Diderot ; mais nous en reparlerons.

2. Cf. *infra*, chapitre sur les « Amis des Noirs ».

fréquemment de dissocier[3]. N'y aurait-il pas là une preuve textuelle, et juridique, que la France du XVIIe siècle et des débuts du XVIIIe ne statue pas en termes de racisme biologique, mais d'affinités et de rejets culturels, et qu'elle insiste lourdement sur des différences morphologiques, chromatiques, biologiques uniquement pour asseoir dans l'anthropologie les certitudes qu'elle tire sans autre questionnement d'un fonds culturel et symbolique bien précis ? Autrement dit et soyons clairs : l'hégémonisme culturel blanco-biblique ne lui semble-t-il pas suffisant pour « traiter » et « maintenir en esclavage », et toute la batterie de raisons ne se résout-elle pas dans ce délire fondamental et fondamentalement assassin[4] ?

Il y a aussi les rapports et les observations et les récits colportés de l'Afrique et des colonies vers la France. Les observations des négriers et des missionnaires en Afrique ou aux Antilles, les historiens savent depuis longtemps les pondérer pour ce qu'elles valent, une fois que, mises à plat, ils en ont corrigé de plein droit les déformations opérées par l'œil de l'observateur pour en regarder et en restituer la valeur purement documentaire. Entre l'œil de l'observateur et ce qu'il voit, l'historien repère le souci de l'efficacité du sermon, ou du bénéfice à tirer de la continuation ou de l'élargissement du négoce, et l'attachement à un fonds culturel dont la peur et le mépris constituent deux appuis d'importance. Ces récits et ces informations valent pour le calcul économétrique des dégâts de la traite et de l'accroissement de la population asservie aux colonies. Pour le reste, ils racontent, comme chacun s'en doute, les évolutions épisodiques et l'exemplaire constance d'un regard blanc, et ne racontent la réalité de la vie ni de l'Africain en Afrique ni de l'esclave aux îles du Vent. En tout cas, pas du dedans.

Néanmoins, tout n'est pas purement répétitif ni purement descriptif. Et la France du XVIIe siècle, dans un souci d'harmoniser récit biblique et connaissances de cabinet, redécouvre la théorie des climats[5], à laquelle

3. Voir notamment les articles sur le mariage (et les modifications apportées en 1724), art. 9 et suiv., et sur l'affranchissement, art. 58. Voir aussi les dispositions concernant le séjour des Noirs et des métis en France métropolitaine (chap. 2, 3e partie).

4. On risquera dans ce cas, en accord avec Cohen (p. 184) et avec d'autres, que le racisme dont firent preuve les Français dans les îles Caraïbes n'avait rien d'exceptionnel ; il n'était rien d'autre que le fidèle reflet des valeurs culturelles d'une certaine époque. Mais on précisera que ces « valeurs culturelles » trouvaient dans le schéma blanco-biblique un support d'une solidité et d'une valeur théorique et symbolique incontestables.

5. Le thème de l'influence du climat sur la morphologie politique et sur la psychologie des peuples n'est pas, en France, une découverte de Montesquieu. Qu'on se

les Espagnols s'étaient référés déjà plus d'un siècle auparavant, et à laquelle Las Casas avait réservé une bonne dose d'ironie et de sarcasmes.

Il était tentant, pour les théoriciens espagnols du XVIe siècle et du XVIIe, et doux de succomber à la tentation, de chercher en dehors du seul schéma noachique un rapport entre la diversité des climats et la diversité des races, entre l'intensité de l'ensoleillement et le niveau d'assoupissement des esprits, et d'aboutir par ce chemin à la fatalité de la barbarie – donc de l'esclavage naturel – dans les zones tropicales au voisinage de l'Équateur, et à la nécessité de la civilité dans les zones tempérées. Parés de tout un attirail scientifique et philosophique, des savants montraient ainsi par A plus B que les Indiens en Amérique étaient aussi sûrement esclaves par nature que l'étaient les Africains noirs. Bref, l'Espagne amalgame et synthétise aristotélisme et thomisme, monogenèse et polygenèse, explications climatologiques et applications géographiques dans un luxe inouï de stratagèmes qui relèveraient du pur comique si l'affaire traitée n'était du tragique le plus incontestable. On se sert de tout ce qu'on a sous la main[6]. En Espagne et ailleurs. Ainsi Silvio Zavala évoque les grandes étapes de l'évolution théorique de la notion d'esclavage naturel et en vient aux positions des grands du XVIe siècle. Tous (Érasme, Vives, Bodin, etc.) insistent sur cet acquis théologique dont nous avons tant parlé : la liberté et la prudence conviennent à la nature humaine et paraphent l'égalité de tous, mais l'aliénation de la volonté fut historiquement superposée à la nature introduisant l'inégalité et, fatalement, l'esclavage[7]. Bien avant Bodin, Jean Major théorise à la Sorbonne en bon nominaliste dans un sens parfaitement favorable au concept de l'esclavage naturel, à propos du problème posé par la découverte de Christophe Colomb[8].

Ce serait bien que les étoiles et les nuages s'alignent aux disquisitions et aux conclusions des philosophes, des théologiens et des savants. Étoiles et nuages se sont alignés. Le *De regimine principum* était attribué, dans les siècles qui nous occupent, à Thomas d'Aquin. On sait aujourd'hui, mais on l'ignorait aux siècles XIVe-XVIe, qu'une grande partie de ce texte est due à quelqu'un d'autre[9]. On lit dans ce livre que Ptolomée a

souvienne de la façon dont le Moyen Âge combinait les grandes chaleurs et l'idiotie, et de celle dont les récits de voyages aux XVIe et XVIIe siècles banalisaient les degrés de politisation et de moralité en termes de qualité d'ensoleillement.

6. Le point sur cette question : S. Zavala, *Amérique latine*, déjà cité.
7. Cf. note précédente.
8. Cf. n. 6, p. 45.
9. Ptolomée de Lucques, † 1326 ou 1327.

prouvé que les coutumes des hommes diffèrent d'après les constellations, par l'influence des astres sur les pouvoirs de la volonté. Le *De regimine* exploite cette fatalité, la restructure en explication cosmographique et va jusqu'à la combiner avec l'historicité de la rationalité de l'esclavage : « Chaque pays est soumis aux influences célestes, et ceci explique ce que nous constatons, qu'il est des contrées aptes à l'esclavage et qu'il en est d'aptes à la prudence et à la liberté. »[10] N'ouvrons pas le chapitre du succès du *De regimine*. Rappelons seulement que l'influence de ce texte fut énorme sur la littérature théologique, canonique et civiliste. Brûlons les étapes. Négligeons les développements « climatologiques »[11] réalisés en Espagne sous la caution de « Thomas d'Aquin ». Et venons-en à la prise de bec, longtemps après que Palacios Rubios eut mis au point la tragi-comédie juridique du Requerimiento[12], entre Bernardo de Mesa, dominicain, et Las Casas, moine du même ordre.

Bernardo de Mesa refuse les arguments habituels dans la polémique indienne ; ni Aristote ni les gloses augustiniennes de la grosse bêtise de Cham ne lui conviennent. Il ne retient comme justification de l'esclavage naturel des Indiens que « leur manque d'intelligence et de capacités et leur absence de fermeté dans la foi et les bonnes coutumes »[13]. Prêchons d'abord aux Indiens, propose le moine, et baptisons-les ; ferrons-les aussitôt après, autrement ils ne tiendront pas quinze jours sous le joug si doux du christianisme, tant ils manquent de volonté. Ils ne tiendront pas parce qu'ils ne pourront pas tenir. Pour Bernardo de Mesa en effet, les explications ptoloméennes et géographiques quant aux capacités de chaque peuple et race ont une valeur définitive. « Il se peut – disait de Mesa – que les Indiens soient esclaves à cause de la nature de leur terre, car il est des terres que l'aspect du ciel rend esclaves et qui ne sauraient de ce fait être gouvernées s'il n'y avait en elles quelque manière d'esclavage ; comme en France la Normandie et une partie du Dauphiné, dont les habitants ont été toujours dominés semblablement à des esclaves. »[14] Et le moine de remarquer, comme

10. En bon aristotélisme, la liberté suppose la prudence et la prudence va de pair avec la rationalité. L'esclave se trouve du côté de l'irrationalité parce que incapable de pratique « prudentielle ». Ptolomée de Lucques ne triche pas avec le Stagirite.

11. Climatologiques et astrologiques. Mélangés. Mais les deux y sont. La science des siècles XIVe et XVe ne savait pas trop les distinguer, bien qu'elle savait très joliment se moquer de l'influence des astres sur le destin personnel de chacun.

12. Cf. *supra*, n. 20, p. 41.

13. Zavala, *Amérique latine*, p. 42.

14. *Ibid.*, p. 44.

en passant, l'insularité des Indiens des Antilles et d'ajouter que « leur nature ne leur permet pas de persévérer dans la vertu, soit parce qu'ils sont des insulaires – donc naturellement moins constants car la lune règne sur les eaux qui les entourent –, soit à cause des mauvaises habitudes qui les inclinent toujours vers l'inconstance »[15]. Pour Las Casas, trop c'est trop, même quand le délire est le fait d'un confrère. Écoutons-le : « Il faudrait demander au brave frère – et moi je le lui ai demandé lorsque je l'ai rencontré – s'il savait de quoi il parlait ; et s'il fallait alors, d'après lui, répartir dans d'autres contrées les insulaires de l'Angleterre ou de la Sicile, ou encore ceux qui sont proches de l'Espagne, comme les Baléars ou Majorquins, sous prétexte que la lune règne sur leurs eaux. Et faudrait-il aussi parquer les Normands et les Dauphinois par petits groupes – comme on le fait avec le bétail – pour mieux leur prêcher la foi et l'ordre, et mieux les doter d'autres vertus ? »[16]

Laissons tout cela. Convenons que le mélange philosophie-théologie réussi par les Espagnols est inextricable et inextriqué, et que nul ne vient y mettre de l'ordre dans la France du XVIIe siècle. Retenons que ce n'est pas aux débuts du chapitre français de la traite ni à ceux des Français aux Antilles que s'opère au nord des Pyrénées une quelconque levée de boucliers contre l'esclavage noir, mais en plein XVIIIe siècle. Jusque-là, la France, s'il est permis d'interpréter l'incompréhensible silence de ses écrivains et de ses penseurs, considère que la synthèse hispanique concernant l'esclavage et l'éventuelle bestialité des Indiens et, par ricochet seulement, des Noirs, reste en parfait état de marche et peut être déclamée sans coupures ni rajouts aux Noirs volés et aux Indiens asservis par les Français.

Monogenèse ? Polygenèse ? Variétés de races par nécessité géographique, astrologique, climatique ? Toutes les explications sont bonnes en France durant le XVIIe siècle et la première moitié du XVIIIe, à condition qu'elles sauvegardent deux principes, ces deux-là mêmes auxquels les Espagnols tenaient comme aux prunelles des yeux dès la fin du XVe siècle : le respect de la « littéralité »[17] du récit biblique, la sauvegarde de l'infériorité historique ou biologique des races à asservir

15. *Ibid.*
16. *Ibid.*
17. Ou des littéralités, car la polygenèse tire tout le parti qu'on imagine des préadamites et des géants dont les gracieusetés valurent à Jahvé une sainte colère, et à l'humanité un déluge.

et – corollaire de cette deuxième condition – de leur perfectibilité théorique grâce à la parole ou au fouet.

Le Code Noir naît de tout cela et implique son acceptation universelle. Les textes des différents règlements octroyés par la Couronne aux diverses compagnies autorisées à pratiquer la traite, sans laquelle le Code Noir n'aurait eu de raison d'être ni à l'origine ni à terme, charrient toute cette littérature[18]. On peut s'amuser aujourd'hui à faire la part de la théologie et celle de la philosophie et encore celle de la science dans cette macabre histoire. La disjonction entre les deux (les trois !) disciplines n'est pas faite, loin de là, ni au crépuscule du XVe siècle ni au cours du XVIe en Espagne, ni au crépuscule du XVIIe ou aux débuts du XVIIIe en France. Les climats[19] ? Ils sont et demeurent œuvre de Dieu, tout comme les dispositions géographiques et les influences astrologiques. On n'y échappe pas. De quelque côté qu'on aborde cette histoire, on bute dès son exorde avec la Bible, et avec le dogme de l'inénarrable supériorité culturelle, raciale de la semence de Japhet – « Étendue des nations, Accomplissement des gentils » – chérie de Dieu et dépositaire des deux trésors les plus vrais : la beauté de la blancheur du corps et de l'âme, la bonté absolue du christianisme.

Biondi, qui réussit à mettre de l'ordre dans le fatras des explications et des légitimations cléricales ou laïques à l'asservissement des Noirs par la France à l'époque d'avant les Lumières et pendant qu'elles brillaient de tous leurs feux, conclut admirablement sa difficile enquête en relevant la généralité sans exception, en France, « d'une tendance à qualifier tous les peuples vivant en dehors de l'aire européenne comme des races marquées par la malédiction divine et, par conséquent, irrémédiablement inférieures »[20]. Et, bien entendu, au bas le plus bas de la hiérarchie dans laquelle les Blancs ordonnent peuples et races, Noirs et orang-outans – nous nous en souvenons – gesticulent et se battent à la sauvage pour ne pas occuper le dernier rang et trôner dans l'avant-dernier.

Ils gesticulent et se battent, précisément. Parce que c'est tout ce qu'ils savent faire. L'unité du genre humain est-elle sauvegardée au travers des éléments théoriques essentiels alignés en Espagne et consi-

18. Sans devoir consulter la collection entière de Moreau de Saint-Méry, les textes contenus dans Le Code Noir de chez Prault (cf. *infra*, chap. 8 et 9) sont à ce propos suffisamment prouvants.

19. Nous les retrouverons débarrassés d'astrologie, au troisième volet de cette présentation du Code Noir.

20. Biondi, *Mon frère*, p. 129 ; et cf. *supra*, n. 1, p. 43.

dérés comme définitivement probants en France à la toute fin du XVIIe siècle ? Convenons-en, la réponse est oui. Le genre humain est un. Comme le jour est un, dans l'harmonieuse succession de sa moitié lumière et de sa moitié ténèbres ; comme la friche se combine à la prairie et au bois, le bois à la causse et la causse aux terres de labour, celles-ci aux marais et aux jardins pour former, ensemble, l'unité du paysage. Le merveilleux et le monstrueux ne sont pas d'une autre planète, mais bel et bien de celle-ci. Comme le paysage aux yeux du promeneur ou la sarabande des astres à ceux de l'astronome ou de l'Éternel, l'humanité est une. N'est-ce pas réconfortant pour tout le monde ? Olaf dit s'en contenter, Hotzenplotz exulte. Comme seul l'idiot confondrait dans l'unité du paysage la causse et le potager dont les différences d'aspect et de richesse sautent aux yeux, seul l'insensé oserait affirmer que le Noir égalât la beauté de l'apparence du Blanc ou la splendide merveille de son esprit. Concluons. L'unité composite du genre humain réclame à grands cris la reconnaissance de l'inégalité de ses composants.

Le pape aidant[21], un accord s'était fait : du Blanc au Rouge, du Rouge au Noir, Noir compris orang-outan exclu, tous les hommes ont une âme. Souvenons-nous-en : c'était la prémisse incontournable du monogénisme biblique le plus orthodoxe.

Mais de quelle couleur l'âme des Noirs : blanche ? Noire, évidemment. Noire comme leur sperme : « Tous les voyageurs qui les ont fréquentés, tous les écrivains qui en ont parlé, s'accordent à les représenter comme une nation qui a, si l'on peut s'exprimer ainsi, l'âme aussi noire que le corps. Tout sentiment d'honneur et d'humanité est inconnu à ces barbares : nulles idées, nulles connaissances qui appartiennent à des hommes. S'ils n'avaient pas le don de la parole, ils n'auraient de l'homme que la forme (...) Point de raisonnement chez les nègres, point d'esprit, point d'aptitude à aucune sorte d'étude abstraite. Une intelligence qui semble au-dessous de celle qu'on a admirée dans l'éléphant est le guide unique de toutes leurs actions ; l'intérêt de leur conservation, de leurs plaisirs, est le seul mobile de tous leurs mouvements, lui seul les tient éveillés, lui seul les porte au travail, et leur fera vaincre l'extrême paresse à laquelle ils sont sujets. Livrés à leurs passions comme des brutes, ils ne connaissent que la jouissance. Leur attachement à leurs enfants, à leur famille, ne dure qu'autant que dans les bêtes, jusqu'à ce que leurs petits puissent se passer d'eux. La force seule peut les contenir dans le devoir, et la crainte est le seul motif qui les fasse agir ; ils n'ont réellement point de cœur,

21. Bref de Jules III, année 1537.

et par conséquent le germe des vertus leur manque. La brutalité, la cruauté, l'ingratitude, voilà ce qui forme leur caractère. Leur naturel est pervers ; toutes leurs inclinations sont vicieuses. »[22]

Ce portrait esclavagiste à la diable mélange des teintes d'une telle violence que, à l'analyse de Biondi, il livre « dans l'accumulation de vices et de défauts l'antidote à tout le poison qu'il contient. Il est épouvantable et grotesque, méchant et humiliant, mais bien davantage pour celui qui a osé l'écrire que pour celui sur qui tout ce fiel est versé. La critique la plus féroce qu'on puisse en faire est dans son absurde démesure, car nous ne croyons pas qu'un lecteur de bon sens, non aveuglé par la haine et par des préjugés paralysants, ait jamais pu accepter et s'approprier une image aussi aberrante »[23].

Vrai. D'autant plus qu'il s'agit d'un texte tardif[24], paru quatre-vingts ans après la publication du Code Noir. D'autant plus insoutenable que, comme nous le verrons dans la troisième partie de cette méditation sur la grandeur du Code Noir, Rousselot[25] entre en scène bien après que certains, en France, ont commencé à s'émouvoir du sort tragique des esclaves aux Antilles. Pourtant, tout comme Biondi citant les historiettes de singes et de « négrillons » en pleine splendeur de la traite remarquait que le seul fait d'en plaisanter en disait long sur les mentalités du temps[26], il est légitime de se demander si Rousselot allait vraiment au-delà de ce que pouvaient accepter ses lecteurs en portraiturant de la sorte la noirceur de l'âme des Noirs. Et si ce portrait leur convenait, aux lecteurs de « bon sens » ? Et si ces lecteurs

22. Rousselot de Surgy, *Mélanges intéressants et curieux, ou abrégé d'Histoire naturelle, morale, civile et politique de l'Asie, de l'Afrique et des Terres polaires*, Paris, 1763-1765, dix vol., 10, p. 164-166. Quelques années avant le Code Noir, Louis du May, parlant de l'Afrique, pouvait écrire : « Les habitants sont presque aussi noirs d'âme que de corps, et leurs corps sont aussi noirs qu'on nous peint les Démons » (*Le prudent voyageur*, Genève, 1681). Labat, qui aime les formules à l'emporte-pièce : si les Africains sont « frippons, cela est attaché à la couleur noire » (*Nouvelle relation*, t. 3, p. 170).

23. Biondi, *Mon frère*, p. 247.

24. Les *Mélanges* sont de 1763-1765.

25. Rousselot se situe parmi les auteurs qui résistent à tracer une ligne claire entre la bête (l'orang-outan) et le Noir ; il est de ceux pour qui il appartient à la nature des Noirs et à leur destin d'être au service des Blancs. À sa décharge, il regrette de façon très rousseauiste (cf. *infra*, chapitre sur Rousseau) qu'il manque d'informations sérieuses sur les Noirs du centre du continent : « Il faudrait connaître parfaitement les nègres de l'intérieur de l'Afrique, ceux qui n'ont aucune relation avec les peuples policés, et encore on voudrait que ces relations nous vinssent par des philosophes éclairés, et non par des marchands » (*Mélanges*, 10, p. 165 ; cité par Biondi, *Mon frère*, p. 167).

26. Cf. *supra*, sur Fontenelle, n. 6, p. 27.

savaient faire la part du sarcasme pour se réconforter, dans leurs âmes blanches, de lire pareilles gracieusetés ?

Les raisons de soumettre et d'asservir culturellement et juridiquement admises préparent ces ignobles débordements. Et il n'y a pas que Rousselot à tenir ce langage ; le portrait qu'il dresse n'est pas une exception dans la galerie de la négritude. Il cadre très bien avec une littérature qui se gargarise des notions de déchéance et de dégénérescence. Nous nous souvenons de la façon dont le thème de l'esclavage naturel passait de l'aristotélisme à l'exégèse biblique, et, parallèlement, de « fatalité » biologique ou politique à « châtiment » d'une faute de nature éthique et à « moyen de sauvegarde et de redressement »[27]. C'est ce stade-là qui est considéré lorsqu'on parle de déchéance ou de dégénérescence. C'est en tenant compte – revenons-y jusqu'à l'ennui – du schéma noachique ou chamite, évoqué par chacun et toujours reconduit, qu'on parle de l'âme du Noir comme les colons et les missionnaires espagnols de l'époque de la Conquista parlaient de celle des Indiens[28]. On reprend sans scrupules en plein XVIIIe tout ce que des trafiquants et des missionnaires ont raconté sur la stupidité des Noirs et sur leur méchanceté. Un Labat transcrit nonchalamment ce qu'un Cavazzi publiait[29]. Les pires ignominies dont les Espagnols affublent l'âme des Indiens aux XVIe et XVIIe siècles, les Français les réinventent pour qualifier l'âme des Noirs. Dégénérés indiens et noirs, traîtres et lâches les uns et les autres. Comble d'absurdité, les uns et les autres se prennent pour les préférés des dieux et osent, dans leur insolence, regarder de haut, dès que les circonstances le leur permettent, le Blanc qui les écrase et que le seul vrai Dieu chérit. Nul n'échappe, en France, à l'impact de cette littérature. Pas même l'abbé Raynal, l'anti-esclavagiste indéfectible. Pour lui aussi, s'il est des contrées en Afrique dont les habitants ont quelques vertus, il en est d'autres dont « une poltronnerie naturelle », une « paresse de l'esprit » définissent parfaitement les peuplades, qui, capables un instant d'héroïsme, sont néanmoins « lâches toute leur vie »[30].

27. Cf. *supra*, l'augustinisme et ses conséquences, p. 29 et suiv.

28. Cf. *supra*, n. 12, p. 28.

29. Cavazzi, *Istorica descrizione de' tre regni : Congo, Matamba et Angola*, Bologna, 1687. Labat ne fait pas que traduire l'œuvre de Cavazzi et l'intituler *Relation historique de l'Éthiopie occidentale, contenant la description des Royaumes du Congo, Angolle et Matamba* : Labat modifie, amende, enrichit le texte de Cavazzi selon sa propre sensibilité (Biondi, *Mon frère*, p. 242-243).

30. Raynal, *Histoire philosophique des deux Indes*, t. 6, p. 155-159. Et lorsque Raynal parle des enclaves noirs des Antilles il n'oublie pas d'évoquer leur « stupidité

Ne restons pas trop longtemps sur ce chapitre : il n'apporte rien d'autre que la confirmation plastique en quelque sorte de tout ce dont est plein et déborde le fonds idéologique et symbologique constituant l'appui et le tout du regard du Blanc sur le Noir. Évoquons seulement en passant l'existence d'une très vieille tradition de dévalorisation de la couleur noire dans les mentalités européennes. Cela nous aidera à comprendre, si nécessaire, combien il fut facile de glisser conceptuellement de toute la négativité de cette couleur (noirceur de la vilainie et des ténèbres, du péché et du vice, du diable et de la trahison...) au rejet de la noirceur du corps et du corps noir de l'Africain et à la définition de son âme. À elle, avec cette couleur, la stupidité et la férocité, la méchanceté et la duplicité. À elle, dans la meilleure des hypothèses, l'abrutissement le plus total convenant aux ténèbres noires de son ignorance[31].

Aucun doute. L'âme des Noirs a la noirceur des ténèbres et de tous les vices. Deslozières, à l'aube du XIXᵉ siècle, craignait que « par le métissage, le sang noir attaquerait en France jusqu'au cœur de la nation en en déformant les traits et en en brunissant le teint »[32]. Et il ajoutait, superbe : « Le moral prendrait alors la teinte du physique et la dégénération entière du peuple français ne tarderait pas à se faire percevoir. »[33] C'est net : la noirceur de l'âme des Noirs peut contagier la blancheur de celle des Blancs[34].

Au zénith du XIXᵉ siècle, André Michiels retrouve l'esprit de synthèse qui inspirait les hommes d'Église des siècles XVIIᵉ et XVIIIᵉ. Cet homme est pourtant un brave. Cet homme traduit pour la bonne cause *La case de l'oncle Tom*. Il n'en retrouve pas moins ses classiques lorsqu'il parle des Noirs d'Afrique, de ceux qui n'ont pas bénéficié de cette forme fabuleuse du rayonnement du blanco-biblisme qu'on appelle la

si ordinaire » (éd. Benot, Paris, Maspero, 1981, p. 180). Si « stupides » qu'il n'est pas question de les libérer ; car « ces hommes stupides (...) seraient incapables de se conduire eux-mêmes. Le grand bienfait de la liberté doit être réservé pour leur postérité, et même avec quelques modifications » (éd. Benot, p. 199-200). Et cf. *infra*, chap. 5, 3ᵉ partie.

31. Sur ces équivalences voir tout le chapitre de Biondi, *Mon frère*, intitulé « Nero di fuori e di dentro », où la négativité de la noirceur – tantôt physique et par conséquent psychique, tantôt psychique et par conséquent physique – est repérée à travers le temps blanc, depuis la Bible jusqu'aux débuts du XIXᵉ siècle.

32. B. Deslozières, *Les égarements du négrophilisme*, Paris, 1802.

33. *Ibid.*

34. Et les Blancs noirciront alors au-dehors et au-dedans, selon la logique de Deslozières qui indique aussi que « les différentes couleurs qu'ont reçues les hommes de toutes les parties de la terre est *(sic)* une volonté déterminée de la nature et une indication certaine de plus ou moins d'intelligence » (*ibid.*, p. 164).

traite : « La plus stupide, la plus perverse, la plus sanglante des races humaines », en elle « aucun progrès, aucune invention, aucun désir de savoir, aucune pitié, aucun sentiment »[35]. Et Michiels conclut, nous nous en souvenons : « La couleur noire, la couleur des ténèbres est vraiment le signe de leur dépravation. »[36]

Dégénérescence, dépravation. Thèmes connus, lisibles au psychique aussi bien qu'au somatique, selon les besoins de la rhétorique. On croit entendre les Espagnols esclavagistes parlant des Indiens au XVIe : on parcourt des textes de la France du XIXe. Mais à trois siècles de distance, une conviction demeure : on peut, on pouvait faire quelque chose. On pouvait éviter la bestialisation morale, on pouvait évangéliser ; on devait donc le faire, l'évangélisation relevant de l'ordre, non du conseil. Par-dessus les Lumières, cette conviction, présente dans les esprits au XIXe siècle, fournissait déjà au XVIIe une excellente justification à la traite et à l'esclavage qu'on disait lui préexister et qu'elle restaurait.

35. A. Michiels, *Le capitaine Firmin, ou la vie des nègres en Afrique*, Paris, 1853.
36. Cf. *supra*, p. 33.

7. Sauvons-les. Par la traite au Paradis

Personne n'aurait la naïveté de croire, moins encore aujourd'hui de prétendre faire croire que le messianisme ibérique d'abord, européen ensuite, puisse expliquer à lui seul ni l'entreprise d'occupation et d'asservissement aux Amériques ni celle de la dévastation de l'Afrique par la traite. Chacun comprendra néanmoins qu'il y ait quelque intérêt à réfléchir sur les légitimations idéologiques échafaudées par la péninsule et par l'Europe pour asseoir en droit et en raison l'un et l'autre brigandage.

Le Code Noir est d'une clarté exemplaire à ce propos : il faut baptiser le Noir, il faut même l'instruire dans la religion[1]. Non qu'en ordonnant son baptême et en le baptisant il le libère ; mais le souci d'évangélisation est la condition évidente, le postulat élémentaire de la traite. Tout comme les Rois catholiques se font confier officiellement par le

1. Code Noir, art. 2.

pape Borgia la mission de prêcher et d'évangéliser les hommes du Couchant et donner – en dédommagement de l'effort que pareille mission comportait – la souveraineté sur les Indes occidentales[2], la Couronne française considère que la bonne théologie et la bonne discipline ecclésiastique l'investissent d'une mission d'évangéliser, dans ses terres, les esclaves noirs dont elle protégera et dédommagera la chasse en Afrique, le transport sur le sol français dont elle réglementera le troc.

On sait aujourd'hui que, bien avant la découverte de l'Amérique, dès l'année 1454 le pape Nicolas V autorisa, par une bulle datée du 8 janvier, le roi du Portugal à pratiquer la traite, pontificalement justifiée par le seul argument de l'évangélisation[3] : razzier des Noirs en Afrique c'est bien, puisque amenés au Portugal ils y seront évangélisés et délivrés ainsi du pire des esclavages (le seul que le Nouveau Testament condamne), celui auquel le péché et le diable soumettent ceux qui les servent. Esclaves ici-bas, libérés grâce à la traite dans l'éternité et pour l'éternité, les Noirs ont une chance inouïe. Razziés pour le paradis, Dieu use de miséricorde pour Cham et Canaan et toute leur semence dans les siècles des siècles.

Des Noirs arrivèrent aux Amériques dès la première décennie de la découverte du continent, dans les bateaux de Christophe Colomb. Ils venaient de la péninsule, qui avait été le sol de leur premier exil. Dès 1525 la traite au sens définitif du terme s'organise sérieusement. Monopole effectif de commerçants italiens et portugais à ses débuts, ce trafic commence à profondément intéresser des contrebandiers français, anglais et hollandais avant même que le XVIe siècle ne se termine[4]. On sait comment la France – puisque c'est d'elle que nous nous occupons ici exclusivement du fait de son Code Noir – officialisera et protégera la traite, et le mal qu'elle aura à s'en débarrasser vers la fin du XIXe[5].

La France. Elle a les scrupules que l'on sait et les arguments que nous avons parcourus. Aurait-elle ouvert la chasse en Afrique au mépris

2. Pour la portée juridique de la « donation » papale, on consultera avec profit le point de vue de Las Casas tel que schématisé dans ses *Trente propositions très juridiques* (*Très brève relation de la destruction des Indes*, suivie des *Trente propositions très juridiques*, Paris, Mouton, 1974).

3. Cité par Gisler (*L'esclavage*, p. 155) d'après le *Magnum Bullarium Romanum*, t. 5, p. 110-115.

4. S. Zavala, *El mundo americano*, I, p. 180-186.

5. Parmi les compagnies françaises les plus importantes : la Compagnie des Indes occidentales (1664) à laquelle succéda dès 1673 la Compagnie du Sénégal ; et la Compagnie de Guinée (1684) qui obtenait, le 27 août 1701, l'*asiento* espagnol.

de tout humanitarisme et de toute philosophie ? Peut-être ; sûrement même, lorsque son initiative doit être confondue avec celle de trafiquants et de contrebandiers plus soucieux d'efficacité que de légalité. Mais elle n'aurait pu d'aucune façon razzier à la diable et exporter en masse officiellement des « pièces d'Inde » si quelque loi ou quelque pieuse considération ne l'avait « encouragée » à entreprendre pareille aventure. Trace archivistique de cette première loi ou de cette considération initiale : jusqu'aujourd'hui, aucune. Demain, peut-être. Faute de mieux, une jolie fable ferait-elle l'affaire ?

Une légende s'installe en France, qui traverse tout le XVIIIe siècle, dont on trouve encore des évocations sérieuses chez les « amis des Noirs »[6] et dont on rappellera encore en plein XIXe siècle le caractère édifiant et la puissance revendicative. Labat nous éclaire à ce propos avec l'aplomb de la certitude :

« C'est une loi très ancienne, que les terres soumises aux rois de France rendent libres tous ceux qui s'y peuvent retirer. C'est ce qui fit que le roi Louis XIII, de glorieuse mémoire, aussi pieux qu'il était sage, eut toutes les peines du monde à consentir que les premiers habitants des îles eussent des esclaves, et ne se rendit enfin aux pressantes sollicitations qu'on lui faisait de leur octroyer cette permission, que parce qu'on lui remontra que c'était un moyen infaillible, et l'unique qu'il y eut, pour inspirer le culte du vrai Dieu aux Africains, les retirer de l'idolâtrie, et les faire persévérer jusqu'à la mort dans la religion chrétienne, qu'on leur ferait embrasser. »[7]

N'est-ce pas merveilleusement simple et singulièrement adéquat à tout ce qu'on a proposé jusque-là et sur quoi on avait tant tergiversé ? Ce sont des hommes ; ils méritent le paradis céleste ; ils l'auront par la traite qui leur permettra d'accoster en terre chrétienne et d'y entendre la Bonne Nouvelle. Ce que, par Nicolas V, la papauté bénit au Portugal, pourrait-elle le maudire en France ? Le Code Noir organise ceux de ses articles qui concernent l'affranchissement et l'organisation de la

6. « ... les faire passer (les Noirs) dans nos colonies pour les y instruire à la culture et les convertir. On promit d'en avoir le plus grand soin, de les nourrir, de les vêtir, de les traiter comme un père ses enfants ; enfin de les rendre à la liberté lorsque leur instruction serait achevée. À ces conditions, Louis XIII consentit à permettre cette espèce d'esclavage » (A.-G. Kersaint, *Moyens proposés à l'Assemblée nationale pour rétablir la paix et l'ordre dans les colonies*, Paris, Imprimerie du Cercle social, 1792 (*EDHIS* 5, 2)).

7. Labat, *Nouveau voyage aux îles de l'Amérique*, t. 2, p. 38. On remarquera que si Kersaint parle de culture et de libération à terme (cf. note précédente), rien de tel n'est évoqué par Labat.

vie conjugale et familiale de l'esclave noir aux Antilles[8] et en Louisiane en harmonie avec ce qui, à l'analyse la plus sereine des documents, apparaît à la royauté française comme une dette, comme un devoir : christianiser l'esclave.

Que Louis XIII ait eu ou n'ait pas eu cet état d'âme intéresse en somme très peu. Il est en revanche du plus grand intérêt que le thème, et la belle histoire, aient été scrupuleusement colportés jusqu'au terme dernier de la tragédie. Ils adaptent au problème français du XVIIe siècle la solution donnée en Espagne au problème espagnol du XVIe. Ils permettent de faire pivoter l'ensemble de la législation autour de la ligne stratégique que nous connaissons bien (humanité abrutie, mais perfectible ; dégénérée, mais susceptible de régénération ; promise, hélas, au feu éternel, mais rédimable par l'évangélisation et le baptême). Paraphrasant ou singeant l'« o felix culpa » d'Augustin, l'histoire de la découverte du vrai Dieu par le truchement de la traite entre sans difficulté majeure dans une économie blanco-biblique d'axiologie et de droit :

« Le plus grand malheur qui puisse arriver à ces pauvres Africains serait la cessation de ce trafic. Ils n'auraient alors aucune ressource pour parvenir à la connaissance de la vraie religion dont on les instruit à l'Amérique, où plusieurs se font chrétiens… Eh ! Plût à Dieu que l'on achetât tous ces misérables nègres et qu'on dépeuplât l'Afrique. »[9]

La Couronne aime la logique et chérit le droit. On a parlé de dette à propos des soucis missionnaires prêtés au très sage et très pieux Louis XIII. Les rois se suivent et se ressemblent. En 1765, un autre Louis très sage et tout aussi pieux introduit ainsi le chapitre de la religion dans un mémoire au gouverneur de la Martinique : « Les rois doivent à Dieu l'offrande et l'hommage des peuples qu'il a soumis à leur empire, (et) ce devoir devient plus étroit dans les colonies, par la dette du souverain envers les esclaves, nécessaires, mais qui, chez des peuples policés, n'ont pu perdre leur liberté que pour l'espérance meilleure des biens futurs. »[10]

Faut-il vraiment insister ? Ici comme ailleurs, on alléguera des points de vue contraires de tel ou tel homme d'Église, de tel ou tel honnête homme s'élevant contre cette justification pitoyable et scandaleusement facile des razzias, de la traite et contre l'affirmation péremp-

8. Art. 55-59 et 9-14.
9. D'une *Dissertation sur la traite et le commerce des nègres* publiée par Bellon de Saint-Quentin en 1764.
10. Archives nationales, Colonies, F3 71, p. 95 (Gisler, p. 169).

toire de la « nécessité »[11] de l'esclavage[12]. Nous choisissons, nous, de nous en tenir aux opinions qui fondent le droit, à celles dont la permanence garantit la durée du droit et dont le théologisme ou le providentialisme forcené permettent de comprendre l'aberrante existence du Code Noir.

Les règlements imposés par la monarchie française aux compagnies de navigation pratiquant la traite, notons-le, prévoient la présence de prêtres dans les enclaves territoriales et les forts qu'elles se taillent et construisent, pour subvenir aux besoins spirituels des Blancs. Pas d'évangélisation prévue sur le sol africain. On vole et on transfère. Une fois aux Antilles, pas avant, les Noirs ont droit à la sainte parole[13].

Dans leur temps, canonistes et théologiens espagnols consignaient

11. L'adjectif « nécessaire » qualifiant le substantif « esclavage » est d'un usage constant dans les échanges entre la Couronne ou le ministère de la Marine et les gouverneurs. Il tient lieu, dans cette littérature, d'argumentation et semble satisfaire en dernière analyse tout souci de légitimation.

12. Du Tertre (*Histoire générale des Ante-Isles habitées par les françois*, Paris, 1667-1671, 3 vol.) sait plaindre les esclaves tout en légitimant la traite et en signalant, chemin faisant, que d'autres en son temps supportaient mal l'exploitation du thème d'une conversion possible comme légitimation du trafic. Il entreprend de « justifier nos habitants du reproche injurieux que plusieurs personnes, plus pieuses que savantes, leur font, de ce qu'ils traitent des chrétiens comme des esclaves, les achetant, les vendant, et en disposant, dans un pays où ils vivent selon les lois de la France qui abhorre la servitude sur toutes les nations du monde » (vol. 2, p. 483). Et il constate « que leur servitude est le principe de leur bonheur, et que leur disgrâce est cause de leur salut, puisque la foi qu'ils embrassent dans les îles les met en état de connaître Dieu, de l'aimer, de le servir » (*ibid.*, p. 35). Il est curieux de constater que, un siècle avant et en Espagne, on priera Las Casas de cesser de s'agiter au bénéfice des Indiens, sous prétexte qu'il ne sait pas de quoi il parle, et qu'il est « plus pieux que savant ».

13. Dans la Déclaration royale pour l'établissement de la Compagnie de Guinée (janvier 1685) : « Ne pourra la dite Compagnie employer ni donner aucunes commissions qu'à des gens de la religion catholique, apostolique et romaine ; et en cas que la dite Compagnie fasse quelques établissements dans les pays de la présente concession, elle sera obligée de faire passer le nombre de prêtres et missionnaires nécessaires pour l'instruction et exercice de la dite religion et de donner les secours spirituels à ceux qui auront été envoyés. » Pas de trace d'une obligation d'évangélisation des Noirs (Code Noir, Prault, p. 19). Les Lettres patentes « portant établissement d'une nouvelle Compagnie royale du Sénégal-Cap Vert et Côtes d'Afrique » (mars 1696) en remplacement de la Compagnie royale formée en 1681, réglementent en 43 articles (Code Noir, Prault, p. 66-103) les activités, droits et devoirs de cette compagnie. Dès l'article 1, on rappelle les obligations d'assistance religieuse figurant dans la Déclaration de janvier 1685 : instruction et secours aux Blancs. Deux curiosités à retenir dans ces Lettres patentes. À l'article 1 : « Cette nouvelle Compagnie sera tenue de nous rendre et à nos successeurs Rois (…) un éléphant à chaque rotation. » À l'article 40 : « Pourra la dite Compagnie prendre pour ses armes un écusson en champ d'azur, semé de fleurs de lis d'or sans nombre, deux nègres pour supports et une couronne tressée… »

dans des manuels à l'usage des confesseurs de braves disquisitions touchant aux droits et aux devoirs dont les colons devaient tenir compte en conscience dans leur façon de traiter les Indiens. Les synthèses hispaniques diront la vérité en deçà et au-delà des Pyrénées, en deçà et au-delà de l'Atlantique. L'Espagne libère sur place les Indiens de l'esclavage du démon en installant chez eux d'un même geste souveraineté et religion et en « invitant » les Indiens à accéder à l'une et à l'autre en devenant des « sujets chrétiens » de « sa Majesté très Chrétienne »[14]. La France dit qu'il convient de razzier et de voler pour mieux évangéliser : « On demande si en sûreté de conscience on peut vendre des nègres ? Ceux qui en font scrupule disent qu'il y a de l'inhumanité d'acheter et de vendre des hommes... Ceux qui sont d'un sentiment contraire disent que c'est un grand avantage pour ces pauvres malheureux ; parce qu'étant portés dans un pays chrétien, ils y sont instruits et baptisés. »[15] Bien entendu, ceux qui sont « d'un sentiment contraire » ont raison. Certes, la question montait à la Sorbonne[16] formulée dans la crainte de quelques-uns d'avoir acheté au marché des esclaves un Noir libre, ce que la théologie ne saurait tolérer[17]. Mais l'affaire se résout par la présomption « légitime » de l'esclavage général, et par la marginalisation – avec les « cas curieux et rares » – de l'hypothèse de l'achat d'un Noir qui n'aurait pas été, déjà en Afrique, la propriété d'autrui[18]. Vérité en deçà et au-delà des Pyrénées : la Sorbonne, à treize ans de la publication du Code Noir, s'en tient à ce qui résulte du droit des gens d'avant Vitoria[19], sinon au corollaire le plus simple de la

14. Requerimiento, cf. *supra*, n. 20, p. 41.

15. De Lamet et Fromageau, *Dictionnaire des cas de conscience décidés suivant les principes de la morale, les usages de la discipline ecclésiastique, l'autorité des conciles et des canonistes, et la jurisprudence du Royaume*, Paris, 1733, 2 vol.

16. Les auteurs du *Dictionnaire* sont « docteurs de la maison et société de la Sorbonne ».

17. Sur ce point les théologiens espagnols s'en tenaient aux principes rappelés par Thomas d'Aquin (cf. *supra*) : souveraineté « monastique » des libres, vénalité des esclaves. D'où l'insistance de la partie « progressiste » des théologiens hispaniques à contourner l'obstacle « thomiste » en prouvant qu'il n'y avait pas de peuples esclaves.

18. D'ici l'insistance dès les premières relations sur la vie et les mœurs des Africains que là-bas chacun achète, et vend chacun, sous n'importe quel prétexte.

19. Et de Vitoria lui-même. Bernardo de Vique, son confrère en religion, lui demande si l'on peut monnayer ces êtres humains que les Portugais tirent de leurs Indes. Vitoria dit ne pas savoir exactement comment on s'y prend pour les chasser et les mener au marché ; il n'estime pas vraisemblable que le roi du Portugal puisse tolérer le marchandage d'hommes libres et ne voit pas, par conséquent, pourquoi les seigneurs qui les achètent devraient avoir quelque scrupule. Il s'agit peut-être d'esclaves de guerre... « Les Portugais n'ont pas à savoir si les guerres que les barbares

lecture aristotélicienne de l'esclavage naturel. Un esclave est une chose (« comme les autres biens que l'homme possède »[20]). Peut-on en déduire que le Noir non « chosifié » par la réduction à l'esclavage déjà en Afrique ne pourrait être acheté par le Blanc ? Il semblerait. Mais la Sorbonne vous interdit pareille conclusion : « On pourrait même sans aucun examen les acheter si c'était pour les convertir et leur rendre la liberté. »[21]

Or le Code Noir force au baptême en son article 2 et envisage une « liberté acquise » identifiable dans ses effets à la « liberté naturelle » en son avant-dernier article. Entre le second et le pénultième, épineux sera le chemin débouchant sur la voie de l'existence juridique.

La Sorbonne, alléguera-t-on, n'est que la Sorbonne. La culture française d'Église a d'autres noms bien plus prestigieux à vénérer. Eh bien, vénérons. Et entendons dans le recueillement tonner lourdement contre ceux qui auraient l'audace de critiquer la pratique de l'esclavage : « De condamner cet état (...) ce serait non seulement condamner le droit des gens, où la servitude est admise, comme il paraît par toutes les lois, mais ce serait condamner le Saint-Esprit, qui ordonne aux esclaves, par la bouche de saint Paul, de demeurer dans leur état, et n'oblige point les maîtres à les affranchir. »[22] Contre qui Bossuet pérore-t-il ? À qui rappelle-t-il, l'aigle de Meaux, et de façon si banalement définitive, la loi et les prophètes et les apôtres ? À Du Tertre, peut-être ? Brave Du Tertre qui, s'attendrissant sur les malheurs infinis des Africains, n'en bénit pas moins, tous comptes faits, la traite et l'esclavage des Noirs, car on peut lire « que leur servitude est le principe de leur bonheur, et que leur disgrâce est cause de leur salut, puisque la foi qu'ils embrassent dans les îles les met en état de connaître Dieu, de l'aimer, de le servir »[23].

La cause est entendue, il me semble. On a beau opposer dans les schémas culturels français le messianisme de la « Conquista » hispanique à l'affairisme du colonialisme français. Dans les deux cas, les rappels de la priorité absolue de la discipline religieuse, quelque flou que soit le sens attribué à cette notion, règlent en profondeur, dans le souffle le plus intime du droit et de la pratique et pas seulement

se font entre eux sont justes ou injustes. Il suffit qu'untel soit esclave, de fait ou de droit, et je l'achète tout de go » (Vitoria, *Relecciones sobre los Indios*, Madrid, Austral, 1975, p. 23).

20. Cf. *supra*, n. 15, p. 58.

21. *Ibid.* La formule « sans aucun examen » traduit parfaitement le « llanamente » (« y lo compro llanamente », je l'achète tout de go) de Vitoria.

22. Bossuet, *Avertissement aux protestants*.

23. Cf. *supra*, n. 12, p. 57.

en façade, la mise en place juridique des moyens d'asservissement.
Frère Cham, on te comblera bien malgré toi. Assagi, on t'affranchira peut-être. Mais baptisé, on te sauvera sûrement. C'est toute la philosophie de l'affaire. L'Église et la Couronne, que le préambule du Code Noir mélange allègrement, sont parfaitement unanimes sur ce point. Et ce point est capital.

Razziés pour leur bien, les esclaves arrivent donc aux terres du Couchant : aux Antilles, en Guyane, en Louisiane. Sont-ils évangélisés ? Sont-ils affranchis ? Voyez le Code Noir. Voyez les relations des gouverneurs et des missionnaires. Lisez les récits des planteurs. Entendez le cri des esclaves lorsque, ici et là mais pas souvent, il leur arrive de lézarder l'universel silence. Il y a unanimité de fait chez les historiens dans le constat d'échec de l'évangélisation des esclaves noirs. Quelle catéchèse pour eux ? On se limitera pratiquement à utiliser la religion pour « contenir »[24] les Noirs. On tient compte et on ose l'écrire que la catéchèse, dosée comme il convient, réduite au thème des joies et des malheurs dans l'au-delà qu'il faut mériter à tout prix et à tout prix éviter, devient un instrument essentiel à l'œuvre d'avilissement du Noir, « la plus forte barrière que la police puisse opposer au désespoir et à la révolte des nègres »[25]. Les autorités et les colons tendent l'oreille au contenu des sermons des « curés des nègres ». On somme ces curés de « se conduire envers eux, tant dans leur instruction que dans leur confession, selon la sagesse de vues qu'exigent la tranquillité et la sérénité des colonies »[26]. On critique durement ceux qui, inspirés par je ne sais quelle commisération amollissante, outrepasseraient leurs droits et se mettraient, devant des esclaves, à exhorter les maîtres à la douceur : la paix de l'île et son bon ordre risqueraient d'en être troublés[27].

Mais ce danger est minime. Les ordres religieux ont leurs sucreries, emploient des esclaves, donnent du fouet comme il convient ; cela ne semble pas étonner les contemporains, habitués depuis toujours aux

24. J'ai indiqué plus haut la fréquence de l'expression « esclavage nécessaire ». Tout aussi fréquente dans la même littérature est l'expression « contenir tes nègres ».

25. Malouet, *Collection de mémoires et correspondances officielles sur l'administration des colonies*, Paris, an X, 5 vol., t. 3, p. 41. « On doit se borner rigoureusement à (...) les persuader que, quand ils auront commis un vol, le fouet peut les punir dans ce monde, comme Dieu peut les punir dans l'autre ; voilà quelle doit être toute leur science et toute leur morale » (d'une relation, datée 1784, de Le Brasseur, administrateur de Saint-Domingue, citée par Gisler, *L'esclavage*, p. 90).

26. Mémoire aux administrateurs de Saint-Domingue, daté 1er janvier 1764, AN, Colonies, F3 71, p. 66.

27. Gisler, *L'esclavage*, p. 174.

mystères des voies du Seigneur et de sa providence[28]. Aucun risque sérieux de ce côté : le paradis promis à l'Africain est bel et bien au-delà de l'autre traversée, celle dont la porte est le trépas et la tombe le vaisseau. Dans l'en-deçà, la résignation – joyeuse s'il se peut, elle n'en sera que plus méritante – à la toute-puissance et au fouet du maître est et doit être toute sa religion. Telle est la voix de l'institution esclavagiste, telles les normes envoyées de la métropole à ceux qui, là-bas, doivent racheter pour le ciel toutes les âmes noires de la semence de Cham au diable qui les tient sous son esclavage.

À ce stade, une comparaison s'impose entre les raisons alléguées par la péninsule Ibérique d'abord, pour justifier la traite et maintenir les Noirs dans l'esclavage tout en « libérant » les Indiens, et les raisons alléguées par les autres nations européennes pour participer à la traite et esclaviser des Noirs sur le continent américain. En fréquentant la littérature qui raconte ces choses-là, on fait une série de constatations.

Les rares fois où les esclaves ont la parole, ils dénoncent immanquablement les deux affaires et accusent la nation qui les a asservis, chacun d'eux, de pratiquer la pire des traites et le pire des esclavages. Depuis le corps souffrant des esclaves, l'étude « comparative » de la morsure du fouet devrait, par décence, s'arrêter là. Mais poursuivons. On aime, en Europe blanco-biblique, pouvoir déterminer les frontières politiques de la vertu, et on jouit d'extrader la haine et la fourberie chez les nationaux d'à côté. Je suis méchant, mais l'autre est bien pire ; je suis abruti, mais l'autre est carrément idiot. Or donc chaque Noir réserve le superlatif pour ce qu'il a enduré, lui. Inutile d'épiloguer sur la fiabilité de la propre chair comme instrument objectif de mesure de la douleur et sur ce qu'il y aurait d'ignominieusement sarcastique dans la pratique de cet usage du superlatif.

Chronistes, missionnaires et historiens distribuent les blâmes ou les bons points aux nations selon qu'ils font l'apologie de la traite et de l'esclavage ou qu'ils en critiquent le bien-fondé et la rationalité. On lira ici des éloges sur l'humanitarisme de l'esclavage à la portugaise. On insistera ailleurs sur l'existence de périodes de rigueur moins...

28. Des exemples : « Les dominicains ont à la Martinique une sucrerie et cinq cents esclaves (...) à Saint-Domingue, une sucrerie et plus de deux cents Noirs ; une autre sucrerie attend des forces pour devenir plus considérable que la première. Les jésuites avaient... à Cayenne et dans le Continent (la Guyane) deux belles sucreries, une cacaotière considérable, une vaste ménagerie ; et sur ces différentes possessions, au moins neuf cents Noirs » (E. Petit, *Droit public ou gouvernement des colonies françaises*, p. 497).

rigoureuse chez les Hollandais, ou les Anglais. On tirera ici et là des conséquences de l'ampleur du métissage ou de son caractère ponctuel, exceptionnel, et on aura raison de le faire[29]. Mais, par décence, on fera bien de ne pas pavoiser quand l'archivistique semble donner quelque répit, et de tenir compte de certaines données, dont le sens est transparent. Les opportunités d'accès de la Noire et du Noir dans le lit du Blanc et de la Blanche, du maître ou de la maîtresse à la couche des esclaves ne sont pas partout et toujours les mêmes[30]. Mais le marronnage a été un phénomène constant dans toutes et chacune des colonies peuplées de Noirs, quelle qu'ait été la puissance coloniale à y détenir la souveraineté[31]. Les textes officiels imposant la modération dans les châtiments (et donnant ainsi légitimement toute latitude à la fureur au-dessous d'un seuil que personne ne respecte) sont de toutes les puissances coloniales : et, ce qui pour notre analyse est fondamental, de toutes les puissances et de toutes les Églises la légitimation canonique de l'esclavage au regard de l'éternité[32] ; de partout la belle reconnaissance de la possibilité de conduire l'esclave à se bien comporter, sa capacité d'être évangélisé et de faire son salut dans l'au-delà. Que les Portugais baptisent d'office les Noirs avant de les habituer, sur place en Afrique, à la forme d'esclavage qu'ils subiront au Brésil[33], ou que les Français n'envisagent de baptême que sur le sol français[34], la fonction liminaire du baptême est indispensable dans les deux pratiques. Lorsque les Hollandais prennent Recife, ils critiquent âprement l'esclavage. Mais très bientôt ils en comprennent les bienfaits et, dès 1637, ils organisent à leur tour la façon de se procurer de la main-d'œuvre africaine[35]. Dès 1638, leur Conseil ecclésiastique se demande s'il est permis aux chrétiens d'acheter et vendre des Noirs pour les soumettre à l'esclavage. Le Conseil se donne aussitôt une réponse affirmative, et il s'oblige à catéchiser « afin d'inculquer aux Noirs la sainte vertu de la patience »[36]. Moins de vingt ans plus tard, le P. Godfried Udemans opine que

29. Cette géopolitique est admirablement étudiée par Silvio Zavala *(El mundo americano en la época colonial).*

30. Chacun comprendra que dans ce domaine il y a une situation qui constitue la règle – la facilité avec laquelle le maître blanc peut conduire l'esclave noire à sa couche – et les exceptions – toutes les autres possibilités de mélange sexuel.

31. S. Zavala, *El mundo americano*, t. I, p. 176.

32. Et dans les limites rappelées pages précédentes.

33. S. Zavala, *El mundo americano*, t. I, p. 187.

34. Code Noir, art. 2.

35. S. Zavala, *El mundo americano*, t. I, p. 189.

36. *Ibid.*, t. I, p. 175.

l'esclavage des Noirs est licite sous certaines conditions, la première étant, comme chez les gens de Sorbonne dont il était question un peu plus haut, qu'ils soient instruits dans le christianisme, l'avantage transcendental qu'ils en tireront devant gommer n'importe quels inconvénients[37].

On pourra insister sur l'extrême dureté de la chasse et du transport à l'anglaise : l'impératif missionnaire est évoqué là aussi, comme justification théorique liminaire. Dès la deuxième décennie du XVIe siècle, les théologiens portugais et espagnols se consultent à propos de l'esclavage des Noirs et des bienfaits de la christianisation[38] : et les formules de justification sur lesquelles ils s'accordent se retrouveront ensuite dans les préambules théologiques des édits de toutes et chacune des nations négrières, dès qu'elles se lanceront dans l'entreprise de la traite et de l'esclavage. Vont-elles les chercher en Espagne ? Ce n'est même pas indispensable. Elles nichent au cœur d'une tradition blanco-biblique[39] qui, de la péninsule et d'ailleurs, a essaimé partout en Europe durant le XVIe et le XVIIe siècle. Sur ce point, rien ne distinguera les catholiques des protestants, comme s'il était des réflexes « scripturaires » qui garantissaient la permanence d'un œcuménisme en profondeur malgré les carnages et les déchirements sanglants en surface entre « papistes » et « religionnaires ». Si, pour le dire avec Zavala, « substantiellement le concept de l'institution de l'esclavage était le même dans toutes les colonies »[40], théoriquement la justification de la traite et de l'esclavage comme instruments de salut était aussi partout de même nature.

Nous n'aurons pas, bien sûr, la naïveté de croire que cette justification liminaire explique tout. C'est l'usage idéologique qui en est fait qui nous intéresse, ce qu'il convient de dire pour qu'on y croie et n'en rugisse, comme il était du plus grand intérêt pour nous de suivre à la trace la destinée de l'exégèse anti-chamite et anti-cananéenne. L'importance économique de la traite est telle que son contrôle de la chasse

37. Ch. R. Boxer, *The Dutch in Brazil, 1624-1654*, Oxford, 1957, p. 83.

38. Cf. *supra*, n. 19, p. 58. Voir aussi S. Zavala, Servidumbre natural y libertad cristiana según los tratadistas espanoles de los siglos XVI y XVII, Buenos Aires, 1944.

39. De Vitoria à Bernardino de Vique : « Ce qui motive le scrupule le plus fort, c'est que les maîtres les traitent de façon inhumaine, en oubliant que les esclaves sont leurs prochains et que, comme le dit saint Paul, le maître et l'esclave ont un autre maître qui les jugera tous les deux. Car s'ils les traitaient humainement, il vaudrait mieux (pour les Noirs et les Indiens) être esclaves parmi les chrétiens que libres dans leurs pays, leur plus grand bonheur étant de devenir chrétiens » (*Relecciones*, p. 23).

40. S. Zavala, *El mundo americano*, t. I, p. 184.

jusqu'au marché, avec la possibilité juridique et technique d'y participer, devient « l'un des enjeux des guerres entre les puissances européennes pendant les siècles de la colonisation américaine et des chapitres abordés dans les traités de paix »[41]. La façon dont les Européens traitaient les Noirs était foncièrement la même partout, avec des divergences mineures selon les périodes, et aussi selon les coutumes et les traditions des nations négrières. Partout le même souci d'efficacité et de légalité ou d'efficacité dans la légalité. Pourtant, Bonnemain opine, à la fin du XVIIIe siècle, que chez les colons « le préjugé de naissance et de couleur (est) le plus fort et le plus répandu (dans les colonies). Peu perceptible parmi les Portugais, presque nul chez l'Espagnol, il reste fort sensible chez l'Anglais : il est terrible parmi les Français »[42]. Zavala paraît plus convaincant, faisant état de fluctuations historiques de ce « préjugé » et indiquant à son propos, comme à celui de la totalité traite-esclavage, des différences de traitement de l'esclave, au plan de son achat et de son utilisation « tenant à la plus ou moins longue habitude de la population de chaque métropole de vivre en contact avec des peuples exotiques, à la tradition théologique et morale dans l'appréciation de la personnalité de l'esclave et aux origines du statut légal de l'esclavage. Sous ces aspects, il y eut des divergences dans les traditions sociales et institutionnelles des différents peuples européens qui colonisèrent le Nouveau Monde »[43]. Ceci ne contredit qu'en apparence le jugement de ce même historien sur l'unité foncière des légitimations théologiques et juridiques des traitements, et confirme les conclusions de Friederici, pour qui « l'esclavage des Noirs était moins dur en islam qu'en terre chrétienne » et, si l'on tient absolument à hiérarchiser les modalités de l'abjection, « chez les chrétiens, beaucoup plus dur chez les Anglais et les Français que chez les Espagnols et les Portugais »[44]. Charme de l'unité des justifications et de la gradation dans les manières.

Le paradis par la traite ? Dès 1573, Bartolomé de Albornoz énumère dans son *Arte de contratos* à l'intention de ses confrères en religion les évidences que voici :

Le Noir peut devenir chrétien sans devoir pour cela devenir esclave.

41. *Ibid.*, p. 162.

42. Bonnemain, *Régénération*, *EDHIS* 5, 1, p. 58. « Ami des Noirs », Bonnemain a certainement intérêt, stratégiquement, à accabler ses compatriotes pour mieux les émouvoir.

43. S. Zavala, *El mundo americano*, t. I, p. 173.

44. *Ibid.*, p. 174.

La liberté de l'âme ne doit pas être payée du prix de la servitude du corps. Qu'on aille donc les rédimer chez eux, à la façon des apôtres, et qu'on se garde bien d'« aller leur prendre la liberté que Dieu leur donne naturellement »[45].

Simple comme cela. Mais la prédication à la façon des apôtres se marie très mal avec les lois du marché. Bartolomé de Albornoz prêche dans le désert[46]. La voie de l'Afrique au paradis continue de passer par l'océan et par les terres du Couchant. Le Code Noir s'enracine au sol de cette certitude. Las Casas, de Albornoz et quelques autres, des théologiens, ont donc parlé de la liberté naturelle des Noirs comme d'une évidence en plein XVIe siècle et en ont tiré les conséquences juridiques et pastorales qui en découlaient. C'est indéniable. Le « préjugé » n'était donc pas synonyme de cécité mentale. Indéniable aussi que le Code Noir, cent vingt ans plus tard, en est encore à la *possibilité*, pour les Noirs esclaves, d'accéder à une liberté *acquise*. Les Lumières, les « amis des Noirs » n'auront pas à la fin du XVIIIe siècle l'aplomb de ces hommes du XVIe. Chemin faisant, Rousseau pensera à autre chose, plaindra amèrement les Islandais qui languissaient au Danemark et ne plaindra pas les Noirs africains qui, aux Antilles, ne faisaient pas que languir.

45. S. Zavala, *Filosofia de la conquista*, p. 99. Bartolomé de Albornoz, qui entend ici par « liberté de l'âme » telle que donne le baptême, approuve l'achat d'esclaves de Berbérie et d'ailleurs à titre de représailles, puisque les Maures, de leur côté, soumettent des chrétiens à l'esclavage. Mais il rejette la traite des Noirs d'« Éthiopie ». Il est, dit-il, contraire au droit divin et humain d'agresser celui qui n'agresse pas, plus contraire encore de le réduire à l'esclavage. Ces malheureux Noirs « n'ont rien fait qui puisse leur faire perdre la liberté ; par conséquent aucun argument juridique, ni public ni privé, pour évident qu'il semble, ne peut laver de leur crime ceux qui, les ayant privés de liberté, les soumettent à l'esclavage » *(Arte de contratos)*. Domingo de Soto, Alonso de Sandoval, Luis de Molina, Diego de Avendaño argumentent de la même façon, Albornoz raisonne dans le droit fil de l'argumentation lascasienne : cf. n. 12, p. 45.

46. À remarquer toutefois la tentative d'« abolition » de l'esclavage des Noirs, en novembre 1526, lorsque la Couronne hispanique ordonne qu'on étudie la possibilité de rendre la liberté aux esclaves noirs au bout de quelques années de service, moyennant « dédommagement ». La tentative ne fut pas concluante (S. Zavala, *Conquista*, p. 100).

8. Le Code Noir

Nous savons désormais qui est le « sujet » dont s'occupe la Couronne française dans cette année 1685 où, pour nous donner un repère aussi efficace ou presque que « 1515 Marignan », l'édit de Nantes était révoqué et remplacé par celui de Fontainebleau. Ce « sujet » est bel et bien un esclave razzié ou troqué en Afrique, qui, au bout d'une interminable traversée dont beaucoup de compagnons de cale ont payé de la mort les innommables conditions[1], a fait l'objet d'une transaction verbale et d'un troc entre un chasseur-vendeur et un planteur-acheteur. À moins que ce ne soit le fils de cet esclave, né esclave sur l'une des terres françaises du Couchant.

Étrange sujet. La discipline catholique régalement invoquée dans le préambule du Code Noir et dans ses premiers articles le reconnaît comme une personne ayant place dans une économie de salut, dans un projet axiologique[2]. Sujet ? Personne ? L'art juridique régalement développé limite son existence à celle d'un objet ou d'une brute par le simple fait de dénier toute valeur légale aux effets publics de sa volonté[3]. Il lui accorde donc la volonté par le seul fait de le déposséder de ses effets au for externe. Il la lui accorde pour que, ne pouvant être producteur de norme (utilisons un instant le langage de Kelsen), il soit, lui et lui seul, terme dernier de l'exercice de toutes coercitions. Plus clair et trêve de subterfuges : le Code Noir contemple la possibilité de la transgression, mais n'élabore aucune casuistique de sanction positive à l'obéissance. L'esclave noir existe juridiquement s'il désobéit, et le corps social veille à cruellement sanctionner cette existence-là. En revanche, il ne *mérite* pas juridiquement, s'il obéit au bon plaisir du maître ou du corps social en son entier. Le maître est seul juge de l'opportunité de traduire l'obéissance en mérite, de transformer l'esclavage en affranchissement. À trois conditions précises. Qu'il en réfère à l'autorité du corps social. Que celui-ci enregistre le vœu magistral. Que le corps social, par le

1. Prévisions figurant sur un contrat de transport d'Africains en Amérique stipulé en 1638 : 10 % de morts en cours de traversée (cf. tableau repères chronologiques). Les conditions de la traversée : il faudrait renvoyer à la totalité de la bibliographie concernant la traite ; on s'en tiendra, au moins, à l'ouvrage de Peytraud *(L'esclavage)*. Effarante la fréquence des suicides, surtout aux débuts de la traversée, mais aussi tout son long, et encore aux premiers temps après l'arrivée.

2. Code Noir, art. 2-14.

3. Code Noir, art. 26, 30 et 31 d'une part, art. 44-54 d'autre part.

moyen de ses instances juridiques, obtienne dédommagement pécuniaire de la perte d'un objet malgré le gain d'un sujet[4]. Nous disons bien : dédommagement, objet, sujet. Dans la rigueur de sa logique, le Code Noir ne permet à l'esclave de pénétrer comme acteur en terrain juridiquement libre, de tenir un rôle actif dans le théâtre du droit, que par le libre choix de ceux dont ce même Code ne règle pas l'exercice public de la volonté – les Blancs libres – et dont il ne définit l'existence juridique ni ne règle les effets.

Résumons. Le Blanc libre, en épousant une esclave, la libère[5]. Il peut aussi l'affranchir aux trois conditions indiquées à l'instant. Dans le premier cas – le mariage –, nous avons affaire avec une conséquence capitale de l'articulation du Code Noir au droit canonique. Dans le deuxième – l'affranchissement –, le Code Noir honore la supériorité juridique du Blanc, entérine – et monnaie au passage – son libre choix. Dans l'un et l'autre cas la « loi blanche », synthèse éprouvée de droit pontifical et de droit royal – ou, si l'on préfère, de droit canonique et de droit romain –, affiche sa valeur fondamentale et proclame avec la parcimonie du sarcasme qu'il n'est de droit ni de code qu'elle ne contrôle.

Le problème ainsi posé n'est pas banal. Théoriquement, le Code Noir apparaît comme un ensemble de lois articulant une série de droits et de devoirs d'exception au concert général de la loi française ou, plus modestement, aux usages juridiquement retenus en métropole. La normativité développée dans et par le Code Noir est portée totalement par celle que développe le « code blanc » (pour nous y retrouver). Mais le code blanc est à son tour fondé sur des principes dont la négation radicale est indispensable à l'existence du Code Noir et à son fonctionnement. Expliquons-nous. Essayons de comparer des situations apparemment comparables et constamment comparées sans la moindre pudeur dans la littérature esclavagiste du XVIIIe. Quelle que soit la précarité, et elle est flagrante, du statut du serf en terre française, il y a un monde entre la nature de son existence juridique et l'inexistence juridique de l'esclave. La liberté naturelle est, en code blanc, le bien de chacun, et l'universalité de ce principe est la base incontestable de la loi française. Les effets de cette liberté sont, certes, sévèrement dosés selon le statut de chacun, et la loi joue de leur diversité ; mais elle n'envisage l'absence de liberté qu'en termes de pénalisation ou de transmission

4. Code Noir, art. 55.
5. Code Noir, art. 9.

héréditairement et juridiquement proche de pénalisation, non en termes de manque originaire ou de privation anthropologique, essentielle, naturelle. À tel point que, comme le rappellent d'innombrables édits royaux d'avant l'époque du Code Noir et du temps de sa durée, le code blanc affirme la coextension parfaite du sol français et du rejet de l'esclavage. L'esclave qui, venant de n'importe où, touche le sol français est à l'instant même libéré de l'esclavage, dit la *loi* blanche. Difficile d'être plus définitif. Mais les îles du Vent et Sous-le-Vent, les Antilles, la Guyane, les Mascareignes et la Louisiane (en son temps) sont, de par la volonté royale, sol français ; tellement français que la loi blanche y régit le territoire et les Blancs qui le possèdent « selon les usages de Paris ». Et voici qu'on y conduit de force des esclaves. Et voici que le charisme libérateur émanant du sol est sans effet sur eux. Sans effet. Par une décision dont l'assise juridique n'apparaît nulle part dans le Code Noir. Par une « nécessité » dont la trame historique s'impose ou bien avec la carrure d'un postulat dont l'harmonieuse totalité des articles du Code Noir est censée corroborer la rigueur définitive, ou bien avec l'évidence de l'axiome (ce sont des esclaves, ils le demeureront)[6]. Axiome ou postulat, il y a des esclaves sur un sol libérateur par nature. L'Église et les acquis du débat hispanique aidant, on n'osera pas dire, en clair, qu'il y a de l'esclavage naturel sur un territoire régi par une loi qui, n'en reconnaissant pas la réalité et répugnant à la tolérer, dénie à plus forte raison toute crédibilité à la réalité historique d'un esclavage naturel[7].

En fin de compte, la loi française semble pourtant s'y retrouver. Pour elle, les îles du Vent et Sous-le-Vent sont la France. La loi banalise donc, juridiquement, en les francisant, les îles et les terres du Couchant. Elle gomme, « par nécessité », les effets publics de la volonté des esclaves, mais reconnaît en l'esclave tout à la fois l'existence d'une volonté et son universelle perversion, ce qui nous ramène tout droit non à l'esprit du droit romain, mais à la tradition augustinienne épisodiquement ou globalement reconduite jusque-là par les tripatouillages théologico-politiques que l'on sait. Cette perversion universelle équivaut, nous le savons, à l'incapacité de l'exercice de la souveraineté sur soi[8] (pas de souveraineté « monastique ») et contient le

6. Cf. *infra*, chap. 2, 3e partie et commentaires aux articles du Code Noir sur l'affranchissement (art. 55-59).

7. Sauf à l'art. 59 du Code Noir où on oppose enfin « liberté acquise » à « liberté naturelle ».

8. Les Noirs ne vivent-ils pas sous l'empire de leurs instincts et de leurs passions ? Cf. *supra*, p. 49, chap. 6.

risque grave d'une contamination dans la dégénérescence[9]. Par conséquent, l'exercice de la tutelle par les « prudents » est un devoir auquel ils ne sauraient se dérober et dont les « fous » ne tireront que des avantages. Le sol français libérerait instantanément les esclaves. Hélas, les Noirs sont fous : le sol français n'assagit pas instantanément les fous. Tel est le dernier avatar de cette *simplicitas* ou de cette *stultitia* médiévale convenant, sans autre analyse, à la *nigredo* de l'espèce « éthiopienne »... Beau désastre.

Abrégeons désormais. Où qu'il soit l'esclave noir, où qu'il vive son calvaire le fils maudit de Cham ; qu'il agonise aux îles du Vent ou qu'il aborde les rivages de la doulce France, le charisme libérateur n'est sur lui d'aucun effet, car seule une volonté blanche aux effets publics juridiquement reconnus peut, gracieusement, régénérer une volonté noire. L'affranchissement par mariage ou avec dédommagement, telles sont les deux voies – non que l'esclave puisse choisir, choisir étant un effet public du vouloir dont le Noir est totalement incapable – que la loi blanche ouvre aux Blancs (ou aux Noirs libres de la « deuxième génération ») ayant l'intention de permettre à tel esclave d'échapper au Code Noir[10]. La juridiction régale et la juridiction ecclésiastique jouent donc l'une et l'autre la dégénérescence et la perfectibilité, la « prudence » et la « folie ». Quant aux effets canoniques, la juridiction ecclésiastique peut aller plus vite en besogne : d'autant plus vite qu'il n'est pas de son ressort de donner à l'esclave noir, avec les attributs de son salut, qui ne mangent pas de pain, ceux de la citoyenneté juridique et politique[11]. La juridiction régale traîne d'autant plus les pieds qu'elle pense rendement, travail et commerce et décide de se décharger sur la religion d'une régénération dont elle ne souhaite les effets que pour l'au-delà. En fin de compte, il n'y aura pas à rougir de résumer ainsi ce qui a déjà été proposé pages précédentes : Le Code Noir combine grossièrement des impératifs canoniques à des impératifs « civilistes », la couronne sait pouvoir faire ce mélange. Mieux : elle sait devoir le

9. Cf. *supra*, chap. 6, p. 52.

10. On affranchira aussi pour faits de guerre ou services très particuliers rendus à la collectivité. Mais on soulignera dans ces cas la valeur constante, décisive et ponctuelle du bon plaisir magistral ou royal.

11. La possibilité de mariage catholique démentirait cette analyse. Mais non : le mariage entre maître et esclave (rarissime), entre libre et esclave (rare) libère par la volonté du maître ou de l'homme libre, car il n'y a pas, juridiquement, de mariage, hors la volonté du maître. Ceci nous ramène à la situation de départ : les effets libérateurs du canonisme sont, eux aussi, déclenchés par la volonté blanche et magistrale.

faire pour coïncider avec les impératifs idéologiques qui légitiment sa capacité de légiférer.

Monstrueux de son premier présupposé à son dernier corollaire, le Code Noir ne légifère pas pour des sujets, mais pour des « sous-hommes » qu'il convient de maintenir massivement, obstinément dans ce « néant politique »[12], dont le texte préparé et voulu par Colbert[13], voulu et signé par Louis XIV, précise savamment les pourtours sans jamais le définir. Et pour cause : le savoir philosophique, théologique et juridique des siècles XVIe et XVIIe s'en était largement occupé. Ce n'était pas la peine d'y revenir : un très bref préambule dans lequel figure, sans autre justification théorique, le mot « esclave » faisait parfaitement l'affaire. On pouvait policer tout de suite les « esclaves nègres ». En les nommant, puissance du verbe, ce préambule les introduisait sereinement dans le langage du droit et les évacuait de l'activité juridique.

Entrons-y, nous aussi, dans ce langage. Et voyons-en rapidement, avant de nous appesantir sur chaque phrase, l'architecture générale. Parcourons-le tout d'abord comme s'il s'agissait d'une de ces histoires qu'on lisait à la veillée et dont on savait, dès l'envoi indispensable d'« il était une fois », qu'elles finiraient bien, malgré les horreurs qui feraient frémir avant que la bonne fée ne vînt aux toutes dernières pages récompenser la vertu et confondre la vilainie. L'histoire que raconte le Code Noir résumons-la en six tableaux et un épilogue.

Dans le premier tableau est dressé le décor pour le déploiement de la religion et du culte, à tout seigneur tout honneur. On proclame qu'il n'est de vraie religion que la catholique, apostolique et romaine. Les juifs sont éjectés des îles, on met le mors aux protestants (nous sommes à sept mois du jour où sera révoqué l'édit de Nantes). Ceci établi, on ferre les esclaves, dont le Code Noir détermine le profil canonique – et canonique seulement – de la « personnalité ». On y voit les retombées « civiles » de l'accès des Noirs au sacrement du mariage lorsqu'un Noir épouse une Blanche (cela n'arrivera pratiquement jamais) ou lorsqu'un Blanc épouse une Noire (cela arrivera très rarement). Prière d'admirer l'élégance de Versailles en matière de droit : dans les conflits juridiques pouvant troubler la rigueur de cette première scène, Versailles donne la préséance au droit romain sur le droit canonique, au droit canonique sur le droit royal. Les Noirs échouent – ou naissent – sur

12. Cette expression de Deslozières résume avec une exactitude parfaite le point de vue de la loi. Cf. *infra*, p. 268, n. 2.
13. Cf. chap. suivant.

les îles du Couchant, y vivent, y copulent et y meurent (y meurent surtout) selon des rituels réglés par les quatorze premiers articles du Code Noir. À la limite, tout pourrait s'arrêter là, le reste découlant très gracieusement de ce qu'on dit ou de ce qu'on tait dans cette première partie.

On contemple sur le deuxième tableau la situation de l'esclave dans son quotidien, hors de ces moments forts (naissance ou achat, mariage, mort) dont l'Église et l'État adorent depuis toujours déterminer le sens et orner l'impact social. Le dénuement juridique de l'esclave est total. Chrétien ou pas, il n'est même pas propriétaire de son propre corps. Ni physiquement [14], ni symboliquement ou affectivement [15], ni nutritionnellement [16]. La description de cette banale déréliction au quotidien occupe les articles suivants jusqu'au vingt et unième.

Les Blancs seraient-ils des monstres, comme le prétendait Cugoano ? Aucunement. Le dénuement de l'esclave répond à ce souci égalitaire dont s'enjolive toute mise en place d'une justice « distributive ». Le Blanc est bon, le roi est blanc ; le maître doit subvenir à tous les besoins de son esclave. Le maître nourrit, habille, soigne l'esclave que le Code Noir dénude, affame et flagelle. Le Roi le veut. Il veut de toute la splendeur de sa volonté que les officiers, avec les maîtres, déterminent la nature des besoins de l'esclave, les seuils de son froid et de sa pudeur, la cruauté de sa faim, le cautère de ses plaies, et qu'ils en réfèrent à lui pour qu'il édicte en conséquence. Et c'est ainsi que le Noir, dépossédé de son propre corps sur le deuxième tableau, devient, sur ce troisième, l'objet de la tendresse blanche, royale et magistrale à la fois. Si le Noir crève de faim et de froid, il crèvera au moins dans les normes, car, totalement incapable économiquement, il ne peut aucunement, sous peine de mort, intervenir à sa guise dans la distribution de la nourriture et des hardes. Tel est le style des articles suivants, jusqu'au vingt-neuvième.

Conséquence rigoureusement logique de tout ce qui précède, au beau milieu du Code Noir est précisé ce qui était postulé dès le préambule : l'esclave est juridiquement et publiquement inapte, incapable, parce que privé des effets publics de sa volonté. D'un mot : ferré, ne peut protester ; fouetté, ne peut se révolter ; juridiquement poursuivi, ne peut juridiquement poursuivre. Les articles 30-37 racontent scrupuleusement comment il convient d'interpréter ce quatrième tableau,

14. Il lui est interdit de se défendre.
15. Il lui est interdit d'aller et venir.
16. Il lui est interdit de se nourrir à sa guise.

sur lequel l'esclave noir, affamé et pillé, taillé et humilié par son maître sous le contrôle des officiers du roi, est réduit par le prétoire à l'inexistence et n'émerge à l'existence qu'en coupable, la corde au cou.

Le paradis dont lui parlent ses maîtres et leurs prêtres est trop loin, inénarrable l'enfer de chaque jour ? Sur le tableau suivant l'esclave prend l'initiative de se retrancher du service du corps social dont il est la propriété. Il marronne, il se sauve. Il ne va pas loin. Le corps social entame en toute justice l'intégrité physique du marron, le mutile, l'ampute, le tue. Le maître punit individuellement à sa discrétion, selon sa prudence. Le corps social réserve à ses appareils de justice mutilations, amputations, exécutions ; mais aussi droit de poursuite et, surtout, de pardon lorsque le maître se mêle de mutiler ou de tuer de son propre chef, en clair, de remplacer fouet, cordes et chaînes, carcan et masque de fer – ustensiles de châtiment dont il a le droit de se servir – par tenailles, couperets et gibets, que le prétoire se réserve. Nous voici parvenus au bout de la cruauté et de la monstruosité avec ce cinquième tableau comprenant les articles 38 à 43 ? Pas encore.

Sixième et dernier tableau. Cet absolu dénuement légal mérite une traduction juridique claire, ne prêtant pas à confusion. La voici : l'esclave n'est pas une personne, il n'est pas un animal, il est un bien meuble, une de ces choses stipulables et transmissibles, comme une somme d'argent ou comme toutes « autres choses mobiliaires ». Le Code Noir en tire les conséquences économiques qu'il faut. Il réglemente avec moultes précisions – car ce chapitre est du plus grand intérêt pour les Blancs – la capitalisation de ce bien et sa circulation dans les transactions et dans les testaments, dans le calcul des taxes et des impôts et dans les donations. Et nous voici parvenus à six articles de la fin. Il est grand temps que la bonne fée intervienne.

Elle le fait. C'est l'épilogue et l'heureux dénouement. Les Blancs peuvent, s'ils le veulent, affranchir des Noirs. Quelques-uns, par-ci par-là. Sous le contrôle, néanmoins, de l'appareil juridique du corps social et jamais en opposition avec lui, nous l'avions déjà dit. Ainsi donc, par le libre choix d'autrui, des esclaves noirs accéderont à l'existence juridique. Ils auront « acquis » alors une liberté, dont le roi blanc veut que les effets soient « identiques » à ceux que « le bonheur de la liberté naturelle » procure à ses sujets. Que l'affranchi se souvienne néanmoins avec tendresse de ses anciens maîtres : il leur doit un respect singulier. Qu'il se garde de leur faire la moindre injure, car elle serait punie plus gravement que si elle était faite à n'importe qui d'autre. C'est justice, en effet. Nous sommes à l'avant-dernier article.

Il a été souvent question, chemin faisant, d'amendes et de confiscations articulées aux dispositions de tel et tel article. Le roi blanc se réserve dans l'article soixantième et dernier « celles qui n'auraient pas de destin particulier dans les présentes » et il en « distrait » un tiers pour cette bonne œuvre qu'est l'hôpital, où les Noirs sont censés crever d'abandon et de misère. Point final.

Faut-il, pour faire mode, atténuer l'horreur de ce texte en se livrant au jeu, sérieux au demeurant, de l'histoire comparative ? Libre à chacun de comparer n'importe quoi à n'importe quoi, et de préférence n'importe comment. Pour ma part, je ne veux comparer les épisodes de ce cauchemar qu'à la lecture qu'en font les contemporains, à la nonchalance des uns, aux scrupules des autres, à la rage judicieusement assassine qui dresse les Noirs de Saint-Domingue, enflamme le More Lack et Cugoano et leur fait proférer une condamnation brutale et superbe de l'esclavage et de la monstruosité de l'esprit délicat des Blancs. Il faudra aussi comparer à la cécité totale des colons la myopie des « amis des Noirs », au racisme des planteurs la casuistique des Lumières et les atermoiements d'un Condorcet ; aux quatorze mille fois quatorze stations du calvaire de Canaan le silence exubérant d'un Rousseau, au souffle libérateur de Diderot et de l'abbé Raynal la clairvoyance sinistre de leur mercantilisme. Ce sera fait, après la présentation détaillée du Code Noir lui-même dans l'insupportable de son agencement et dans les façons dont il est débordé par les différents éléments de ce corps social enraciné dans les colonies du Couchant, auxquelles le Code Noir devait, en maintenant les Noirs dans le néant politique, garantir l'heureuse survie et le plein épanouissement.

9. La mémoire et l'oubli. Justification d'une réédition

Trois comportements *du corps social* me semblent « pleins de philosophie et débordants d'enseignement », comme disaient les lettrés du Moyen Âge. Il codifie l'esclavage. Il supporte cette codification, l'aime, en critique l'inadéquation seulement, tantôt par son excessive rigueur, tantôt par sa douceur excessive. Il oublie enfin que le Code Noir ait jamais existé.

De l'amour et de la haine il en a été question depuis le début de notre analyse et il en sera question jusqu'à la fin. Parlons de l'oubli, puisque la réédition du Code Noir, trois siècles après sa promulgation (en 1685) et sa publication à Saint-Domingue (en 1687)[1], a un but essentiel : l'en sortir.

J'ai honte d'avoir à reconnaître que j'ai longtemps ignoré l'existence de ce code. Un jour il me sauta au visage et je ne sus le lire. Lorsque, par pur hasard, j'en ai retrouvé la trace sur mon chemin, que la trace est devenue de plus en plus claire, de plus en plus nette, j'ai abandonné un temps mon itinéraire pour suivre celui que m'indiquaient les vestiges littéraires du Code Noir. Enfin, je suis tombé sur le monstre. Avec, cette fois, l'intention de m'en saisir, le lire et le montrer.

Aucun doute, les historiens qui ont peiné à creuser le domaine de la traite et de l'esclavage noirs des siècles XVIIe-XIXe sur toute l'étendue de son territoire savent depuis toujours où est le Code, et ils en parlent. Moi, j'ai fait mes « humanités » ailleurs. Mes repères culturels d'honnête homme ne sont pas forcément ceux de l'honnête homme français. J'ai donc mené un brin d'enquête, pour voir. Fallait-il parler après tout le monde d'un texte autour duquel tournait l'histoire du colonialisme français un siècle et demi durant ? Fallait-il donner à lire un Code que, allez savoir, chacun en France connaissait peut-être par cœur ou que chacun pouvait situer dans l'histoire du droit, de la philosophie, des institutions, des révolutions de la grande nation ? Pouvais-je raisonnablement imaginer que le Code Noir ne figurât en bonne place dans la galerie du faste et du néfaste de l'Ancien Régime et de l'Empire ? Pouvais-je croire que « petit Français devenu grand » ne gardait dans un coin de sa mémoire – mêlé à la révocation de l'édit de Nantes, par exemple, et aux audaces intellectuelles de la Régence, au souvenir de la traite et à celui du serment du Jeu de Paume, à la Déclaration des droits de l'homme et du citoyen et aux rougeoiements de la Terreur – le souvenir d'un code par lequel la grande nation crevait avec panache le fond le plus profond de l'horreur, revendiquant pour elle, et les légitimant, le pire raffinement dans la méchanceté, la plus glaciale technicité dans le commerce de la chair humaine et dans le génocide ?

Pour que, devenu grand, petit Français eût pu se souvenir, il aurait fallu qu'on lui eût raconté, à petit Français. On lui a parlé d'autres

1. Dès 1685, le Code Noir est promulgué pour les Antilles, qui ressortissaient de la Martinique. Il est publié et enregistré par le Conseil souverain de Saint-Domingue, au Petit-Gouave, le 6 mai 1687 ; à Cayenne le 5 mai 1704 : à l'île Bourbon en décembre 1723 ; en Louisiane l'année 1724. Un édit du Petit-Gouave daté 29 septembre 1688 ordonne que le Code soit publié « dans toutes les paroisses de la Colonie, pour que personne ne puisse le violer par malice ou ignorance ».

choses. Les manuels retiennent l'essentiel, le glorieux. Gardent-ils du néfaste ? Ils soulignent de préférence ce qui, dans ce genre, engage les consciences et provoque le réflexe salutaire qu'« il ne faut plus jamais recommencer ». Il est des événements, des séries carrément, qui, par nature, n'interpellent pas l'auteur de manuels d'histoire. S'il n'y a lieu de provoquer ni l'attachement ni le rejet, à quoi bon gaspiller avec de l'insignifiant le temps précieux et programmé des étudiants, des lycéens et des écoliers, de tout ce monde dont on fait les « honnêtes gens » ? Est-il donc extraordinaire, significatif, qualitativement remarquable que la France chrétienne et monarchique un jour, puis révolutionnaire et généreuse, révolutionnaire et philanthropique le lendemain, dans la foulée consulaire et matamore, envahissante et impériale, derechef monarchiste, cent jours encore impériale, monarchiste encore et rerépublicaine enfin fasse des affaires, s'agrandisse, surveille les marchés européens et se donne les moyens nécessaires de ses nobles fins ? Comme chacun, elle tient pour un de ces moyens, et pas négligeable, l'esclavage des Noirs sur ces fermes du Couchant. Faut-il vraiment s'y attarder ? De l'esclavage le Code Noir en suppose la théorisation, et il le légalise : faut-il vraiment s'en offusquer ? Il semblerait que non. Égorger des Blancs en France – jacqueries, dragonnades, etc. –, cela pose des problèmes de haute philosophie, de subtile théologie, de fine jurisprudence. Mais mettre des nègres au travail sous des soleils inventés pour eux, les y tuer à la tâche ou par caprice, est-ce un drame ?

Mon brin d'enquête tourna court. Non : autour de moi, dans le monde cultivé des universitaires, des professionnels de l'histoire et de la philosophie, de l'édition et de la presse d'opinion – où l'on sait son Hegel par cœur, par cœur la Déclaration des droits de l'homme et du citoyen et tant d'autres choses, où l'on s'horripile tous les matins du conservatisme assassin du classicisme allemand, de l'archaïsme benêt du *Sturm und Drang* si néfaste à l'*Aufklärung* et aux Lumières, où l'on exalte tous les soirs les splendeurs des Lumières et l'invention de la loi, pour de vrai cette fois, et de l'État, cette fois pour toujours –, dans ce monde, du Code Noir on n'en a jamais entendu parler. La traite et l'esclavage, on sait. Son « abolition » en 1794, aussi. Sa « restauration » en 1802, déjà moins. Mais de l'existence d'une codification spécifique de ce qu'on abolit, puis restaure, pas de traces dans le commun des esprits. Ne s'en souviennent, tout compte fait, que ceux dont la traite et l'esclavage sont au programme précis de leurs recherches historiques ou juridiques. Il fallait donc qu'on sache, qu'on puisse enfin choisir entre l'ignorance tout court et l'ignorance coupable en proposant de nouveau une place au Code Noir dans la galerie des repères.

Au fond, ce n'était pas de sa faute à « petit Français devenu grand ». Pour lire un texte, il ne suffit pas, mais il faut, ce n'est pas sorcier, qu'il soit lisible. Et lisible, cela veut dire facilement accessible, à la portée de chacun, présenté comme un grand, sous son propre titre.

Intégré dans une collection de lois et règlements concernant la colonisation en général[2], il s'y enlise et seuls les érudits l'y retrouvent. Totalement transcrit chez Labat[3], évoqué chez Raynal[4], voire dans l'*Encyclopédie* où on le repère à l'aide d'une entrée spécifique en sous-titre à l'article « Code »[5], il demeure universellement oublié[6]. Difficilement accessible, il devient historiographiquement insignifiant. Il s'assagit. Assagi, et enjolivé à proportion, le voilà ramené à un texte comme tant d'autres d'Ancien Régime. On n'en parle plus parce qu'il n'y a plus rien à en dire.

Quatre exemples choisis au hasard, ou presque, mais qui me semblent significatifs. Un bon manuel de bachotage sur l'Ancien Régime[7] qui consacre une page au mot « tabac », le liquide en onze lignes au mot « esclavage », dont on retiendra les éléments suivants : « première protection des esclaves », le Code Noir « limite l'emploi de la torture

2. Néron et Girard, *Recueil d'édits et ordonnances royaux sur le fait de la justice et autres matières importantes*, Paris, 1713 ; Chambon, *Le commerce de l'Amérique par Marseille*, Avignon, 2 vol. ; Isambert, *Recueil général des anciennes lois françaises*, 1776 et suiv. ; Moreau de Saint-Méry, *Lois et constitutions des colonies françaises de l'Amérique sous le Vent, de 1550 à 1785*, Paris, 1784-1790, 6 vol. in-4° ; P. R. Dessalles et A. Dessalles, *Histoire générale des Antilles*, Bergerac, 1786, 2 vol. in-8°, Paris, 1847-1848, 5 vol. in-8° ; Durand-Molard, *Code de la Martinique*, Saint-Pierre-Martinique, 1807-1814, 5 vol. in-8°.

3. Labat, *Voyage du chevalier Des Marchais*, Paris, 1730, 4 vol., t. 4, p. 538-558 et 558-583.

4. Raynal, *Histoire philosophique et politique des établissements et du commerce des Européens dans les deux Indes*, Amsterdam, 1770, 10 vol.

5. Il apparaît aussi au mot « esclave » où l'on trouve aussi un bon rappel de l'édit d'octobre 1716 concernant la présence de Noirs en France. On y renvoie à l'entrée « nègre ». À l'entrée « Code Noir » il est précisé que l'édit d'octobre 1716 et la déclaration de décembre 1721 forment un « supplément au Code Noir ». À remarquer que le grand dictionnaire de Savary (*Dictionnaire universel du commerce*, Paris, 1723, réédité en 1726 et en 1742) propose une lecture systématique du Code Noir, avec des renvois aux entrées « nègre » et « traite ».

6. Peytraud le transcrit intégralement dans *L'esclavage*, p. 158-166, en collationnant à l'édition de 1788 (cf. *infra*, p. 77) dont il se sert « la copie du manuscrit des Archives coloniales, qui est dans le volume des Ordres du Roi de 1685, et qui doit être la reproduction de l'original » (Peytraud, p. 154).

7. G. Cabourdin, G. Viard, *Lexique historique de la France d'Ancien Régime*, Paris, Colin, 1981, coll. « Lexiques U », 326 p.

et tend à restreindre l'arbitraire des maîtres et à développer l'autorité des représentants de l'État. Le mariage (…) est désormais célébré comme celui de l'homme libre. La vente d'un esclave est interdite si elle le sépare de sa famille. Le Code ordonne qu'il soit instruit dans la religion catholique ». C'est tout de même très court et passablement approximatif. *L'Histoire des idéologies* en trois volumes, dirigée par François Châtelet[8], ne sait pas que le Code Noir a existé, ni dans le texte, ni dans les repères chronologiques mettant en parallèle les productions philosophiques, techniques, politiques et juridiques. Le *Kulturfahrplan*[9] l'ignore. L'*Encyclopaedia Universalis* n'a pas d'entrée spéciale pour lui[10]. On pourrait poursuivre. On peut aussi s'arrêter.

Des historiens de l'esclavage noir et de ses incidences sur l'évolution de la pensée française aussi avertis que Carminella Biondi, William B. Cohen ou Antoine Gisler, pour en choisir trois parmi tous ceux qui ces derniers temps sont revenus sur ce massacre, savent, bien entendu, qu'on ne contourne pas le Code Noir. Ils ne le contournent pas, mais les citations qu'ils en font ne permettent pas au lecteur de mettre la main sur la rédaction qu'ils en utilisent. Compliqué, tout cela. Mais symptomatique de la difficulté d'accès, non pour les spécialistes mais pour le lecteur moyennement curieux et exigeant, à une source qui devrait être accessible à chacun.

En 1742 paraissait « chez Prault, imprimeur-libraire, quai de Gèvres », un volume intitulé *Le Code Noir, ou recueil des règlements rendus jusqu'à présent concernant le gouvernement, l'administration de la justice, la police, la discipline et le commerce des nègres dans les colonies françaises et les conseils et compagnies établis à ce sujet*. Le recueil, avec ce titre, sera réédité et complété trois fois au moins : en 1745, en 1767[11] et en 1788. J'utilise l'édition de 1767[12]. L'éditeur ne retient pas, de loin, la totalité des textes concernant les domaines évoqués dans le sous-titre du recueil. Son choix est néanmoins très judicieux : rien n'est négligé de ce qui constitue l'essentiel des dispo-

8. Paris, Hachette, 1978.

9. W. Stein, *Kulturfahrplan. Die Wichtigsten Daten der Kulturgeschichte von angebinn bis heute*, Stuttgart-Hamburg, Deutscher Bücherbund, 1970, 1 564 p.

10. Elle lui fait une petite place à l'entrée « esclavage ».

11. L'édition de 1767 a été reproduite en fac-similé sans l'accompagnement d'aucune note historique, sans l'ajout de la moindre note critique en 1980 par les Sociétés d'Histoire de la Guadeloupe et de la Martinique, à Basse-Terre et Fort-de-France.

12. J'en corrige les erreurs après collationnement avec le texte proposé par Peytraud (cf. *supra*, n. 6, p. 76).

sitions royales à propos des Noirs et des différentes stations de leur calvaire. Chronologiquement, des lettres patentes pour l'établissement d'un Conseil souverain en Surate au bénéfice des directeurs de la Compagnie des Indes orientales, datées 21 janvier 1671, ouvrent la série. La ferment les ordonnances du 31 mars et du 5 avril 1762 touchant la réglementation des séjours des esclaves noirs ou mulâtres dans les amirautés de France. Trente et un documents en tout, de longueur et d'importance inégales, décrivent suffisamment bien le paysage des esclaves et, par ricochet, certaine quotidienneté des maîtres, pour que les lecteurs puissent savoir, de l'année 1742 à la fin du XVIIIe siècle, à quoi s'en tenir sur les pratiques juridiques de la France au-delà de l'océan [13].

L'éditeur Prault intitule ce volume *Le Code Noir*. Manière de baliser l'ensemble, assez vaste, décrit dans le sous-titre. En toute rigueur, ce nom convient uniquement à l'édit de mars 1685 et ne doit désigner que lui. Relevons-en comme preuve, parmi tant d'autres, le renvoi fait dans un arrêt du 17 octobre 1720 concernant la conduite à tenir sur un bateau négrier en cas de désordre ou de révolte à bord, « à l'article XXXV du Code Noir [qui] prononce la peine de mort contre les nègres en cas de vol ». Il s'agit, bien entendu, de l'article 35 de l'édit de mars 1685 : « Les vols qualifiés (...) qui auront été faits par les esclaves (...) seront punis de peines afflictives, même de mort si le cas le requiert. » Les renvois à cet édit mentionné comme « Code Noir » sont constants. Constante l'utilisation de cette appellation [14] pour le désigner tout le long et par tout le large du débat abolitionniste, puis chez tous les polygraphes et les historiens du XIXe et du XXe siècle.

En 1724 la Couronne entreprend de réglementer « le gouvernement

13. Si aux différentes éditions de « chez Prault » on ajoute celles dont je rappelle l'existence à la n. 2, p. 76, on constate que tout homme de lettres, tout érudit en France pouvaient très facilement savoir ce qu'il en était de la quotidienneté des esclaves depuis les aurores du XVIIIe siècle. Cette facilité pour savoir, cette paresse pour rendre compte méritent d'être relevées au chapitre qui leur convient dans l'histoire de la pensée.

14. « Code Noir. – C'est le nom que l'on donne dans les îles françaises de l'Amérique à l'ordonnance de Louis XIV du mois de mars 1685 touchant la police des îles et ce qui doit s'y observer principalement par rapport aux nègres » (*Dictionnaire* de Savary, 1723). « Code Noir est le surnom que l'on donne vulgairement à l'édit de Louis XIV du mois de mars 1685 pour la police des îles françaises d'Amérique. On l'appelle ainsi *code noir* parce qu'il traite principalement des nègres ou esclaves noirs que l'on tire de la côte d'Afrique... » (*Encyclopédie* de Diderot et de d'Alembert).

et l'administration de la justice, police, discipline et commerce des esclaves nègres dans la province et colonie de la Louisiane ». À quelques durcissements près, l'édit de 1724 reprend mot à mot celui de 1685 dont il restructure quelques articles, gomme au passage quelques bouts de phrase, modifie des adjectifs, corrige ou précise des dispositions de type fiscal, économique, etc. Appelons l'édit de 1724 le Code Noir *nouvelle manière*. La première manière concerne les Antilles, la Guyane, d'autres territoires encore, comme l'île Bourbon. La seconde, la Louisiane[15]. Terres diverses, situations similaires, sinon identiques pour l'Africain échoué. Mais aussi une quarantaine d'années entre l'un et l'autre code. Il m'a semblé intéressant de les lire et les comparer en privilégiant leur succession historique sur la diversité géographique de leurs zones d'application. Pour la raison pure et simple que cette proximité dans le temps en dit infiniment plus long sur l'évolution du regard dont les Blancs accablent les Noirs, les libres les esclaves, que toutes les élucubrations théoriques qu'on se plairait à imaginer. En 1724, il n'y a pas plus de véritable débat en France sur la légitimité de l'esclavage imposé aux Noirs, sur leur inexistence juridique qu'il n'y en a eu en 1685. C'est de cela que le collationnement des deux édits porte cruellement témoignage. Montesquieu arrive un peu plus tard.

On se plaît généralement à parler de « colbertisme » lorsque le mercantilisme français galope bridé, et à détecter – le crépuscule ayant gobé en fin de course le Roi Soleil – dans la monarchie éclairée de l'aube nouvelle comme un regain d'« humanisme » et comme un retour à la mesure après l'excès et la démesure. À s'en tenir à ces critères, le Code Noir de 1724 devrait accuser un fléchissement dans l'horreur, et on aurait dû trouver dans le Noir de la Louisiane ce soupçon d'âme qui faisait si cruellement défaut au Noir des Antilles. Il n'en est rien. Féroces, les deux textes le sont également. Avec ici et là des débordements atroces en 1724, hors de ce que la Couronne avait statué à peine quarante ans plus tôt[16].

Les présenter article après article, page après page, l'un à côté de l'autre : il m'a semblé que c'était le moyen le plus simple, le plus

15. Curieusement il n'y a pas de rappel explicite de l'existence du Code de 1685 ni dans le texte ni dans le préambule de celui de 1724.

16. Souvent les nouveautés qui figurent sur le Code de 1724 reprennent des ordonnances postérieures à 1685 ayant pour but, déjà, de mieux adapter le Code Noir aux situations coloniales et à leur évolution. Réciproquement, des ordonnances étendent souvent à l'ensemble des colonies, notamment aux Antilles, les dispositions nouvelles apparues dans le Code de 1724.

loyal, d'exhumer deux témoignages irrécusables de ce que la France veut[17], supporte, choisit, entérine, reconduit à la toute fin de son siècle d'or, puis en plein XVIIIe pour l'innombrable « lignée de Cham » ; de ce qu'elle ne réprouve que contrainte et forcée à l'heure de la Constituante ; de ce dont elle accepte de rougir au seuil de l'éphémère IIe République, mais dont elle semble garder une scandaleuse nostalgie tout le long du XIXe et plus qu'une bonne moitié du XXe siècle à l'heure de l'asservissement massif de l'Africain en Afrique.

***

L'édition que je propose réserve une double page au préambule et à chacun des articles du Code Noir (édit de 1685), distribuée de la façon suivante :

Sous des titres courants inexistants dans l'édit, mais que je crois utile d'insérer dans sa retranscription afin d'aider le lecteur à trouver le plus facilement possible réponse à sa question, j'encadre au début de chaque double page un article du Code Noir.

Je propose ensuite des renseignements historiques, archivistiques, littéraires (indicatifs, ne prétendant à aucune exhaustivité) permettant de pondérer au plus juste l'incidence de l'article encadré sur l'ensemble du Code Noir d'une part, sur la quotidienneté réelle de l'esclavage d'autre part, ou de rappeler le contexte idéologique et juridique pouvant aider à en comprendre l'inspiration ou la portée et la finalité précises.

J'indique à continuation, lorsque cela me semble indispensable ou tout simplement utile, les numéros des autres articles du Code Noir directement reliés à celui que je transcris, soit qu'ils l'annoncent ou le précisent, soit qu'ils semblent particulièrement le corroborer ou le contredire.

C'est dans un encadré à la fin de chaque double page que j'indique l'identité totale des deux édits ou que je relève les corrections, restructurations, gommages ou ajouts apportés en 1724 pour la Louisiane dans l'édit que j'appellerai « Code Noir B », au Code Noir de 1685.

17. Colbert fait demander par le roi à Patoulet et à Blenac de « rédiger un mémoire d'ensemble sur tout ce qui concerne les esclaves, comme il en exige du reste sur la religion, la justice, les finances des îles. Il veut qu'ils s'inspirent des arrêts et règlements déjà rendus par les Conseils souverains et, en outre, qu'ils prennent sur chaque point l'avis des dits conseils. Ces prescriptions ont donné lieu à deux mémoires remarquables » datés 20 mai 1682 et 13 février 1683. « Ils ont servi de base pour la rédaction définitive du Code Noir » (Peytraud, p. 153). « Le Code Noir, quoi qu'il porte la date de mars 1685, est l'œuvre de Colbert » (Peytraud, p. 150).

Il me semble que cette présentation doit faciliter au maximum la lecture et la consultation de ce texte monstrueux, le plus monstrueux sans doute de ceux dont le droit d'Ancien Régime ait pu se vanter, que la 1re République abolit pour des raisons très peu glorieuses et sans se donner les moyens d'en supprimer les effets, que la réforme napoléonienne sauvegarde et reconduit, dont la IIe République sonne définitivement le glas.

Deuxième Partie

Le Code Noir

Texte et commentaires

Louis, par la grâce de Dieu roi de France et de Navarre : à tous, présents et à venir, salut. Comme nous devons également nos soins à tous les peuples que la divine providence a mis sous notre obéissance, nous avons bien voulu faire examiner en notre présence les mémoires qui nous ont été envoyés par nos officiers de nos îles de l'Amérique, par lesquels ayant été informés du besoin qu'ils ont de notre autorité et de notre justice pour y maintenir la discipline de l'Église catholique, apostolique et romaine, pour y régler ce qui concerne l'état et la qualité des esclaves dans nos dites îles, et désirant y pourvoir et leur faire connaître qu'encore qu'ils habitent des climats infiniment éloignés de notre séjour ordinaire, nous leur sommes toujours présent, non seulement par l'étendue de notre puissance, mais encore par la promptitude de notre application à les secourir dans leurs nécessités.

À ces causes, de l'avis de notre Conseil, et de notre certaine science, pleine puissance et autorité royale, nous avons dit, statué et ordonné, disons, statuons et ordonnons, voulons et nous plaît ce qui ensuit.

Remarquable dans ce préambule l'évocation d'un devoir royal de sauvegarde de la religion catholique et d'évangélisation. Mais plus remarquable encore l'introduction *ex abrupto* du terme d'« esclaves » sans une ligne de justification ou de théorisation juridique. Significatif que les affaires de la religion précèdent, à proprement parler, celles de l'esclavage. Elles les précèdent parce que, comme l'argumentera la première série d'articles (2-14), la position intermédiaire du Noir entre le néant juridique absolu de l'esclavage et la plénitude du droit sera « offerte » à l'esclave par sa christianisation.

Relevons à ce propos que la couronne française jusqu'au milieu du XIXe siècle, tout comme la couronne hispanique depuis la fin du XVe, rappelle sans cesse, dans sa gestion juridique des affaires coloniales, son destin messianique, traduit dans le concret par la priorité toujours reconduite de l'obligation d'évangélisation. En revanche les règlements octroyés ou imposés aux compagnies de navigation agissant en Afrique prévoient bien la présence de prêtres (aux frais du roi ou de la Compagnie, selon les cas) sur les enclaves territoriales qu'elles s'approprient, et parfois sur les navires, pour prendre soin des âmes des Blancs, mais ne comportent presque jamais des dispositions concernant la christianisation des Noirs sur leur continent.

L'ordre des préoccupations semblerait inversé dans le Code B, qui nomme d'abord les « esclaves nègres » en évoquant la requête de la Compagnie des Indes : mais il est rétabli tel que dans le Code Noir (religion d'abord, puis esclavage) dans le corps du texte du préambule.

Code Noir B. – Louis, par la grâce de Dieu roi de France et de Navarre : à tous, présents et à venir, salut. Les Directeurs de la Compagnie des Indes nous ayant présenté que la province et colonie de la Louisiane est considérablement établie par un grand nombre de nos sujets, lesquels se servent d'esclaves nègres pour la culture des terres, nous avons jugé qu'il était de notre autorité et de notre justice, pour la conservation de cette colonie, d'y établir une loi et des règles certaines, pour y maintenir la discipline de l'Église catholique, apostolique et romaine, et pour ordonner de ce qui concerne l'état et la qualité des esclaves dans les dites îles. Et désirant y pourvoir et faire connaître à nos sujets qui y sont habitués et qui s'y établiront à l'avenir qu'encore qu'ils habitent des climats infiniment éloignés, nous leur sommes toujours présent par l'étendue de notre puissance et par notre application à les secourir :

À ces causes et autres à ce nous mouvant, de l'avis de notre Conseil, et de notre certaine science, pleine puissance et autorité royale nous avons dit, statué et ordonné, disons, statuons et ordonnons, voulons et nous plaît ce qui suit.

Article 1. – Voulons et entendons que l'édit du feu roi de glorieuse mémoire notre très honoré seigneur et père, du 23 avril 1615, soit exécuté dans nos îles. Ce faisant, enjoignons à tous nos officiers de chasser hors de nos Îles tous les juifs qui y ont établi leur résidence, auxquels, comme aux ennemis déclarés du nom chrétien, nous commandons d'en sortir dans trois mois, à compter du jour de la publication des présentes, à peine de confiscation de corps et de biens.

L'édit mentionné dans l'article 1 portant proscription et expulsion des juifs, reprenait et reconduisait l'expulsion de septembre 1394, dont il retenait les motivations. Quelles qu'en soient les raisons historiquement plus proches, le Code Noir affirme ici solennellement, dès son premier article, la conformité de sa forme et de son projet au « messianisme » énoncé dans le préambule.

En 1627 déjà, Richelieu entendait clore l'accès des colonies françaises aux non-catholiques. Il interdisait de séjour là-bas juifs et protestants. Plus tard, sous le régime de la Compagnie des Indes occidentales, des juifs obtiendront exceptionnellement l'autorisation de passer aux Antilles et de s'y installer. Peu nombreux, ceux qui débarquent ainsi aux îles françaises proviennent surtout des territoires américains soumis au Portugal et à la Hollande ; quelques-uns ont fait la traversée depuis Bordeaux. Louis XIV mande en 1671 de les laisser jouir de tous les privilèges accordés aux habitants des îles et de respecter leur liberté de conscience, en veillant toutefois que l'exercice de leur religion ne soit pour les catholiques sujet de scandale. Ces mesures de tolérance allaient dans le droit fil des vœux de Colbert, qui entendait favoriser l'ouverture de boutiques, entrepôts et magasins aux îles et notamment à la Martinique. Mais les jésuites les critiquaient avec autant de hargne que de persévérance. Dix-huit jours après la mort de Colbert, le 24 septembre 1683, Louis XIV manda que les juifs fussent expulsés des Antilles dans le délai d'un mois. Expulsés de la Martinique une première fois en 1638 (ils étaient, en tout, 94, femmes et enfants compris), ils furent inquiétés aussi entre 1683 et 1685, mais de façon moins radicale qu'en 1638. Quelle fut l'efficacité des persécutions de 1683 et de la réitération du décret d'expulsion en 1685 (reprise mot à mot par le Code B en 1724) ? Pendant tout le XVIIIe siècle des juifs figurent ici et là dans les colonies françaises d'Amérique centrale ; mais les édits d'exclusion ne furent jamais abrogés.

D'où venaient-ils ? Dès le premier jour de leurs entreprises de découverte et de conquête, la Castille et le Portugal avaient interdit aux juifs et aux *cristianos nuevos* (convers ou *marranes*), comme à tous ceux qui avaient eu à faire avec l'Inquisition romaine, de passer aux Amériques. Quelques-uns réussissent pourtant à émigrer là-bas. L'Inquisition romaine, implantée outre-mer par l'Église et par les couronnes ibériques, n'arrête pas de les poursuivre avec plus ou moins d'intensité, selon les périodes. Les Hollandais occupent Pernambuco, au Brésil, en 1630. Des juifs provenant d'Amsterdam, originaires pour la plupart de la communauté séphardite expulsée d'Espagne, s'y installent. Des juifs d'Allemagne, de Pologne, de Hongrie les y rejoignent. En 1654, les Portugais chassent les Hollandais de Pernambuco. La persécution reprend. On calcule que les juifs étaient alors en cette région 500 ou 600. La plupart rentra en Hollande. Certains allèrent à Nouvelle-Amsterdam, en Amérique du Nord. D'autres en Guyane. D'autres – et c'est d'eux qu'il s'agit dans le Code Noir – aux Antilles françaises [1].

La formule utilisée dans cet article pour qualifier les juifs (« ennemis déclarés du nom chrétien ») n'a pas été inventée pour cette occasion : elle est conforme à une longue tradition canonique et inquisitoriale.

1. L'ensemble de ces données, S. Zavala, *El mundo americano*, t. 1, p. 158 et 440 ; t. 2, p. 137-139 et 425.

Code Noir B, article 1. – Identique.

Article 2. – Tous les esclaves qui seront dans nos îles seront baptisés et instruits dans la religion catholique, apostolique et romaine. Enjoignons aux habitants qui achèteront des nègres nouvellement arrivés d'en avertir les gouverneur et intendant des dites îles dans huitaine au plus tard, à peine d'amende arbitraire ; lesquels donneront les ordres nécessaires pour les faire instruire et baptiser dans le temps convenable.

Si le Code Noir confie de toute évidence un rôle essentiel à l'officialité en matière de catéchèse, le Code Noir B semble solliciter plus franchement l'initiative des habitants, bien que dans les deux codes catéchèse et baptême soient obligatoires.

L'instruction religieuse se limitait généralement à inspirer aux esclaves la crainte des tourments infernaux – bien plus douloureux que le fouet, les verges ou les amputations – en cas de désobéissance aux maîtres et à broder indéfiniment sur les bienfaits de l'obéissance et de la patience, qui les mèneraient au paradis. Officiels et planteurs veillaient de très près que, sous prétexte de charité chrétienne, les gens d'Église ne semassent inopinément dans l'esprit des esclaves le germe de la contestation ou de la révolte. Tout le long de la durée du Code Noir, les bilans de la catéchèse dénoncent, par leur insignifiance, l'incurie générale des ecclésiastiques, des officiers et des planteurs pour tout ce qui, dans cette matière, pourrait aller au-delà de ce double objectif : cultiver une soumission patiente, enjoliver le paradis, enlaidir l'enfer.

Il y aurait de l'audace à supposer que l'inversion des termes « baptisés et instruits » dans le Code Noir en « instruire et baptiser » dans le Code Noir B n'ait aucun sens et ne réponde à un souci de faire sérieux.

Le 2 septembre 1721, à l'article 12 et dernier d'une ordonnance[1] dont l'article 1 fixe le prix des Noirs en Louisiane, la Couronne s'exprime ainsi : « Nous les exhortons pareillement à être plus réguliers à remplir les devoirs de chrétien et de la religion qu'ils ne l'ont été jusqu'à présent ; et pour les mettre en état d'y satisfaire, nous donnons nos ordres pour qu'il soit établi des chapelles et églises en nombre suffisant, pour que les habitants soient à portée d'aller au service divin et de recevoir les sacrements ». Où l'on constate qu'il est question des besoins spirituels des « habitants » uniquement, non de ceux des esclaves, ce que l'article 2 du Code ne contredit pas, si l'on tient compte de ce qu'il faut entendre par « christianisation » des Noirs.

D'un *Règlement de discipline pour les Noirs, adressé aux curés dans les colonies françaises d'Amérique* en 1776-1777[2], dont l'auteur est le préfet apostolique des missions des capucins aux îles du Vent : « L'instruction religieuse des nègres doit faire dans les colonies un des principaux objets du ministère de la religion. La sûreté publique, l'intérêt des maîtres, le salut de leur âme sont les motifs qui doivent engager le missionnaire à y travailler avec autant plus de zèle, que c'est le seul avantage que cette malheureuse espèce d'hommes puisse retirer de l'état d'esclavage auquel ils sont assujettis… »

À titre de comparaison : pendant très longtemps les Portugais baptisaient les Noirs avant même de les embarquer sur les bateaux négriers et de les transporter au Brésil[3].

articles 3-11 et 14 →

1. *Le Code Noir ou recueil de règlements*, p. 242-251.
2. Cité par Gisler, *L'esclavage*, p. 185.
3. Zavala, *El mundo americano*, t. 1, p. 187.

Code Noir B, article 2. – Tous les esclaves qui seront dans notre dite province seront instruits dans la religion catholique, apostolique et romaine, et baptisés. Ordonnons aux habitants qui achèteront des nègres nouvellement arrivés de les faire instruire et baptiser dans le temps convenable, à peine d'amende arbitraire. Enjoignons aux directeurs généraux de la dite Compagnie et à tous nos officiers d'y tenir exactement la main.

Article 3. – Interdisons tout exercice public d'autre religion que de la catholique, apostolique et romaine ; voulons que les contrevenants soient punis comme rebelles et désobéissants à nos commandements. Défendons toutes assemblées pour cet effet, lesquelles nous déclarons conventicules, illicites et séditieuses, sujettes à la même peine, qui aura lieu même contre les maîtres qui les permettront ou souffriront à l'égard de leurs esclaves.

Il convient de lire cet article et les deux suivants en tenant compte de la politique de peuplement exclusivement catholique des colonies américaines inaugurée par Richelieu (cf. commentaire à l'art. 1) ainsi qu'à l'énervement contre-réformiste en métropole qui devait aboutir à la révocation de l'édit de Nantes par la proclamation de l'édit de Fontainebleau : le Code Noir précède de quelques mois seulement la révocation de l'édit de Nantes.

Par ailleurs, si l'article 3 vise particulièrement le protestantisme, il concerne aussi le judaïsme dont la question était réglée à l'article 1.

Ceci dit, le souci français d'unité et d'exclusivité catholico-romaine doit être replacé dans le contexte, non seulement de la révocation de l'édit de Nantes, mais également dans celui, plus vaste et tout aussi prégnant juridiquement, des conflits interconfessionnels européens, et des prolongements américains, en matière de croyances, des politiques développées par les différentes puissances coloniales.

Quelques rappels. Bien avant Utrecht, les navires anglais forçaient le barrage hispanique à l'ouest. L'Espagne veillait aux routes maritimes et aux ports de son empire colonial américain. Mais des bateaux accostaient et il n'y avait pas que des catholiques aux débarquements.

Par les guerres, par le commerce et par la contrebande, des gens de l'une et des autres croyances circulent entre les colonies hollandaises et anglaises, favorables à la Réforme, et les colonies ibériques, favorables au catholicisme. Il y aura, par exemple, des affrontements sanglants à motivation nettement religieuse entre des huguenots français et des catholiques portugais au Brésil. Les huguenots croiseront le fer avec des catholiques espagnols en Floride. Des protestants hollandais et des catholiques portugais s'affronteront au nord-est du Brésil.

Les relations ne seront pas toujours harmonieuses, loin de là, en Amérique du Nord, entre catholiques français, protestants hollandais et anglais et catholiques espagnols. Les itinéraires sud-américains d'un certain nombre de juifs (cf. commentaire à l'art. 1) ne sont pas plus compliqués que ceux de certains « religionnaires », mêlés à des immigrations majoritairement catholiques au Canada, en Floride, en Louisiane, aux Antilles, puis au Texas, au Nouveau-Mexique, dans l'Arizona ou en Californie.

Conséquence exemplaire de ce type d'hostilités : les catholiques seront expulsés un jour d'Acadie ; les protestants et les juifs le furent du nord-est du Brésil où, pour un temps, catholiques, protestants et juifs avaient coexisté avec une entente certaine, jusqu'au jour où le Portugal y réinstalla, avec son autorité, la rigueur de son catholicisme[1].

Comme l'Espagne et le Portugal, comme la Hollande et l'Angleterre, la France « reconciliée avec elle-même » après l'édit de Fontainebleau, dont l'esprit préexiste, naturellement, à la rédaction, entendait imposer à ses colonies (et montrer aux puissances rivales) la rigueur d'une politique religieusement unitaire, gage d'unité politique tout court. Elle en rappelait tout simplement dans le Code Noir les principes et les conséquences en matière de pratique des habitants et de gestion de l'esclavage.

← articles 1 et 2
articles 4-8, 16 et 17 →

1. L'ensemble de ces données : Zavala S., *El mundo americano*, notamment t. 1, p. 450, 455 et 459 ; t. 2, p. 290, 306, 308.

Code Noir B, article 3. – Identique.

Article 4. – Ne seront préposés aucuns commandeurs à la direction des nègres, qui ne fassent profession de la religion catholique, apostolique et romaine, à peine de confiscation des dits nègres contre les maîtres qui les auront préposés et de punition arbitraire contre les commandeurs qui auront accepté la dite direction.

Sachant que les brigades d'esclaves étaient placées sous le contrôle immédiat d'un contremaître (l'équivalent d'un « capo » en langage pénitentiaire ou concentrationnaire contemporain), souvent noir et esclave lui-même, on pourrait penser que cet article concerne uniquement ce type de personnage et ce genre de fonction.

Le contexte du Code Noir, par le fait même qu'il n'examine nulle part ailleurs le problème de la religion des autres intermédiaires entre le maître et l'esclave, autorise, je crois, une autre lecture : le législateur interdit l'attribution aux non-catholiques de toute fonction de commandement domestique par les maîtres, généralement catholiques (mais qui peuvent être protestants, comme le prévoient implicitement les art. 3 et 5). Cette lecture permet de combler ce qui, si on s'en tenait au sens restreint de l'équation commandeur = contremaître noir et esclave, mettrait en évidence un oubli difficilement compréhensible de la part d'un législateur tellement tatillon dans les affaires de la religion et des rapports entre elle et la transmission verticale du pouvoir coercitif et des pratiques de police. Elle semble par ailleurs d'autant mieux convenir à la réalité que les intermédiaires blancs entre le maître et l'esclave viennent très souvent de l'extérieur des exploitations et des îles, voire des colonies, et que leur présence dans les « habitations » ou près des Noirs aurait pu constituer un risque considérable de contamination protestante.

Au sens large donc d'« intermédiaire », le personnage du commandeur jouera un rôle de premier plan dans toute l'histoire de l'esclavage afro-antillais. Il a la charge immédiate des habitations, des plantations, des ateliers. Il est en tout et pour tout le bras droit du maître, dont il assume souvent et pleinement les rôles d'administration, de commercialisation et de police lorsque, comme ce sera fréquemment le cas, celui-ci s'absente des plantations ou s'installe carrément en ville ou en métropole (voir art. 54). C'est à lui qu'incombe, en définitive, l'application de la volonté du maître dans le cadre de ce que prévoit le Code Noir. Inutile de préciser que ces intermédiaires visaient surtout à s'enrichir le plus vite possible et que, détenant le pouvoir effectif sur place, l'humanisation du traitement des esclaves était le dernier de leurs soucis. Sauf s'ils arrivaient à calculer que leurs gains augmenteraient en allégeant aux Noirs le joug de l'esclavage. Ce n'est que sur le tard, de façon quantitativement peu significative et sous l'influence des pratiques anglo-américaines, que l'esclavage d'« élevage » l'emportera ici et là, aux Antilles, sur l'esclavage « mouroir ».

Trois degrés dans cette hiérarchie : économe, gérant, procureur. « Le procureur donne ses ordres aux commandeurs : punit, taille les Noirs à sa volonté, les enchaîne, les tue s'il lui plaît : enfin c'est le plus fier et le plus insolent des despotes. Son principal but est d'envoyer à son propriétaire, en France, le plus de revenus possible. Celui-ci ne songe guère à ce qui se passe chez lui relativement à ses esclaves ; il se livre avec confiance à un homme qui lui envoie d'immenses sommes ; j'ai un bon procureur, dit-il. La bonne dupe ! Dans cinq ou six ans cet agent si vanté quitte l'habitation après avoir fait fortune. Un nouveau vient renchérir sur son prédécesseur et en même temps s'enrichir promptement… » C'est Malenfant, propriétaire à Saint-Domingue, qui raconte.

← articles 2 et 3
article 54 →

Code Noir B, article 4. – Identique.

Article 5. – Défendons à nos sujets de la religion prétendue réformée d'apporter aucun trouble ni empêchements à nos autres sujets, même à leurs esclaves, dans le libre exercice de la religion catholique, apostolique et romaine, à peine de punition exemplaire.

L'article 5 découle de façon tellement claire des trois précédents qu'il ne semble pas devoir être commenté ou ressourcé au-delà de ce qui a été rappelé à propos des articles 3 et 4 touchant la politique catholico-romaine de Versailles. Que son contenu disparaisse totalement du Code Noir B ne signifie pas que la pratique ait été autre en Louisiane ; mais que la situation du protestantisme ayant radicalement changé entre la rédaction des deux Codes, il était inutile de revenir en 1724 et pour une colonie sur ce qui allait de soi dans l'ensemble des territoires français après l'édit de Fontainebleau.

On aura remarqué la façon dont le verbe royal désigne chacune des deux *catégories d'hommes* vivant aux colonies : « nos sujets » et « leurs esclaves », dit le roi. La logique du Code Noir exige cette distinction. Son préambule parle de secours aux « sujets » « dans leurs nécessités » et de « régler ce qui concerne l'état et la qualité des esclaves ». Deux registres donc : pour les sujets, le secours ; pour les esclaves, le règlement. Cette distinction, ce double registre officialisent dans les lois et par elles une différence « naturelle » (cf. art. 57-59) entre la *sujétion* et l'*esclavage*. L'esclave d'un sujet de Louis XIV, tout comme, à l'autre bout de la tragédie, celui d'un citoyen d'avant et d'après la première république, est un bien que le sujet ou le citoyen s'est approprié par une opération marchande tout à fait « légitime ». Un « bien » tout de même, d'une nature particulière (cf. art. 44 et suivants), dont les lois romaines et les textes bibliques auraient longuement décrit modes et qualités. Si on s'en tient aux traditions romaines d'une part, canoniques d'autre part, comme le font les rédacteurs du Code Noir, comme l'ont fait les rédacteurs des mémoires qui en ont fourni la trame, on distinguera dans cette nature ce qui concerne sa *conservation animale* de ce qui concerne son *activité spirituelle* ; et dans son activité spirituelle on distinguera au point de vue canonique ce qui vise la *société civile* de ce qui vise l'*au-delà*.

Le roi de France garde la haute main sur ces distinctions. Son Code Noir existe pour préserver, dans la nature du bien meuble acquis par tel de ses sujets, la conservation de l'animalité (cf. art. 22-25 et 42-43), et pour garantir l'action, sur sa spiritualité, de ces autres lois qu'il défend et préserve : les lois canoniques.

Les choses se compliqueront un peu lorsque le droit devra aborder des domaines (mariages, enterrements, cf. art. 9-14) où l'application des lois canoniques est censée produire des effets civils immédiats. Mais, jusque-là, la distinction entre « nos sujets » et « leurs esclaves » vaut juridiquement abandon des esclaves aux sujets.

Cet article 5, en insistant sur l'exclusivité de la religion catholique, souligne une fois de plus la vigilance de la monarchie sur la sauvegarde de ce mode unique d'activité spirituelle de l'esclave soustrait à l'autorité domestique du maître.

L'histoire nous apprend que le maître saura contourner les dispositions scrupuleuses de la monarchie à ce propos. Il n'empêche : le roi tient beaucoup au paradis des Noirs. Il convient même de ne pas oublier que le paradis constitue même la seule justification idéologique de la traite que la Couronne ait cru utile d'alléguer, en corollaire à l'affirmation constante de la « nécessité » de l'esclavage.

← articles 2-4

Cet article disparaît dans le Code Noir B.

Article 6. – Enjoignons à tous nos sujets, de quelque qualité et condition qu'ils soient, d'observer les jours de dimanche et fêtes qui sont gardés par nos sujets de la religion catholique, apostolique et romaine. Leur défendons de travailler, ni faire travailler leurs esclaves aux dits jours, depuis l'heure de minuit jusqu'à l'autre minuit, à la culture de la terre, à la manufacture des sucres, et à tous autres ouvrages, à peine d'amende et de punition arbitraire contre les maîtres, et de confiscation tant des sucres que des dits esclaves qui seront surpris par nos officiers dans leur travail.

On ne saurait imposer le précepte du repos dominical de façon plus claire. Récits de voyages, correspondances et rapports officiels sont pourtant unanimes à constater que les maîtres allèguent constamment toute sorte de prétextes pour priver les esclaves du repos hebdomadaire et des jours de fête, ou pour en tirer avantage. Le nombre des jours de fête a été réduit au fil des années au strict minimum. En revanche, on ne trouve aucune trace dans les mêmes sources ni des punitions ni des confiscations que les maîtres auraient supportées du fait de cette transgression.

Indépendamment de ces considérations, le rythme de travail imposé à l'esclave est tel que l'attribution théorique de cette journée de repos est loin, scandaleusement loin, de suffire à la satisfaction des besoins dont le maître alourdit les obligations de l'esclave déjà écrasé par la besogne aux plantations et aux ateliers (maintien des habitations et des cases par exemple, souvent – presque toujours – contribution de l'esclave à sa propre subsistance et à celle de sa famille lorsqu'il en a, les maîtres ayant une fâcheuse tendance à réduire ou à supprimer les rations alimentaires, cf. art. 23-24).

Mais, tout compte fait, le Code Noir proclame le droit des esclaves aux dimanches et fêtes. Les esclaves peuvent oublier quelques heures leur misérable condition. Pour aller aux offices. Ils iront peut-être. Mais ils préfèrent tout simplement, s'ils le peuvent, ne rien faire, se regrouper si l'occasion leur en est offerte (cf. art. 16 et 17) autrement que pour le travail, chanter, danser, s'aimer, boire, crier : soumettre enfin à leur bon plaisir ce temps béni, dont le Code Noir prévoyait qu'il serait rempli pour l'édification de leurs âmes. « Les fêtes, bien loin d'exciter la piété des nègres, les entretiennent dans le libertinage », pleure une relation officielle au ministère de la Marine. Pis encore : ils ne prient ni ne laissent prier. C'est carrément aux portes des églises qu'ils tapent sur leurs tambours et qu'ils hurlent, plus qu'ils ne chantent, leurs niaiseries sauvages. Ils en profitent aussi pour se livrer au favori de leurs passetemps : la sédition, le complot, l'organisation de traquenards contre les Blancs. Ainsi, quelles que soient les obsécrations – ou plutôt les recommandations – de la métropole, l'autorité locale et la volonté blanche imposent la réduction des jours de fête. Et par le biais de la suppression des rations alimentaires (cf. art. 23-24), elles tiennent l'esclave occupé, courbé sur son bout de jardin, tenaillé par la menace de la faim. Les concessions, nombreuses, et les nombreux arrangements dont cet article fera l'objet tout le long du XVIIIe siècle et jusqu'à l'abolition de 1848, témoignent du souci du pouvoir de tenir grand compte des vœux des colons sur place, sans abroger pour autant les dispositions générales du Code Noir[1].

← articles 2-5
articles 7 et 24 →

1. À propos de la question du repos dominical, voir Gisler, *L'esclavage*, p. 40-41 ; Peytraud, *passim*, notamment p. 218-225.

Code Noir B, article 5. – Enjoignons à tous nos sujets, de quelque qualité et condition qu'ils soient, d'observer régulièrement les jours de dimanches et de fêtes ; leur défendons de travailler ni de faire travailler leurs esclaves auxdits jours, depuis l'heure de minuit jusqu'à l'autre minuit, à la culture de la terre et à tous autres ouvrages, à peine d'amende et de punition arbitraire contre les maîtres, et de confiscation des esclaves qui seront surpris par nos officiers dans le travail ; pourront néanmoins envoyer leurs esclaves aux marchés.

Article 7. – Leur défendons pareillement de tenir le marché des nègres et de toutes autres marchandises les dits jours sur pareille peine de confiscation des marchandises qui se trouveront alors au marché, et d'amende arbitraire contre les marchands.

L'esclave entre-t-il dans le monde « juridique » du Code Noir à l'instant où il est pris ou à celui où il est livré à un maître sur la colonie ? La question doit être posée. Les réglementations des compagnies mentionnent souvent les diverses composantes d'une pratique dont l'ensemble est compris entre la chasse ou le troc en Afrique et la « livraison » aux colonies. Le Code Noir, en revanche, n'évoque expressément le « marché des nègres » qu'en cet article, et le banalise intentionnellement par le fait de nommer en même temps « nègres et toutes autres marchandises » à l'occasion de la réglementation du repos dominical. Tout cela est cohérent. L'esclave noir a beau être « canoniquement » un homme, il est « juridiquement » une marchandise. En d'autres articles il sera question d'une façon plus détaillée d'autres formes d'intervention de l'esclave dans les marchés (art. 18-21). Ici, le flou de l'article et l'uniformisation des « denrées » étalées permettent de considérer que les rédacteurs songent à l'achat des esclaves à leur arrivée, et à leurs éventuels retours au marché pour être objets de transactions ou d'échanges entre maîtres.

Il est difficile, les historiens en conviennent, de constituer avec suffisamment de précision le graphique de l'évolution des prix des Noirs sur les marchés coloniaux et d'isoler de la masse des données éparses celles qui concernent les différents ports français aux Antilles et sur les côtes américaines (cf., néanmoins, le tableau illustrant l'article 37)[1]. On comparera en revanche, deux manières de parler de la même réalité dont la juxtaposition en dit certainement plus long que toutes les gloses et les renvois.

Ottobah Cugoano raconte : « Les nègres sont-ils arrivés à leur desti-

1. Cf. à ce propos Gaston Martin, *L'ère des négriers (1714-1774)*, Paris, Alcan, 1931 ; Dieudonné Rinchon, *La traite et l'esclavage des Congolais par les Européens, histoire de la déportation de 13 250 000 Noirs en Amérique*, Bruxelles, 1929 ; Ch. de La Roncière, *Nègres et négriers*, Paris, 1933 ; Zavala, *El mundo*, t. 2, p. 145.

nation ? Les acquéreurs les dépouillent, les visitent. Leur attitude peint la honte, la mélancolie. Aux chagrins qui les dévorent les coups de fouet sont ajoutés (…) Tous les esclaves n'appartiennent pas au même maître. Tous ces malheureux vont se séparer. Les mères serrent leurs filles entre leurs bras, les filles leurs mères. Les pères, les mères, les enfants demandent, en sanglotant, à n'être jamais séparés. Le mari prie pour sa femme, la mère pour ses enfants. Leurs gémissements adouciraient des monstres, mais les colons sont insensibles. Les épouses sont arrachées avec violence des bras de leurs maris. Les esclaves sont-ils livrés à leurs tyrans, les pères, les mères pressent leurs enfants contre leur sein, les baignent de larmes. Il ne leur est pas permis de pleurer longtemps ; l'oppresseur les enlève ; ils perdent tout, jusqu'à l'espérance de se revoir. »[2]

Le duc d'Orléans, régent, fixe par lettres patentes en décembre 1716 les proportions des prix et des droits selon la « marchandise » : « … quoique trois négrillons ne coûtent pas plus en Guinée que deux nègres, et ne se vendent que dans cette proportion aux îles, et qu'il en est de même pour deux négrittes qui ne s'achètent et ne se vendent pas plus qu'un nègre… disons, déclarons et ordonnons, voulons et nous plaît que les négociants… ne soient tenus de payer pour chaque négrillon de l'âge de douze ans et au-dessous qui aura été ou sera débarqué aux dites îles… que les deux tiers des droits, à quoi ils sont assujettis pour chaque tête de nègre par leurs soumissions, et pour chaque négritte du même âge de douze ans et au-dessous, la moitié des dits droits »[3]. C'est clair. En droits, forcément calculés sur les prix, trois « négrillons » se vendent le prix de deux « nègres » et une « négritte » vaut un demi-« nègre ».

← article 6
article 20 →

2. Cugoano, *Réflexions* (*EDHIS* 10), p. 110.
3. *Le Code Noir ou recueil des règlements*, p. 182-183.

Article inexistant dans le Code Noir B. Mais cf. la dernière phrase de l'article 5.

Article 8. – Déclarons nos sujets, qui ne sont pas de la religion catholique apostolique et romaine incapables de contracter à l'avenir aucuns mariages valables. Déclarons bâtards les enfants qui naîtront de telles conjonctions, que nous voulons être tenues et réputées, tenons et réputons pour vrais concubinages.

Ces prévisions ne figurent pas sur le Code Noir B. Et pour cause. Après mars 1685, avant 1724 l'édit de Nantes a été révoqué, et promulgué celui de Fontainebleau. La France ne reconnaissant plus de statut juridique à la religion réformée, le Code de 1724 ne doit plus préciser, tout comme plus haut en concomitance avec l'article S, de quelle religion il parle lorsqu'il parle religion. Le Code Noir devance donc, pour ce qui touche au mariage, l'édit de Fontainebleau. Plus exactement, il applique aux colonies des mesures déjà édictées en métropole au profit de la vie « sacrementale » des réformés. En 1724 il était sans aucun doute inutile de spécifier davantage que la loi française ne reconnaissait d'effets juridiques et civils qu'aux mariages catholiques. En clair : il n'y a de mariage que catholique, et par conséquent il n'y a d'accès au mariage (et, pour les enfants, à la filiation légitime) qu'après conversion au catholicisme.

Jusqu'ici il aura été question de la catéchèse des Noirs, qui incombe aux Blancs, et de la sauvegarde exclusive de la religion catholique. Le cadre canonique – il serait plus juste peut-être de dire la « garantie canonique » – de la cohabitation des maîtres et des esclaves est établi une fois pour toutes dans ces huit premiers articles. Le rappel des effets civils de l'exclusivité du catholicisme en matière de mariage et de filiation vaut rappel de la suffisance juridique des deux sacrements : baptême et mariage catholiques.

Se déroulant selon sa propre logique, le Code Noir en viendra désormais à la « normalisation » de ceux des aspects de la vie physique du Noir que le juriste peut contempler au travers des règles de source canonique assimilées par les lois civiles. C'est bien pour cela que l'on trouve à l'article sur le respect des dimanches et fêtes la seule allusion au « marché des nègres ».

La « discipline de l'Église catholique, apostolique et romaine » ainsi « maintenue », comme énoncé dans l'intention prioritaire du préambule, il s'agira dans les six articles suivants (art. 9-14) de contempler les conséquences juridiques, non de la participation des « sujets du roi » à ce « maintien », mais de l'intégration, ou non, des esclaves au cadre canonique imposé aux maîtres par l'autorité royale.

Aux effets civils des choix religieux on distinguera chez les Blancs entre mariés et concubins, légitimes et bâtards. Mais ni le concubinage ni la bâtardise n'excluent le Blanc des effets civils et politiques de son droit ; et, naturellement, le Code Noir n'examine pas au-delà leur situation à ce propos.

Chez les Noirs, on distinguera entre catholiques et non catholiques. Les conséquences de la distinction sont loin d'être négligeables. Toutefois, la catholicité ne leur permettra pas d'émerger du néant juridique, ni de s'insinuer dans la catégorie de « sujets », ni de pénétrer dans la sphère du droit : de tout cela il en sera question dans les articles suivants. La catholicité pourra être une condition préalable, indispensable à l'accès au droit. Indispensable, mais radicalement insuffisante.

← article 3
articles 9-12 →

Article inexistant dans le Code Noir B.

Article 9. – Les hommes libres qui auront eu un ou plusieurs enfants de leurs concubinages avec leurs esclaves, ensemble les maîtres qui les auront soufferts, seront chacun condamné en une amende de deux mille livres de sucre. Et s'ils sont les maîtres de l'esclave de laquelle ils auront eu les dits enfants, voulons qu'outre l'amende, ils soient privés de l'esclave et des enfants, et qu'elle et eux soient confisqués au profit de l'hôpital, sans jamais pouvoir être affranchis. N'entendons toutefois le présent article avoir lieu, lorsque l'homme libre qui n'était point marié à une autre personne durant son concubinage avec son esclave, épousera dans les formes observées par l'Église sa dite esclave, qui sera affranchie par ce moyen, et les esclaves rendus libres et légitimes.

Le collationnement des deux moutures de cet article fondamental suffit de lui-même à démontrer le raidissement progressif des dispositions juridiques concernant l'esclavage. L'article 8 réglait des questions concernant des « sujets » : ici il s'agit du mariage et du concubinage en rapport à l'esclavage et à la façon dont il se perpétue ou non par génération.

Dans le Code Noir B, trois ajouts considérables, deux aggravations substantielles, une modification de taille. Les ajouts : pas de mariage possible entre Blancs et Noirs ; interdiction aux prêtres de célébrer des mariages mixtes, même en régime de traversée ; pas de concubinage entre Blancs et Noirs affranchis ou libres, et esclaves. Deux aggravations substantielles : en cas de transgression, les amendes sont plus lourdes, les peines plus dures. Une modification de taille : dans la première phrase du Code Noir (1685), c'est l'homme libre sans distinction de couleur qui peut, dans les circonstances spécifiées, obtenir l'affranchissement de sa concubine esclave, l'affranchissement et la liberté des enfants nés ou à naître ; selon le Code Noir B, qui ne contemple plus la possibilité (moins encore la légalité) de liaisons interraciales, cet avantage n'est accessible qu'à l'homme noir, affranchi ou libre. La composante raciale vient dramatiser davantage encore les conséquences du tracé d'une barrière juridique face à l'esclavage.

En réalité, le durcissement de 1724 pour la Louisiane s'enracine dans des dispositions juridiques qui, bien avant, avaient déjà corrigé dans le même sens le Code Noir de 1685. Ainsi, par exemple : si avant même la promulgation du Code Noir il existait des règlements et une pratique défavorable aux mariages mixtes, et si le Code montre clairement à cet égard la répugnance du législateur, dès 1711 les mariages mixtes étaient interdits à la Guadeloupe[1].

Faut-il rappeler que l'interdiction du concubinage resta lettre morte ? Que l'exploitation sexuelle des esclaves fut d'une banalité totale pendant toute la période esclavagiste ? Que la loi veilla surtout à limiter au maximum le nombre d'affranchissements par mariage ? Qu'elle se montra constamment compréhensive envers les Blancs, dont la plupart n'avaient la moindre envie d'affranchir ni les esclaves dont ils abusaient, ni les enfants qu'elles leur donnaient ?

← articles 2 et 3
articles 10-13 et 47 →

1. W. B. Cohen, *Français et Africains*, p. 85.

Code Noir B, article 6. – Défendons à nos sujets blancs de l'un et l'autre sexe de contracter mariage avec les Noirs, à peine de punition et d'amende arbitraire ; et à tous curés, prêtres ou missionnaires séculiers ou réguliers, et même aux aumôniers de vaisseaux, de les marier. Défendons aussi à nos dits sujets blancs, même aux Noirs affranchis ou nés libres, de vivre en concubinage avec des esclaves. Voulons que ceux qui auront eu un ou plusieurs enfants d'une pareille conjonction, ensemble les maîtres qui les auront soufferts, soient condamnés chacun en une amende de trois cents livres. Et, s'ils sont maîtres de l'esclave de laquelle ils auront eu les dits enfants, voulons qu'outre l'amende, ils soient privés tant de l'esclave que des enfants, et qu'ils soient adjugés à l'hôpital des lieux, sans pouvoir jamais être affranchis. N'entendons toutefois le présent article avoir lieu, lorsque l'homme noir, affranchi ou libre, qui n'était pas marié durant son concubinage avec son esclave, épousera dans les formes prescrites par l'Église la dite esclave, qui sera affranchie par ce moyen, et les enfants rendus libres et légitimes.

Article 10. – Les dites solennités prescrites par l'ordonnance de Blois et par la déclaration du mois de novembre 1639, pour les mariages, seront observées tant à l'égard des personnes libres que des esclaves, sans néanmoins que le consentement du père et de la mère de l'esclave y soit nécessaire, mais celui du maitre seulement.

Les dispositions rappelées dans cet article disent le « droit commun » français en matière de mariage et innovent par rapport à la tradition en insistant sur le caractère public de l'acte sacramentel. Le Code Noir y ajoute la toute-puissance du maître. Cette volonté magistrale ainsi honorée, la publicité obligatoire du mariage ainsi rappelée, la transmission matrilinéaire de la liberté ou de l'esclavage des enfants définie plus bas, à l'article 13 : ces trois facteurs lient en un ensemble indissociable la tragédie de la conjugalité des esclaves et de la naissance en esclavage, telles que réglées dans l'unité implacable des articles 10-13.

On constatera d'abord, une fois de plus, que la volonté magistrale peut bloquer les effets civils de la catholicité : ici, en n'autorisant pas l'accès d'un baptisé à un sacrement. Conformément au droit romain, dont s'inspire le Code Noir, le maître détient sur son esclave toute l'autorité « domestique » et « monastique » du *pater familias*.

Il est difficile de généraliser l'attitude des maîtres quant au mariage des esclaves sur plus d'un siècle et demi et dans toutes les colonies. Des études comparatives montrent que l'hostilité magistrale est la norme tant que la traite fonctionne à plein rendement et que les maîtres peuvent facilement renouveler leur main-d'œuvre au « marché des nègres ». Leur calcul, dont on a des traces, est aussi simple que brutal. Tolérer des mariages équivaut à tolérer grossesses et naissances ; tolérer des naissances équivaut à devoir parer à des défaillances ou à des pertes dans le rendement des mères. Le rythme frénétique de l'exploitation s'accommode mal des servitudes de l'allaitement et de l'élevage des petits enfants. Le marché permettait de renouveler la main-d'œuvre à meilleur prix chez les négriers qu'en chiffrant la totalité des inconvénients qu'aurait provoqués à coup sûr la nécessité inéluctable de permettre aux esclaves d'avoir soin de leurs enfants jusqu'à ce qu'ils aient eu quelque aptitude physique au travail.

Le point de vue des maîtres évoluera tardivement, à proportion des difficultés d'approvisionnement au « marché des nègres ». Les planteurs s'orienteront alors vers l'« élevage ». Cependant cette pratique n'aura jamais, à ce qu'il semble, dans les colonies françaises l'importance qu'elle arrivera à atteindre en certains États d'Amérique du Nord, en Virginie par exemple, où des maîtres organisèrent des élevages systématiques de « négrillons » et de « négrittes » pour l'exportation[1].

Pour des raisons dont l'évidence est flagrante à la lecture des articles du Code Noir, qui s'ajoutent au fait massif de l'exploitation sexuelle des femmes noires par les Blancs dont on a parlé déjà (cf. art. 9), si les esclaves arrivent à développer une activité sexuelle, rien ne les stimule ni à la procréation ni au mariage.

La pratique de l'avortement chez les esclaves noires rejoint des proportions inouïes par rapport aux naissances. Lorsqu'on envisagera d'imposer aux Noirs des « pénitences publiques »[2] (cf. commentaires à l'art. 14), l'avortement figurera parmi les délits à punir avec tous les fastes d'une liturgie pénitentielle à déployer devant l'ensemble des croyants blancs, métis, noirs.

← article 9
article 47 →

1. Voir toutefois commentaire à l'article 47. Cf. Carlier, *De l'esclavage dans ses rapports avec l'Union américaine*, Paris, 1862, p. 263-271.
2. *Règlement de discipline de 1777* évoqué à propos des articles 2 et 14.

Code Noir B, article 7. – Identique.

Article 11. – Défendons très expressément aux curés de procéder aux mariages des esclaves, s'ils ne font apparoir du consentement de leurs maîtres. Défendons aussi aux maîtres d'user d'aucunes contraintes sur leurs esclaves pour les marier contre leur gré.

Il semblerait inopportun de s'attarder sur la deuxième partie de cet article, tant il est évident que ce qu'elle édicte est inapplicable. Les esclaves qui seraient contraints de se marier par leurs maîtres n'auraient aucun moyen juridique (cf. art. 30 et 31) ni de se soustraire à l'ordre magistral ni de le contredire dans l'hypothèse infiniment improbable où, accusé d'avoir forcé sur ce point ces esclaves, il affirmerait n'avoir exercé aucune contrainte. Le Code Noir évoque cependant cette situation. Rien n'interdit de supposer qu'il y ait eu, dans des cas spécifiques, des esclaves contraints au mariage. Au contraire. C'est que, paradoxalement, des mariages forcés à l'intérieur d'une même habitation permettaient aux maîtres (cf. art. 47) de contourner facilement la loi interdisant la vente séparée des membres d'une même « famille ».

On songera aussi à l'aspect canonique de l'affaire. Le mariage religieux supposant et exigeant consentement mutuel des époux (sauf dérogations spécifiques et, il est vrai, fréquentes concernant des situations prévues par les usages civils et canoniques), le Code Noir rappelle cette condition non suffisante, mais indispensable, de validité.

En revanche la première phrase est d'un intérêt évident : « Défendons très expressément. » Les curés s'émeuvent très tôt de la misère familiale, affective et sexuelle des esclaves. Leurs témoignages à ce propos sont très nombreux et couvrent toute la période de l'esclavagisme français. Ils peuvent être esclavagistes eux-mêmes. Ils auront (les religieux davantage que les prêtres) eux-mêmes des esclaves. Ils n'en ont pas moins un rapport avec les Noirs qu'on ne saurait confondre avec celui que les maîtres « ordinaires » entretiennent avec eux. Ils savent, et racontent, que leurs efforts catéchétiques sont voués à l'échec si les néophytes sont contraints d'ajouter à l'obéissance aveugle à leurs maîtres les rigueurs de la continence, voire de l'ascèse. Ils favorisent donc les mariages à l'intérieur d'une même habitation ; il leur arrive de tricher, et ils en mesurent les risques, avec la sacro-sainte autorité magistrale en mariant des esclaves appartenant à des habitations différentes (on verra aux art. 16-17 et 47 pourquoi les esclaves préféraient, tout compte fait, chercher femme en dehors de leur propre habitation).

À moins d'une décennie de l'abolition, des prêtres protestent que les directives de moralisation dont devraient bénéficier les esclaves pour se préparer à la vie civile et à la jouissance des droits politiques sont inapplicables, compte tenu surtout de la misère sexuelle et affective dans laquelle le Code Noir enferme l'esclave.

Pour des raisons évoquées à l'instant et sur lesquelles on reviendra à propos de l'article 47, des maîtres favorisent ou imposent des mariages d'esclaves à l'intérieur d'une même habitation. Les esclaves manifestent constamment leur méfiance à cette politique d'immobilité. À leurs yeux – et ils voient juste –, la politique magistrale ne vise pas dans ce cas ni leur bonheur ni leur épanouissement, mais l'intérêt immédiat du maître : pas de risques de vagabondages nocturnes des esclaves entre habitations diverses et pas d'obstacle, le cas échéant, à la vente séparée, le maître étant le seul à connaître, avec le prêtre, l'effectivité du mariage et pouvant donc commodément l'oublier à l'heure des transactions[1].

← articles 9 et 10
article 47 →

1. Sur les rapports spécifiques des hommes d'Église aux esclaves : Gisler, *L'esclavage*, *passim*, mais surtout p. 62-65.

Code Noir B, article 8. – Identique.

Article 12. – Les enfants qui naîtront de mariages entre esclaves seront esclaves et appartiendront aux maîtres des femmes esclaves, et non à ceux de leur mari, si le mari et la femme ont des maîtres différents.

S'il fallait ordonner les articles du Code Noir par ordre décroissant d'horreur, c'est probablement cet article qu'il faudrait citer en premier. Sa première phrase claque au cerveau du lecteur contemporain comme un coup de fouet.

La matrilinéarité, évoquée plusieurs fois dans le Code Noir (cf. art. 9 et 13), joue en plein pour la naissance en liberté ou en esclavage : elle joue aussi pour la propriété des enfants qu'elle concerne, autre manière de dire la même chose. Le destin des enfants doit être évoqué à propos des réticences au mariage manifestées par les esclaves noires. Du Tertre évoque la réplique devenue célèbre d'une jeune esclave à laquelle le moine, esclavagiste et tendre à la fois, conseillait d'épouser un Noir : « Non, mon père. Je ne veux ni de celui-là ni d'aucun autre. Je me contente d'être misérable en ma personne, sans mettre des enfants au monde qui seraient peut-être plus malchanceux que moi, et dont les peines me seraient beaucoup plus sensibles que les miennes propres. »[1]

C'est à la lumière du Code Noir en général, et de cet article en particulier que les propositions des « amis des Noirs »[2], des abolitionnistes de la fin du XVIIIe siècle concernant les moratoires et les gratifications consenties aux mères en nombre d'enfants qu'elles se réserveront, selon la cadence des accouchements dont elles supporteront de livrer le fruit aux maîtres, semblent désigner le comble du désastre de l'esclavage, alors même qu'en conjurant son principe on planifie sa durée provisoire jusqu'à soixante ou soixante-dix ans (les soixante-dix ans de moratoire prévus par Condorcet représentent presque l'équivalent de trois quarts de la durée de vie du Code).

Les enfants de père et mère esclaves « à peine savent-ils marcher qu'on les enrôle au service du maître, à moins que les enfants de ce

1. Reprise dans un très grand nombre d'études sur l'esclavage afro-antillais.
2. Cf. *infra*, chap. sur les « Amis des Noirs ».

dernier ne soient en quête de jouets ; dès l'âge de 14 ans, de 7 ans à l'île Bourbon, ils peuvent légalement être vendus et disparaître pour toujours »[3].

La vente d'enfants est parfaitement établie dans la pratique : pas une ligne à ce propos à l'article 7 ni ailleurs. Le Code Noir se limite à interdire que l'on vende séparément de leurs parents les enfants des esclaves mariés. Nous savons qu'il est facile au maître de passer outre cette disposition, si le père et la mère sont tous les deux sa propriété (cf. art. 47). Nous savons qu'il peut vendre les enfants des mères non mariées et que, le concubinage étant la règle, ces enfants sont légion. Nous savons enfin que l'incapacité juridique de l'esclave permet tout aussi bien au maître, sans risque, de vendre l'enfant du couple légitime, dont le père n'est pas de sa propriété. Il était urgent, à tous égards, que le Code précise qui est à qui, à chaque naissance.

À titre d'illustration, Schoelcher chiffrera à 7 698 le nombre d'enfants impubères (garçons de moins de 14 ans, fillettes de moins de 12 ans) vendus séparément de leurs parents dans la seule île de la Guadeloupe entre 1825 et 1839[4]. Il ne doit pas être interdit d'extrapoler, avec tous les correctifs que l'on voudra, et d'imaginer l'importance de ce marché sur toute la durée de la période de l'esclavage franco-colonial et sur toute l'étendue des territoires français. On notera enfin que les « négrillons » dont s'amusaient mesdames de la bonne société parisienne[5] ne pouvaient, si on s'en tient aux dispositions réglant la traite, provenir que des colonies, le déchargement de « bois d'ébène » en France ne pouvant se faire autrement qu'au retour des colonies.

← articles 9-11
articles 28, 44, 47-51, 54-56 →

3. Gisler, *L'esclavage*, p. 62, citant Schoelcher.
4. Schoelcher, *Histoire de l'esclavage pendant les deux dernières années*, Paris, 1847, t. 2, p. 42.
5. Cf. *supra*, chap. 3, 1re partie, Des bêtes d'avant les hommes.

Code Noir B, article 9. – Identique.

Article 13. – Voulons que si le mari esclave a épousé une femme libre, les enfants tant mâles que filles suivent la condition de leur mère et soient libres comme elle nonobstant la servitude de leur père ; et que si le père est libre et la mère esclave, les enfants soient esclaves pareillement.

Par fidélité totale à la lettre du droit romain, les rédacteurs du Code Noir envisagent les effets de situations qu'il pouvait entériner si elles étaient acquises avant les débuts de son application, mais qui, légitimement, c'est-à-dire selon la lettre même du Code Noir, ne devraient absolument pas pouvoir se reproduire.

Il n'y a de mariage que catholique : toute autre relation est dite concubinage, et le concubinage est juridiquement interdit (art. 8). Un homme libre qui épouserait une esclave l'affranchirait, semble-t-il, et les enfants déjà nés ou à naître seraient libres et légitimes (art. 9). Si l'homme libre ne l'épousait pas, le même article prévoit dans ce cas la confiscation de la femme et des enfants, considérés donc célibataires et esclaves et inaffranchissables à jamais (art. 9). On pourrait croire, dès lors, que l'article 13 renchérit sur les dispositions de l'article 9. Supposition que la lettre interdit, car cet article 13 parle uniquement de situations de mariage et n'évoque pas le concubinage. « Épouser » dans le Code Noir ne peut signifier rien d'autre que ce qui est prévu à l'article 10 ; et le Code ne saurait contempler ici, sauf contradiction interne, une situation de mariage catholique et clandestin à la fois.

Le Code Noir B restreint à l'« homme noir affranchi ou libre » cette possibilité d'affranchir par mariage l'esclave qu'il épouserait, parce qu'il interdit définitivement tout mariage possible des « sujets blancs » avec les « noirs », et cela de façon bien plus drastique que le Code de 1685 ne le fait. Par conséquent, ou bien la deuxième hypothèse contemplée dans cet article constitue un pur non-sens, ou bien elle infirme intentionnellement – ce qui est difficilement crédible – les dispositions des articles 8-10, cassant le monopole du mariage accordé à l'Église catholique, autorisant une forme de concubinage – un homme libre pour le Code de 1685, un Noir libre pour le Code B avec une esclave noire –, négligeant l'obligation proclamée dans l'article 10 de célébrer publiquement le mariage…

L'hypothèse même d'union officielle d'un esclave avec une femme libre est difficilement recevable, surtout en tenant compte des prohibitions supplémentaires apportées par des ordonnances postérieures à 1685 et codifiées dans le Code B qui interdit en toutes occasions tout mariage des « sujets blancs de l'un et l'autre sexe » avec des Noirs ou des Noires. Il faut donc comprendre qu'un homme noir et esclave ne peut épouser qu'une femme noire. Les femmes noires sont généralement des esclaves. Une femme noire n'est affranchie que par mariage avec un homme libre (art. 9).

Une seule situation crédible sous la rubrique en question : une Noire affranchie selon des modalités aliènes à toute conjugalité (cf. art. 55 et 56) épouse un esclave noir. Pour ce cas, et pour le cas d'une Noire née libre, l'article 13 aurait une fonction spécifique. À condition toutefois de gommer du Code Noir l'article 59 qui, donnant aux affranchis tous les effets de la « liberté naturelle », accorderait à cette esclave libérée le droit – et lui imposerait le devoir ! – de libérer l'esclave qu'elle aurait épousé ou qu'elle épouserait. Les anti-esclavagistes, les « amis des Noirs » théorisent en ce sens, au bénéfice, il est vrai, des seuls métis.

La réalité, on s'en doute, est beaucoup plus simple. Les maîtres tireront argument de cet article, en glissant à leur convenance du « mariage » au « concubinage » pour ajouter un verrou supplémentaire à la situation des esclaves.

← article 9
article 28 →

Code Noir B, article 10. – Identique.

Article 14. – Les maîtres seront tenus de faire mettre en terre sainte dans les cimetières destinés à cet effet leurs esclaves baptisés ; et à l'égard de ceux qui mourront sans avoir reçu le baptême, ils seront enterrés la nuit dans quelque champ voisin du lieu où ils seront décédés.

Ne serait-ce le surcroît de brutalité et de dédain (« la nuit, dans quelque champ »), le Code semblerait imposer en toute objectivité l'application de la loi civile émanée du droit canonique prévoyant l'enterrement des « saints » en terre sainte, des « gentils » ou des « païens » en terre profane.

Mais l'expression « dans les cimetières destinés à cet effet » indique que les esclaves baptisés ont leur terre sainte, bien distincte de la terre sainte où reposent les maîtres et les Blancs. Donc, pas de mélange de « terres saintes », et l'indéfini de « quelque champ » pour les esclaves non baptisés[1].

Deux thèmes à relever. Premièrement, qu'il existe des esclaves non baptisés, malgré ce qui est ordonné à l'article 2. Deuxièmement, que des distinctions cultuelles sont établies et spatialement marquées entre la pratique des catholiques blancs et celle des catholiques noirs. Et pas seulement, on s'en doute, dans les cimetières.

Sous l'Ancien Régime, les esclaves non baptisés sont nombreux. Dessalles remarque que si les « capucins baptisent tous les esclaves qu'on leur présente », les dominicains, « qui suivent une morale plus sévère, veulent qu'ils soient instruits avant de les baptiser ; et comme c'est une chose presque impossible, les baptêmes de nègres adultes sont extrêmement rares dans les paroisses qu'ils desservent »[2]. Que savent-ils, les Noirs, de cette religion ? « Ils sont persuadés qu'il y a un Dieu, un paradis et un enfer. C'est tout leur savoir (...) Aussi les juge-t-on rarement capables de communier, même à l'article de la mort. »[3] Mais, baptisés, ils ont droit à leur terre sainte ! La pratique des maîtres est plus expéditive :

1. Sur les techniques de ségrégation raciale dans la pratique religieuse, J. Rennard, *Histoire religieuse des Antilles des origines à 1914, d'après des documents inédits*, Paris, 1954.
2. Dessalles, *Histoire générale des Antilles*, t. 3, p. 290.
3. Fr.-X. Charlevoix, *Histoire de l'île espagnole de Saint-Domingue*, Paris, 1730 et 1731, t. 2, p. 502.

« Rien de plus commun qu'un nègre qui a passé toute sa vie dans une habitation sans messes, sans confession, et qui meurt sans voir le prêtre... Les propriétaires d'habitude sont dans l'usage de faire enterrer la plupart de leurs nègres de place dans les savanes des environs. »[4]

L'éloignement des sacrements, l'interdiction de sortir des habitations, les corvées dominicales longues et nombreuses, souvent indispensables à la survie : autant d'obstacles opposés par les maîtres à laisser, par la prédication des prêtres et par les fastes liturgiques, pénétrer dans l'âme de l'esclave « ce sentiment qui lui donne l'espoir d'être récompensé de tant de peines dans une meilleure vie »[5], comme on dira encore en 1843. Des mesures de ségrégation rituelle, si on ose dire, entre maîtres et esclaves, furent pratiquées constamment. Des exemples : si seulement ils sont inscrits, les baptêmes, les mariages, les sépultures des esclaves le sont sur des registres différents. Dans certains endroits, les esclaves avaient leurs offices propres. Ailleurs, ils participaient aux mêmes cérémonies que les Blancs, mais debout au fond de l'église. À l'enterrement, si enterrement religieux il y avait, on se contentait de réciter les prières et l'absoute. Haneteau et Martineau décrivent le spectacle, dans les églises, « des places spéciales affectées aux nègres et aux mulâtres, dont le contact devait être épargné aux représentants de la classe supérieure »[6].

En 1777 est soumis à Versailles un règlement de discipline pour les nègres adressé aux curés dans les colonies françaises d'Amérique, dont les officiels vantent la prudence et la rigueur. Son auteur est préfet apostolique. Il prévoit, entre autres « spécificités » pour la pratique religieuse des esclaves, l'imposition de pénitences publiques aux esclaves coupables de certains délits, sous dénonciation des maîtres, au cours de cérémonies solennelles d'obsécration et d'abjuration célébrées aux jours des fêtes les plus importantes de l'année (Pentecôte, Pâques).

← article 2

4. Girod-Chantrans, *Voyage d'un Suisse dans différentes colonies d'Amérique*, Neuchâtel, 1785, t. 2, p. 504-505 (cité par Gisler, *L'esclavage*, p. 57).
5. *Exposé général des résultats du patronage des esclaves dans les colonies françaises*, Paris, 1843.
6. S. Zavala, *El mundo*, t. 2, p. 317.

Code Noir B, article 11. – Identique.

Article 15. – Défendons aux esclaves de porter aucune arme offensive, ni de gros bâtons, à peine de fouet et de confiscation des armes au profit de celui qui les en trouvera saisis ; à l'exception seulement de ceux qui seront envoyés à la chasse par leurs maîtres, et qui seront porteurs de leurs billets ou marques connues.

Disposition compréhensible comme nulle autre, dont on trouve autant d'équivalents qu'on veut, en quelques termes qu'ils soient formulés, dans toutes les réglementations de l'esclavage produites par les puissances coloniales. On hésite à évoquer comme exception à la règle générale le cas de Palmarès, en Algoas (Brésil) : les maîtres y avaient organisé un système de police rurale composé d'esclaves noirs créoles et de mulâtres libres, dont le rôle consistait à aller à la chasse, avec des chiens, aux esclaves évadés des plantations ou des habitations[1].

Une lettre d'un gouverneur de la Martinique au ministre de la Marine, datée juillet 1753, en dit plus long qu'il n'en faut sur les raisons définitives plaidant pour le maintien et le durcissement de cet article (qui sera, effectivement, toujours maintenu et enjolivé). C'était la Fête-Dieu au bourg Saint-Pierre. Deux processions s'ébranlent, somptueuses : « J'ai trouvé que rien n'était plus indécent ni plus contraire au bon ordre et à la bonne police qui veut que les nègres soient tenus dans un état conforme à leur servitude et qui défend qu'on leur donne des idées de force et de discipline militaire (…) il y eut, tant à l'une qu'à l'autre de ces deux processions, un très grand nombre de nègres, sous les armes, de bois à la vérité, mais rangés avec un ordre et une discipline (…) qu'aucune des troupes du roi la mieux exercée pourrait exercer (…) Je vous avoue, Monseigneur, que ce spectacle me fit frémir, faisant réflexion que dans cet instant il y avait dans l'île à la même heure quinze ou dix-huit mille nègres tous choisis, ameutés et exercés et auxquels il ne manquait qu'un chef. J'en sentis alors toutes les conséquences et me repentis d'avoir différé jusqu'à cette année d'être témoin par moi-même de toutes les singularités indécentes de cette procession. Occupé des moyens d'empê-

1. S. Zavala, t. 1, p. 170 ; et Gonsalves de Mello, *Tempo dos Flamengos*, p. 207.

cher à l'avenir de pareils attroupements, sans que les esclaves puissent penser que cette défense vînt d'une idée de crainte qu'on pût avoir d'eux, ils m'en fournirent un prétexte l'après-midi. Plusieurs des nègres des deux processions s'ameutèrent et se battirent… Et dans ce moment même je défendis à l'avenir toutes ces processions sous prétexte que toutes ces assemblées occasionnaient dans ce jour et plusieurs autres de suite nombre de désordres que je ne souffrirais pas même de la part des Blancs. »[2]

Et si, pour faire face à des menaces venant de l'extérieur, l'officialité se sentait contrainte d'enrôler des Noirs et de les armer ? Le risque, dans ce cas, n'était-il pas beaucoup plus sérieux qu'ils ne se servent d'armes réelles pour s'ameuter, qu'il ne l'était lorsqu'ils défilaient en procession avec des fusils et des sabres en bois ? La question se pose lorsque l'Angleterre se fait trop présente, trop pressante aux abords des territoires français. Une ordonnance des administrateurs de Saint-Domingue datée mars 1759 autorise à incorporer des Noirs, choisis parmi les plus sûrs, aux troupes de défense, en précisant que « ceux qui devront servir armés conformément à la déclaration donnée par leurs maîtres ne marcheront qu'avec eux et à côté d'eux, à la suite des compagnies de milices… et dans aucun cas ces nègres ne pourront faire un corps de troupes séparées »[3].

Dans des circonstances analogues, des dispositions de ce genre et des précautions de ce style seront prises ici et là – et notamment pendant la révolution américaine – lorsque l'urgence militaire constituera la priorité des priorités. Mais voir dans ces cas limites, comme le fait Hall, un certain souci d'égalitarisme des Européens envers les Noirs[4], voilà qui est historiquement insoutenable et, pour ce qui concerne la France, tout à fait contraire à la lettre et à l'esprit du Code Noir.

article 34 →

2. Lettre du marquis de Bompard, AN, Colonies, F3 144, lettre datée 20 juillet 1733.
3. Moreau de Saint-Méry, *Lois et constitutions*, t. 4, p. 247.
4. W. B. Cohen (*Français et Africains*, p. 79-80) critique opportunément l'optimisme de Hall.

Code Noir B, article 12. – Identique.

Article 16. – Défendons pareillement aux esclaves appartenant à différents maîtres de s'attrouper le jour ou la nuit, sous prétexte de noces ou autrement, soit chez l'un de leurs maîtres ou ailleurs, et encore moins dans les grands chemins ou lieux écartés, à peine de punition corporelle, qui ne pourra être moindre que du fouet et de la fleur de lis ; et en cas de fréquentes récidives et autres circonstances aggravantes, pourront être punis de mort, ce que nous laissons à l'arbitrage des juges. Enjoignons à tous nos sujets de courir sus aux contrevenants, et de les arrêter et de les conduire en prison, bien qu'ils ne soient officiers et qu'il n'y ait contre eux aucun décret.

Les Blancs ont peur. Les Noirs ont beau n'être que des choses ou du bétail : ce sont des choses capables des pires machinations pour alléger le poids de leur joug et de leurs chaînes. Tout le système de police blanc prend son sens dans la négation même du postulat raciste le moins discuté : les Noirs ce sont des abrutis, des idiots, des bêtes, des moins que rien, et on ne peut les mener qu'à la trique. Mais il se trouve que, malgré la rigueur inhumaine dont ils sont victimes, ils s'ameutent facilement. De façon très désordonnée aux débuts des expériences coloniales ; de façon de plus en plus méthodique au fur et à mesure que les habitations se multiplient et les ateliers, que le nombre d'esclaves augmente, que, loin des plantations, les marrons s'organisent (cf. art. 38-39). Avant même la publication du Code Noir, des émeutes ont eu lieu sur les territoires français. La légende de la redoutable efficacité des magiciens noirs est installée ; les vengeances vraies des Noirs par l'empoisonnement des hommes, du bétail, des champs font des ravages dans la sérénité des Blancs, quelle que soit la part de légende qui en agrémente les récits[1].

L'article 16 reprend, point par point – on y reviendra à propos du marronnage –, ce que l'on sait des pratiques subversives des Noirs. C'était aux croisées des grands chemins et dans des lieux écartés que, trompant la vigilance des maîtres et des commandeurs, ils se réunissaient et mettaient au point des tentatives de sédition et de révolte. C'était à proximité d'une habitation que, sous prétexte de faire la fête, des esclaves de différents maîtres se réunissaient et tendaient l'oreille

1. Sur le thème des empoisonnements et des révoltes, cf. Peytraud, p. 342 et suiv.

aux consignes de l'un d'eux ayant choisi de « marronner » et revenant s'assurer des complicités, ou venger des trahisons ou des mouchardages. Quelque chose comme un pouvoir parallèle, braqué contre l'autorité blanche, animait une part de la vie nocturne des esclaves. Le Code Noir se déchaîne (le fouet, la fleur de lis, la mort) et tente de quadriller juridiquement les espaces qui ne relèvent pas, comme l'habitation et l'atelier, de l'autorité incontestée du maître.

On remarquera dans cet article, comme dans le précédent et dans d'autres, que tout sujet blanc détient le pouvoir de se saisir d'un esclave en contravention avec la loi.

Mais tout n'est pas sédition et révolte dans le « vagabondage » nocturne des Noirs. La journée d'un esclave a beau être d'une interminable longueur et d'une dureté indescriptible. Des Noirs tentent l'impossible pour fréquenter d'autres habitations que les leurs, la nuit, soit pour retrouver des proches ou des familiers dont ils ont été séparés au « marché des nègres », soit pour lier des relations avec des inconnus ou des inconnues aperçus lors des rares occasions de rencontre hors habitation (cérémonies religieuses, notamment). De tout cela les maîtres ne veulent entendre parler et le Code Noir leur donne, par cet article, le moyen juridique de s'y opposer.

L'histoire épique de Macandal jette la panique dans les Antilles autour des années 1750[2]. Mais depuis toujours (et déjà révoltes et mutineries furent nombreuses au cours des traversées entre l'Afrique et l'Amérique) ces choses lascives et sans volonté qu'on tenait debout par le fer et le fouet risquèrent le fouet, la fleur de lis et la mort pour jouer quelques heures le jeu de la vie et de la liberté.

← article 3
articles 17, 38-39 →

2. Macandal fut exécuté en janvier 1758. Évocation très suggestive de son épopée : C. Biondi, *Ces esclaves*, p. 35-50.

Code Noir B, article 13. – Identique.

Article 17. – Les maîtres qui seront convaincus d'avoir permis ou toléré telles assemblées composées d'autres esclaves que de ceux qui leur appartiennent, seront condamnés en leurs propres et privés noms de réparer tout le dommage qui aura été fait à leurs voisins à l'occasion des dites assemblées, et en dix écus d'amende pour la première fois, et au double en cas de récidive.

Il va de soi que les articles 16 et 17 ne constituent pas des doublons ni des ampliations de l'article 3. Celui-ci interdit clairement les « conventicules » protestants. Une lecture plus généralisante pourrait inclure dans les assemblées interdites à l'article 3 celles que pourraient tenir les Noirs avec le consentement d'un maître et dans son habitation, de leur propre initiative et dans le cadre de quelque communauté de croyance païenne. Il est plus conforme à la logique du Code Noir de séparer sans ambiguïtés – ou en tout cas sans ambiguïtés voulues – ce qui touche, dans les premiers articles (1 à 14) directement l'implantation exclusive du catholicisme, ses effets, et le bannissement de toute autre pratique religieuse blanche (protestantisme, judaïsme), de ce qui concernerait des pratiques païennes que le Code banaliserait en les incluant dans les divers prétextes à attroupements diurnes ou nocturnes dont il est question aux articles 16 et 17.

De façon générale, les historiens ne semblent pas pouvoir argumenter solidement la fréquence de situations effectives de ce genre, qui se seraient produites sous l'œil bienveillant des maîtres et grâce à leur protection effective. Tout porte à croire à l'extrême vigilance des Blancs contre leur développement. Pour eux, le déplacement d'un Noir sans la marque ou le billet du maître est déjà suspect. Pour la Couronne aussi, et cela sans attendre le Code Noir : « Rien n'est plus nécessaire pour la sûreté des habitants des îles et pour empêcher la révolte des nègres que de tenir la main à l'observation des défenses qui ont été faites de laisser marcher les dits nègres sans billets de leurs maîtres » (ordre du roi, daté 1681). L'attroupement est interdit à plus forte raison et, comme le note Gisler, « toute la classe blanche est mobilisée »[1] pour l'empêcher. Le Code

1. Gisler, *L'esclavage*, p. 79. Sur l'arrière-fond de l'art. 17, cf. M. Devèze, *Antilles, Guyanes, la mer des Caraïbes de 1492 à 1789*, Paris, 1977, p. 286-288.

Noir lui en donne les moyens juridiques et policiers (art. 16). Un arrêt du Cap renchérit et défend « à tous habitants de souffrir des assemblées ou cérémonies superstitieuses que certains esclaves ont coutume de faire à la mort de l'un d'entre eux, et qu'improprement ils nomment prière… à peine de trois cents livres d'amende contre les maîtres… et de fouet contre les esclaves » (avril 1758).

Inutile d'évoquer à ce propos le vaudou et ses nombreuses variantes : toute assemblée d'esclaves « couverte du voile de l'obscurité et de celui de la religion » (arrêt du Cap, 1761) blesse « le bon ordre et la sécurité publique » *(ibid.)*.

Il faut se rendre à l'évidence. Cet article n'est là que pour renchérir, par l'évocation d'une pénalisation du maître, sur la rigueur de l'article 16 et sur la nécessité d'ôter toutes chances aux esclaves de se ménager des zones de liberté sous n'importe quel prétexte. Pas d'autres lieux de rencontre hors habitation pour des esclaves appartenant à des maîtres divers que l'église, en présence du prêtre, ou le marché. Tout le reste n'est que complot et vagabondage.

← article 16
article 37 →

Code Noir B, article 14. – Identique, sauf correction du montant des amendes : « … en trente livres d'amende pour la première fois, et au double en cas de récidive ».

Article 18. – Défendons aux esclaves de vendre des cannes de sucre pour quelque cause et occasion que ce soit, même avec la permission de leurs maîtres, à peine de fouet contre les esclaves, et de dix livres tournois contre leurs maîtres qui l'auront permis, et de pareille amende contre l'acheteur.

À partir de cet article 18 et jusqu'à l'article 29 le Code Noir semble tourner à la casuistique et hésiter entre l'incapacité totale pour l'esclave d'exercer extérieurement sa volonté en agissant et en possédant, et l'aménagement de circonstances pour son accession à l'initiative et à la propriété. En réalité le Code Noir entend réglementer, sur ce point aussi, le bon vouloir des maîtres et en légitimer l'expression par le fait même de l'inscrire à l'intérieur de certaines limites à ne pas franchir. Mais concrètement l'ensemble des articles touchant au marché, au pécule, à l'habillement et à la nourriture vise à contenir une pratique des maîtres souvent relevée par les historiens : plutôt que de nourrir leurs esclaves, les maîtres leur accordaient la possibilité de cultiver, après la journée de travail et pendant les dimanches et les fêtes, un bout de jardin dont ils tireraient de quoi manger et de quoi s'habiller. Les maîtres subvenaient-ils effectivement à la nourriture et à l'« habillement » dans les normes prévues aux articles 22-25 ? L'insuffisance flagrante des prévisions royales à ces effets incitait ces mêmes maîtres à maintenir cette faveur du « potager », quitte à la faire valoir pour réduire les rations alimentaires ou à les supprimer carrément à titre de châtiment.

Pour l'instant, s'il est permis de lire en continuité logique les articles 18-29, on remarquera que le « droit commun » à propos de l'accès à la production principale des Antilles – la canne à sucre – est énoncé avec une sobriété exemplaire : le Noir ne peut intervenir dans sa commercialisation. Le Code Noir veille, par une formule lapidaire, à limiter sur ce point le bon vouloir du maître et de l'acheteur éventuel. Les articles suivants, quelques aménagements qu'ils apportent aux incapacités juridiques ou commerciales du Noir, n'entament pas ce principe fondamental, dont la valeur symbolique, aussi, est tout autre que négligeable.

Le Code Noir B gomme pratiquement tout le contenu de cet article tout simplement à cause des différences entres les cultures insulaires et celles de la colonie continentale. On notera néanmoins que, cet article disparaissant, disparaît aussi la rigueur relative d'une sanction possible aux maîtres prévue en 1685.

La pratique du fouet – évoquée ici comme dans des articles précédents et constituant tout le long du Code Noir une sorte de « ritournelle » – comporte de multiples variantes en nombre de coups et en intensité. Fouetter un esclave se dit communément « tailler un nègre ». Les coups sont généralement si violents et si nombreux que la peau du dos, de la nuque aux genoux, est arrachée en lambeaux, et la chair profondément labourée[1]. On évoque volontiers ici et là des dispositions officielles, générales ou locales, limitant le nombre de coups par punition autour de la quarantaine. Par punition : car on ne perd pas le temps à réglementer l'usage routinier du fouet au lever, en allant aux champs, pendant le travail, de retour à l'habitation… Les récits et les témoignages de l'époque, les rapports de l'officialité à l'autorité métropolitaine parlent de « tailler les esclaves à volonté » en évitant néanmoins que mort ne s'ensuive. Lorsque l'autorité tatillonne réussira à limiter le nombre de coups, les maîtres tourneront la difficulté en « taillant le nègre » jusqu'à la limite légale un jour, recommenceront le lendemain jusqu'à la même limite et, s'il le faut, s'y remettront les jours suivants.

articles 19-21 et 28-29 →

1. On peut renvoyer indistinctement à ce propos à Bernardin de Saint-Pierre, à Dessalles, à Moreau de Saint-Méry, à Malenfant et à quantité de relations officielles et d'arrêts de différents conseils.

Code Noir B. – Néant. Mais voir l'article 15 du Code B, qui correspond à l'article 19 de 1685.

Article 19. – Leur défendons aussi d'exposer en vente au marché, ni de porter dans les maisons particulières pour vendre aucune sorte de denrées, même des fruits, légumes, bois à brûler, herbes pour la nourriture des bestiaux et leurs manufactures, sans permission expresse de leurs maîtres par un billet ou par des marques connues, à peine de revendication des choses ainsi vendues, sans restitution du prix par leurs maitres, et de six livres tournois d'amende à leur profit contre les acheteurs.

Si l'article précédent prévoyait une sanction pour le maître et cela uniquement dans un cas bien précis, celui-ci semble vouloir sanctionner uniquement l'acheteur, que le Code B assimile parfois au « voleur receleur ».

Nous sommes bel et bien face à une première approche juridique du « chapardage ». En collationnant à l'énumération des objets « revendus » contenue dans cet article celle qu'on trouvera aux articles 34-36, il devient clair que le législateur entend prohiber ici toute utilisation « marchande » des effets auxquels l'esclave peut avoir accès pour son propre usage (les hardes, les nippes du Code B) ou pour sa subsistance et réserver au maître le contrôle absolu de la constitution, pour l'esclave, d'un pécule par la vente de ce qu'il tirerait de son minuscule carré de terre. En absence de billet ou de marques connues, il y aura vol, même si l'esclave colporte ou vend le produit du potager dont il s'est vu confier l'usage : le maître a droit à dédommagement, et l'acheteur à sanction. Ce serait donc là le niveau le plus bas du vol. La gravité des sanctions appliquées en cas de « vol qualifié » (art. 34-36) incite à le croire.

Sous un tout autre registre, cet article illustre à la perfection la profondeur du dénuement de l'esclave. Ce qu'il est tenté de troquer, de marchander, en dit suffisamment long sur la gravité des difficultés auxquelles il doit faire face pour survivre (cf. aussi art. 22-25).

Cette façon dont le Code Noir B réserve une spéciale rigueur pour la vente de hardes, nippes et « marchandises » autres que celles énumérées dans la première partie de son article 15 met en évidence une rigueur spécifique pour punir la « distraction » des biens d'une valeur plus consistante que l'herbe, la nourriture, le fourrage. Le « mobilier » des habitations (des caisses, parfois une mauvaise planche pour le repos) mérite, comme les cotonnades, l'attention particulière du roi de France.

← article 18
articles 20-21, 35-37 →

Code Noir B, article 15. – Défendons aux esclaves d'exposer en vente au marché, ni de porter dans les maisons particulières, pour vendre, aucune sorte de denrées, même des fruits, légumes, bois à brûler, herbes ou fourrages pour la nourriture des bestiaux, ni aucune espèce de grains ou autres marchandises, hardes ou nippes, sans permission expresse de leurs maîtres par un billet ou par des marques connues, à peine de revendication des choses ainsi vendues, sans restitution de prix par les maîtres, et de six livres d'amende à leur profit contre les acheteurs par rapport aux fruits, légumes, bois à brûler, herbes, fourrages et grains. Voulons que, par rapport aux marchandises, hardes ou nippes, les contrevenants acheteurs soient condamnés à quinze cents livres d'amende, aux dépens, dommages et intérêts, et qu'ils soient poursuivis extraordinairement comme voleurs receleurs.

Article 20. – Voulons à cet effet que deux personnes soient préposées par nos officiers dans chacun marché pour examiner les denrées et marchandises qui y seront apportées par les esclaves, ensemble les billets et marques de leurs maîtres, dont ils seront porteurs.

Le contrôle des foires et marchés revient aux gouverneurs généraux et aux intendants. Lorsque, postérieurement aux gouvernements généraux, l'intendance est introduite dans les îles, elle gère les mêmes domaines qu'en métropole : justice, police, finances. Spécifions davantage. Relèvent de l'intendance le ravitaillement, l'armement – armes, munitions, constructions militaires –, les fortifications et les casernes et leur entretien, la surveillance et le contrôle des cultures et des plantations et, d'un mot, tout ce qui touche au budget ou à la prospective économique. Les domaines financier et monétaire étaient de sa seule compétence. De son ressort aussi les poids et mesures, les foires et les marchés. Les préposés des officiers se trouvaient intégrés à un système de contrôle aboutissant donc aux plus hautes autorités des îles : gouvernement général, intendance [1].

Ces préposés appartiennent à la classe de ces petits Blancs qui, laissés pour compte de la prospérité économique des îles, font mille métiers, servent – sans se vendre – le plus offrant et peuvent se mêler tout aussi bien aux groupes de mauvais garçons qui donnent du fil à retordre à la police des îles et aux officiers, dont ils acceptent d'accomplir les plus basses besognes. Chasseurs de marrons, contrôleurs de marchés, fripons à la petite semaine, ils méprisent les Noirs davantage encore, si possible, que les grands Blancs ne les méprisent. Ce sont donc ces petites gens qui exerceront le contrôle des billets et des marques, et des denrées. Les billets diront l'autorisation magistrale de proposer à la vente ce que l'esclave apporte au marché, des denrées appartenant pleinement au maître. Mais le maître autorise parfois l'esclave à les présenter à son compte, sans que cette entorse au Code Noir soit décelable sur le billet. Les esclaves domestiques sont, à cet égard, des privilégiés. Des relations

1. M. Devèze, *Antilles*, p. 225 et suiv.

se nouent entre la famille blanche et les serviteurs domestiques. Un menu service rendu, une marque particulière de zèle, une petite attention supplémentaire : tout peut se monnayer, malgré l'interdiction du pécule. L'esclave domestique parviendra à avoir une petite part dans le poulailler, dans le potager du maître, dans les armoires à linge. Sur un autre registre, l'esclave domestique est la cible immédiate et facile des sautes d'humeur des maîtres, des maîtresses, de leurs enfants ; il aura parfois à subir des traitements, des corrections bien plus cruels et raffinés que le fouet. En revanche, c'est lui aussi qui, de par sa situation particulière, pourra disposer d'un pécule qu'il alimentera de petits gains et dont la gestion lui conférera un certain prestige dans ses rapports avec les autres esclaves travaillant aux ateliers et aux plantations. C'est encore lui qui aura le plus de chances d'être affranchi par disposition testamentaire du maître.

Dans l'économie de misère absolue de l'esclavage considéré globalement, le Code Noir veille, comme en témoigne cet article, au maintien pur et simple de la déréliction absolue de chacun. La pratique quotidienne modifie bien peu, si on se réfère à la situation du plus grand nombre d'esclaves, ce qu'impose la loi : numériquement, la quantité des esclaves domestiques est infime en comparaison des masses d'esclaves travaillant aux champs ou aux manufactures.

← articles 18-19
article 21 →

Code Noir B, article 16. – Identique, sauf que « nos officiers » deviennent « les officiers du conseil supérieur ou des justices inférieures ».

Article 21. – Permettons à tous nos sujets habitants de nos îles de se saisir de toutes les choses dont ils trouveront les esclaves chargés lorsqu'ils n'auront point de billets de leurs maîtres, ni de marques connues, pour être rendues incessamment à leurs maîtres, si les habitations sont voisines du lieu où les esclaves auront été surpris en délit ; sinon elles seront incessamment envoyées à l'hôpital pour y être en dépôt jusqu'à ce que les maîtres en aient été avertis.

Il est certainement inutile d'attirer une fois de plus l'attention du lecteur sur cette délégation à tous et à chacun des « sujets habitants de nos îles » d'une partie du pouvoir policier et judiciaire (cf. art. 15 et 16) : se saisir sans mandat ni ordre spécifique de l'esclave, des effets qu'il peut avoir sur lui, le conduire en prison. Chaque fois que le Code Noir utilise pareille formule il réaffirme, sans peiner à une seule syllabe de paraphrase, sa distinction fondamentale entre le « sujet » et l'« esclave ».

Le Code Noir évoquera en d'autres articles l'existence de l'« hôpital » et ses multiples fonctions (cf. surtout l'art. 27). L'utilisation de l'hôpital en tant que dépôt réapparaîtra, elle aussi, en d'autres circonstances (art. 9 et 60).

Jusqu'à la lassitude, il convient de revenir à cette déréliction absolue de l'esclave, que le Code Noir n'adoucit en rien, quoi qu'on ait écrit, et dont il tient très cyniquement compte pour barrer au Noir toute possibilité de s'en sortir, hors le plaisir du maître. Il est évidemment vrai que les esclaves volent et saccagent. Un groupe d'une plantation profitera d'un jour de fête, ou plutôt d'une nuit, pour voler dans les champs et les jardins d'une autre plantation de quoi tenir quelques jours ou de quoi tirer quelque argent. La semaine suivante les saccagés saccagent à leur tour. Les esclaves des petites plantations, les caféiers, dont la situation est encore pire que celle des esclaves des sucreries ou des indigoteries, ne subsistent que par le vol. Une « économie de pillage » s'était installée dans les îles bien avant le Code Noir, dont le Code Noir tient compte et qu'il entend réprimer[1]. Et c'est merveille de constater que les données

1. Peytraud, p. 304 et suiv.

archivistiques dont on dispose semblent témoigner que les colons n'ont, majoritairement, jamais trouvé d'autre issue à cette situation que le durcissement des châtiments et, dans certains cas seulement d'une rareté exemplaire, l'amélioration des rations alimentaires de leurs esclaves et de leurs conditions de vie.

← articles 15 et 16
article 27 →

Code Noir B, article 17. – Identique (mais « l'hôpital » est ici remplacé par le « magasin de la compagnie le plus proche »).

Article 22. – Seront tenus les maîtres de faire fournir, par chacune semaine, à leurs esclaves âgés de dix ans et au-dessus pour leur nourriture, deux pots et demi, mesure du pays, de farine de manioc, ou trois cassaves pesant deux livres et demie chacun au moins, ou choses équivalentes, avec deux livres de bœuf salé ou trois livres de poisson ou autres choses à proportion ; et aux enfants, depuis qu'ils sont sevrés jusqu'à l'âge de dix ans, la moitié des vivres ci-dessus.

On ne peut commenter cet article sans avoir en même temps sous les yeux le contenu des articles 23-25, et notamment l'article 24 concernant de façon directe l'interdiction d'éluder à l'obligation de nourrir l'esclave et de l'habiller. Le lecteur s'y rapportera.

Les relations, les rapports officiels, toutes les sources dont on dispose insistent sur l'extrême ladrerie des maîtres concernant la nourriture des esclaves. Pourtant, les maîtres, qui ne tiendront pratiquement aucun compte des dispositions de cet article, se lamentent constamment que le maintien des esclaves les mène à la ruine. Les relations officielles n'en finissent pas d'affirmer que les maîtres affament leurs esclaves, qu'ils condamnent ainsi à un dépérissement rapide et à la paresse, au vol et au marronnage, à la révolte enfin. Certains historiens font valoir, en revanche, que les maîtres comprirent assez tôt qu'il était dans leur intérêt d'avoir un « outillage » en parfait état de fonctionnement et prirent généralement garde que les rations alimentaires fussent suffisantes. Sur ce point comme sur d'autres, il serait sage de distinguer entre les divers traitements dont bénéficiaient – si on ose dire – les Noirs, selon qu'ils étaient esclaves de culture ou de maison, qu'ils travaillaient dans la culture de la canne ou dans celle du café… On peut établir des degrés, si l'on veut, dans la profondeur absolue de l'inhumanité et de l'absurde. On peut faire valoir que de « bons maîtres » étaient assez malins pour bien nourrir leurs esclaves afin de s'assurer une bonne rentabilité de leur effort. On n'oubliera cependant pas que les « bons maîtres » sont regardés « dans les colonies comme des insensés qui gâtent leurs esclaves par trop de bonté »[1]. À titre d'illustration, deux extraits de deux témoignages, qui

1. Nicolson, *Essai sur l'histoire naturelle de l'île de Saint-Domingue*, Paris, 1776, p. 55.

pourraient indiquer les extrêmes de l'éventail des attitudes magistrales possibles.

Labat raconte : « Ma coutume a toujours été d'envoyer à l'heure du dîner aux nègres et aux négresses… un grand plat de farine de manioc trempée avec du bouillon, avec un morceau de viande salée, des patates et des ignames, le tout accompagné d'un coup d'eau-de-vie, et cela sans aucune diminution de la ration ordinaire qu'on leur donne le dimanche au soir ou le lundi matin pour toute la semaine. Par ce moyen je les tenais contents et assez bien nourris pour supporter la fatigue du travail, que je ne voulais point du tout voir languissant, ni les nègres faibles et chancelants faute d'un petit secours. »[2]

Nicolson raconte : « On voit la plupart des nègres languir dans une extrême indigence (…) leurs aliments ne sont pas distingués de ceux qu'on donne aux animaux les plus immondes, encore n'en ont-ils presque jamais suivant leur appétit. Je n'exagère ici rien. »[3]

Le marquis de Fénelon cherche à comprendre « les causes du peu de population des nègres » dans les îles, malgré les arrivages constants de bateaux négriers. Il les énumère. La première : « La plupart des habitants les nourrissent mal et les font travailler au-delà de leurs forces pour faire plus de revenus ; ce qui doit les énerver indubitablement et prendre sur les germes de la reproduction. »[4]

articles 23-24 et 26 →

2. Labat, *Nouveau voyage*, t. 1, p. 255.
3. Cf. n. 1.
4. Lettre du 11 avril 1764.

Code Noir B, article 18. – Voulons que les officiers de notre conseil supérieur de la Louisiane envoient leurs avis sur la quantité de vivres et la qualité de l'habillement qu'il convient que les maîtres fournissent à leurs esclaves ; lesquels vivres doivent être fournis par chacune semaine et l'habillement par chacune année, pour y être statué par nous ; et cependant permettons aux dits officiers de régler par provision les dits vivres et le dit habillement *(voir double page suivante suite et fin de cet article).*

Article 23. – Leur défendons de donner aux esclaves de l'eau-de-vie de canne guildent pour tenir lieu de la subsistance mentionnée au précédent article.

L'alcool joue un rôle considérable dans l'histoire de la traite et de l'esclavage. Il figure de bonne heure et en bonne place, avec les barres de fer, la quincaillerie et les cotonnades, dans la liste des denrées contre lesquelles on obtient, en Afrique, des « pièces d'Inde ».

Selon les périodes et selon les compagnies, la composition du « paquet », unité d'échange pour la « pièce d'Inde », se modifie. Mais on peut avancer des constantes de ce commerce et de ces unités autour des données suivantes :

Le « paquet » comporte des armes – fusils et sabres –, une certaine quantité de poudre, une ou deux douzaines de dames-jeannes d'eau-de-vie ou de rhum, autant de pièces d'étoffe, de la laine ou de la vaisselle.

La « pièce d'Inde » est un Noir de 20 à 25 ans (ou de 18 à 28 ans), en pleine santé, bien bâti, sans le moindre défaut physique apparent.

Voilà donc les deux « unités », par rapport auxquelles on pourra parler de multiples et de sous-multiples. Trois pièces d'Inde égalent « une tonne ». Une femme adulte vaut deux tiers ou trois quarts de pièce. La valeur des « négrittes » ou des « négrillons », celle des adolescents, se calquent aussi en fractions de pièce. Le « paquet » constitue lui aussi la base pour un calcul de multiples et sous-multiples.

Mais les données des compagnies semblent indiquer que l'eau-de-vie (le rhum de préférence, une fois les sucreries bien installées dans les colonies américaines) figure toujours dans chaque « paquet », tout comme en chacun de ses sous-multiples. Monnaie d'échange pour l'achat des esclaves, produite par le travail des esclaves, la même eau-de-vie devient, au bout du chemin, moyen facile pour le colon d'asservir davantage encore ses esclaves et prétexte à magnanimité. L'alcoolisme fait des ravages parmi les esclaves. On se demande, soit dit en passant, où Rousseau a-t-il appris la résistance des pays d'Afrique et des peuples amérindiens aux boissons fortes des Européens[1]. La réalité historique

1. « Ainsi il ne faut pas s'étonner que (...) toutes ces nations barbares supportent sans peine leur nudité, aiguisent leur goût à force de piment, et boivent les liqueurs

est tout autre. Espagnols et Portugais utilisèrent largement l'alcool pour se soumettre les Indiens dès les aurores du XVIe siècle ; les autres nations firent de même pour mater les esclaves de leurs colonies. L'article 23 du Code Noir, en la condamnant, désigne par là même la généralité d'une pratique. L'abrutissement du Noir ne peut être qu'accompagné, doit penser le colon blanc, par l'alcool, mais certainement pas aggravé.

Ce sont encore des considérations « pastorales » plutôt que juridiques qui seront à l'origine d'initiatives de sauvegarde du Noir contre ce dernier obstacle sinon à son « humanisation », tout au moins à la perspective de son salut. Souvenons-nous : civilement la volonté du Noir égale zéro ; canoniquement le Noir est susceptible du salut éternel, sa volonté et son libre arbitre doivent donc être tenus à l'abri des égarements produits par l'alcool. Les mises en garde contre ses effets figurent dans les projets catéchétiques et, pourquoi pas, dans tel ou tel considérant juridique. Ainsi, on peut lire dans un arrêt du conseil de la Martinique, daté mars 1718, qu'on a ajourné l'exécution d'un nègre condamné à mort, à cause de son état d'ivresse le jour où il devait être exécuté « pour empêcher la perte du salut éternel de l'âme du dit »[2].

← article 22
articles 24 et 26 →

européennes comme de l'eau » (*Discours sur l'origine de l'inégalité*, éd. Paris « 10/18 », 1973, p. 312).

2. Archives colonies, F 251, p. 783 (Peytraud, p. 180).

Code Noir B, article 18 *(suite)*. – Défendons aux maîtres des dits esclaves de donner aucune sorte d'eau-de-vie pour tenir lieu de la dite subsistance et habillement (cf. *double page précédente*).

Article 24. – Leur défendons pareillement de se décharger de la nourriture et subsistance de leurs esclaves, en leur permettant de travailler certain jour de la semaine pour leur compte particulier.

Gisler analyse avec beaucoup de rigueur la portée « pratique » de cet article. « Les prescriptions, observe-t-il, interdisant au maître de se décharger sur l'esclave du soin de son entretien moyennant la concession d'un lopin de terre et d'un jour par semaine pour sa mise en œuvre restent (...) lettre morte. » Il cite, à l'appui de son affirmation, des documents parfaitement concluants. D'un mémoire du Saint-Siège, daté du 20 septembre 1722, en vue d'obtenir la réduction des fêtes à observer par les esclaves : « Plus de la moitié et même des trois quarts des maîtres n'exécutent pas là-dessus les ordonnances du roi. » De la même source : « Leurs maîtres ne leur donnent rien ou presque rien et les mettent dans l'impuissance absolue de se procurer les plus pressants besoins de la vie, si ce n'est par le vol, les rapines ou un travail forcé et continué pendant les jours des dimanches et fêtes. »[1]

Le Code Noir aurait-il réussi à s'imposer sur ce point ? La Guyane est soumise au régime du Code Noir tout comme les Antilles, les pratiques esclavagistes y sont identiques, identiques les comportements des maîtres. D'une déclaration du roi aux colons de la Guyane en 1770 : « Sa Majesté étant informée que, contre la disposition de ses règlements et ordonnances, et notamment de celle du mois de mars 1685, les habitants du gouvernement de la province de Guyane et de l'île de Cayenne traitent avec une très grande dureté leurs esclaves, et qu'au lieu de leur fournir la subsistance et entretien (...) ils se dispensent de leur rien donner, sous prétexte qu'ils leur accordent l'après-midi du samedi pour travailler pour leur compte particulier, obligeant (ainsi) les uns à travailler les jours de dimanche, ce qui leur sert de prétexte pour aller voler dans les habitations, et les autres qui, par leurs infirmités ou par leur paresse, prennent ses jours pour se reposer, dépérissent insensiblement, faute de subsistance... »[2]

1. Gisler, *L'esclavage*, p. 36.
2. Dessalles, *Histoire des Antilles*, t. 2, p. 377.

Cette pratique, illégale au regard du Code Noir, était bien ancrée dans les habitudes des Antilles et des côtes franco-américaines bien avant 1685. Les planteurs et les colons, qui se plaignent constamment d'être ruinés par le maintien des esclaves, tiennent beaucoup à la sauvegarder. Les esclaves des manufactures sont néanmoins ordinairement nourris par leurs maîtres, dans un souci de rentabilité et de continuité du travail. Pour les autres, c'est-à-dire pour l'immense majorité, « l'usage qui a prévalu dans les colonies, de donner aux esclaves des habitations un samedi alternativement pour travailler à leurs jardins et faire leurs vivres, sera maintenu autant que les maîtres le jugeront convenable » : du règlement du 25 avril 1803 sur le régime des esclaves à la Guyane.

Poussons plus loin. Jusqu'en 1846 au moins, à la veille de l'abolition de l'esclavage, « l'esclave continue d'être chargé de sa subsistance et, simultanément, volé de son jour libre sous le premier prétexte venu »[3].

L'esclave noir préfère-t-il, tout compte fait, ce système par lequel, dans le cadre de sa dépendance absolue, il arrivait à préserver un rien d'identité et d'autonomie personnelle et familiale ? Il semble. On remarquera toutefois que le régime de plein temps pour le maître et de journée « libre » – généralement par quinzaine – est imposé, là où il est en vigueur, indistinctement à chacun : aux jeunes, aux vieux, aux faibles, aux forts, aux femmes tout comme aux hommes. Et on notera enfin que, jusqu'à l'abolition de 1848, beaucoup de maîtres, dont les esclaves tirent la subsistance de leur lopin de terre exclusivement, utilisent la suppression de la journée libre « comme mesure disciplinaire, étendue fréquemment à tout l'atelier »[4].

← articles 6 et 7
article 26 →

3. Rouvellat de Cussac, *Situation des esclaves dans les colonies françaises, urgence de leur émancipation*, Paris, 1845.
4. *Ibid.*

Code Noir B, article 19. – Identique.

Article 25. – Seront tenus les maîtres de fournir à chacun esclave par chacun an deux habits de toile ou quatre aulnes de toile, au gré des dits maîtres.

Si les maîtres affament régulièrement les Noirs avant la mise en vigueur du Code Noir et persévèrent dans cette attitude tant qu'ils peuvent, malgré le Code Noir, ils ne se montrent pas plus humanitaires sur le chapitre de leur habillement. Tenons-nous-en aux récits de Labat et de Du Tertre et aux renseignements fournis à ce propos par la documentation compulsée par Peytraud. Tout comme pour la nourriture, ou pour le pécule ou pour le reste, on tiendra compte des conditions diverses de vie des esclaves domestiques – une infime minorité – et de ceux qui travaillent aux champs ou aux ateliers. Pour cette immense majorité, les maîtres s'occupent très peu de les habiller. Les enfants vont nus jusqu'à quatre ou cinq ans. Les hommes ont un caleçon et une casaque. Les femmes, une jupe et une casaque. Pas de souliers, ni d'espadrilles, ni de sabots. Le troupeau marche pieds nus. Il est des maîtres qui se conforment aux dispositions du Code Noir. Il en est d'autres qui « ne donnent qu'un habit pour toute l'année ou ne renouvellent que le caleçon ou la jupe ; d'autres enfin profitent de la facilité de ne donner que de la toile et du fil »[1].

Mais les années passent. La colonie constate qu'il est somme toute facile de tenir pour rien le Code Noir lorsqu'il contraint le maître et le colon : elle néglige progressivement l'obligation d'habiller les esclaves.

Pourtant, des témoins comme Dessalles[2] constatent que les esclaves s'ingénient pour s'habiller. Ils se procurent donc des vêtements. Comment font-ils, puisque l'article 28 du Code Noir leur interdit formellement d'avoir un pécule qui échapperait à la propriété de leurs maîtres ? Par les moyens évoqués à propos de l'article 20, moyens inaccessibles, certes, aux esclaves des champs. Il faut donc considérer que les Noirs font preuve d'une ingéniosité prodigieuse pour arriver à se défendre – mal – des intempéries.

Les Blancs s'habillent et se parent de mille couleurs. Les Noirs

1. Peytraud, p. 227 et suiv. pour tout ce qui concerne cet article.
2. Dessalles, *Nouveau voyage*, t. 5, p. 202.

tendent à les imiter, mais aussi à adopter des styles, à créer des habitudes vestimentaires spécifiques dont l'imagerie de l'époque porte de très nombreux témoignages. Mystère d'un comportement d'émergence : Noirs et Noires « dépenseront » beaucoup en vêtements et colifichets.

L'autorité ne tardera pas à s'émouvoir de ces signes trop criants d'une tendance claire chez les esclaves à réduire, dans ce domaine tellement important pour l'image de soi, l'écart qui doit les séparer des maîtres (cf. art. 57).

Un « nègre » doit être repoussant dans son comportement et dans son aspect. Et sinon repoussant, tout au moins misérable et méprisable. Il y va de la solidité du symbolisme des Blancs. Contre les tentatives des Noirs d'embellir leurs corps et de se protéger de la répulsion que leur misère inspire aux Blancs, l'autorité intervient et rappelle chacun à l'ordre. À titre d'exemple, cette ordonnance du 7 juin 1720 pour la Guadeloupe : les mulâtres, les Indiens, les esclaves employés aux cultures doivent être habillés selon les dispositions de l'article 25 du Code Noir sous peine de prison et de confiscation. Aux maîtres, entend dire cette ordonnance, de s'en tenir au minimum que leur impose, sur ce point, le Code Noir. Aux esclaves de comprendre que ce minimum est le maximum.

← articles 6, 7, 24
articles 26 et 57 →

Code Noir B. – Néant *(Mais référence à l'obligation d'habiller dans l'article 18).*

Article 26. – Les esclaves qui ne seront point nourris, vêtus et entretenus par leurs maîtres selon que nous l'avons ordonné par ces présentes pourront en donner l'avis à notre procureur général et mettre les mémoires entre ses mains, sur lesquels et même d'office, si les avis lui en viennent d'ailleurs, les maîtres seront poursuivis à sa requête et sans frais, ce que nous voulons être observé pour les crimes et traitements barbares et inhumains des maîtres envers leurs esclaves.

Nous savons ce qu'il en est de l'incidence des articles 24 et 25 sur le comportement des maîtres. L'aspect directement juridique, procédurier, de cet article 26 est d'un intérêt capital. Voilà donc l'esclave, en vertu du même code qui le « chosifie », promu soudain à la qualité de « sujet de droit », capable de déposer des « mémoires » entre les mains du procureur, voilà son intégrité physique protégée de la barbarie et de l'inhumanité des maîtres. Quelle que soit l'inhumanité de la loi, et la façon dont elle interprète pour ses serviteurs l'idée de cette intégrité (cf. art. 33 et 38), elle semble vouloir, en cet article, donner un moyen juridique à l'esclave de ne pas mourir de faim. Décantons aussitôt. Les articles 30 et 31 annulent purement et simplement les bonnes intentions de l'article 26. Qu'on s'y réfère avant de continuer.

Rien, dans la production juridique postérieure au Code Noir à l'intention de l'esclavage, ne viendra corriger l'absurdité de cette proposition : l'esclave peut se plaindre (art. 26), mais son témoignage ne vaut rien (art. 30) puisqu'il ne peut même pas être partie (art. 31). La requête dont parle l'article 26 est donc l'affaire du procureur que les articles 30 et 31 somment de ne point tirer de « présomption » des plaintes dont les esclaves le saisiraient.

On dira que l'article 26 ne parle que de nourriture et de vêtements. Mais ces deux « exceptions » ne sont pas évoquées aux articles 30 et 31. En revanche, le même article 26 déborde de toute évidence dans ses considérations finales sur les crimes des maîtres le domaine de la nourriture, du vêtement et de l'entretien évoqué au début. Les maîtres et l'administration l'ont compris parfaitement, qui, en toute logique, ont respecté scrupuleusement les articles 30 et 31 jusqu'à l'abolition de 1848, et ont considéré l'article 26 comme une distraction du législateur, par laquelle l'esclave devenait « sujet » et accédait à un droit (de témoignage, de poursuite, de constitution de partie) dont tout le Code Noir lui verrouillait l'entrée. Les informateurs de Colbert et de Louis XIV comptaient-ils, en contemplant ici cette possibilité donnée au procureur d'intervenir « même d'office » pour les esclaves et contre les maîtres, sur la haute moralité de la population des grands Blancs et des petits Blancs (« si les avis lui en viennent d'ailleurs ») qui, attendrie par la déréliction des esclaves, en référerait par « pitié et miséricorde » comme aurait dit un Montesquieu[1] ? Si c'est le cas, on a du mal à y croire ! Nus, taillés et faméliques, les esclaves l'étaient bien avant la promulgation du Code. La complicité des Blancs, grands et petits, dans l'exploitation totale des Noirs est des premiers jours. Les informateurs de Colbert le savent ? Alors ? Alors on ne sait s'il convient de saluer ici l'excès de cynisme ou le chef-d'œuvre d'imbécillité. Les historiens sont intarissables sur ce qui arrivait aux Noirs lorsque, poussés par un soudain courage ou par l'extrême violence du désespoir, ils allaient raconter leur calvaire à quelque officiel et demandaient, sinon justice, tout au moins clémence. En 1841 un inspecteur raconte : non seulement l'esclave ne peut exercer le droit de plainte, mais il ne peut « répondre au magistrat chargé du patronage, sans s'exposer, lui et sa famille, à des vengeances déguisées devant lesquelles l'insuffisance de la loi a contraint le ministère public au silence ». Rouvellat de Cussac est encore plus clair : « Règle générale : tout nègre qui ose porter plainte est fouetté. »[2]

articles 28, 30, 31 et 43 →

1. *De l'Esprit des lois*, liv. 15, chap. 5, dernier paragraphe.
2. *Situation des esclaves*, déjà cité, p. 153.

Code Noir B, article 20. – Identique (sauf les mots « selon que nous l'avons ordonné par les présentes », qui disparaissent, ce qui est logique si on se réfère à l'attente d'information formulée à l'article 18).

Article 27. – Les esclaves infirmes par vieillesse, maladie ou autrement, soit que la maladie soit incurable ou non, seront nourris et entretenus par leurs maîtres ; et en cas qu'ils les eussent abandonnés, les dits esclaves seront adjugés à l'hôpital ; auquel les maîtres seront condamnés de payer six sols par chacun jour pour la nourriture et entretien de chaque esclave.

Le Code Noir puise souvent dans le droit romain et c'est en lui qu'il légitime la plupart des dispositions par lesquelles il règle l'inexistence juridique des esclaves. Les dispositions éparses, antérieures au Code et ayant les mêmes fonctions, ne cherchaient pas d'autre légitimité que celle-là. Ce droit prévoyait l'affranchissement de l'esclave abandonné par son maître (*Digeste* XXX, VI, 2). La tendance des colons consistait à adopter la solution la plus commode à l'époque qui nous occupe : l'abandon pur et simple. Le Code réussit-il à modifier à ce propos le comportement des colons ? Peytraud signale un cas unique de condamnation d'un maître, en juin 1744, à payer 15 sols par jour à l'hôpital pour abandon de son esclave infirme[1]. Un cas dans la plus que séculaire histoire du Code ? Disons plutôt un seul cas sanctionné. Car la pratique quotidienne reste l'abandon.

Les historiens soulignent, unanimes, que la mortalité des esclaves noirs est singulièrement élevée. On sait leurs conditions de vie et de travail. Parmi tant d'autres, Labat, Du Tertre, Moreau de Saint-Méry décrivent l'extrême misère des cases à esclaves, dont le seul mobilier est constitué par une espèce de claie suspendue et de quelques calebasses, et dont les murs-cloisons sont tellement minces que la froideur des nuits s'y engouffre sans obstacle. L'« hôpital » ? Une de ces cases, aussi misérable que les autres. Les esclaves vieillissent rarement. Les intempéries, le fouet et les ulcères les achèvent. Le tétanos fait chez eux de véritables ravages. Peytraud parle de milliers de « négrillons » morts de tétanos chaque année « dans les huit jours après la naissance ». L'« hôpital » ! Il faut attendre les années 1780 pour voir apparaître dans les colonies françaises quelque chose pouvant donner une vague idée

1. Peytraud, p. 235. Sur la nature et les fonctions de l'« hôpital » : même auteur, p. 235-238.

d'un lieu de soins ou de repos pour les esclaves[2]. Il faut aller jusqu'en 1786 pour trouver, dans l'ordonnance royale du 15 octobre, la prévision que « sur chaque habitation sera établie une case destinée à servir d'hôpital seulement ». Et ce « seulement » tranche nettement avec d'autres évocations contenues dans divers articles du Code Noir, qui lui attribuent aussi des fonctions de magasin ou d'entrepôt. Lorsque, enfin, hôpital il y aura, les Noirs malades continueront de languir et de mourir au fond de leurs cases, et l'article 27 restera lettre morte, comme tous ceux qui coactionnent les maîtres sur quelque chapitre que ce soit.

Tout de même, juridiquement les hôpitaux existent ! À preuve, cet article, et l'illustration qu'en fournit ce texte décrivant le destin de l'esclave des caféières : « S'il est malade… le malheureux est enfermé dans un mauvais bâtiment ou une hutte décorée du nom pompeux d'hôpital… Il y est ordinairement abandonné aux soins d'une vieille négresse valétudinaire, souvent incapable de se soigner elle-même, et qu'on n'a chargée de cet emploi qu'après avoir été jugée inutile à tout autre genre d'occupation. »[3]

En 1786, le roi s'émeut de ce qu'on lui raconte des hôpitaux. Un siècle après la publication du Code Noir, Sa Majesté ordonne, redisons-le, que soit établie sur chaque habitation une case destinée à servir d'hôpital seulement ; et, comble de bonté, « défend Sa Majesté l'usage pernicieux de laisser coucher les nègres à terre ».

← articles 9 et 21
article 60 →

2. M. Devèze, *Antilles*, p. 285.
3. Anonyme, *Histoire des désastres de Saint-Domingue*, Paris, 1795.

Code Noir B, article 21. – … adjugés à l'hôpital, auquel les maîtres seront condamnés de payer huit sols par chacun jour… pour le payement de laquelle somme le dit hôpital aura privilège sur les habitations des maîtres en quelques mains qu'elles passent.

Article 28. – Déclarons les esclaves ne pouvoir rien avoir qui ne soit à leur maître ; et tout ce qui leur vient par industrie ou par la libéralité d'autres personnes ou autrement à quelque titre que ce soit, être acquis en pleine propriété à leur maître, sans que les enfants des esclaves, leur père et mère, leurs parents et tous autres libres ou esclaves puissent rien prétendre par succession, disposition entre vifs ou à cause de mort. Lesquelles dispositions nous déclarons nulles, ensemble toutes les promesses et obligations qu'ils auraient faites, comme étant faites par gens incapables de disposer et contracter de leur chef.

Les articles 18-21 réprimant toute initiative de l'esclave en matière d'échange, de vente ou de troc ; les articles 22-27 décrivant dans toute leur splendeur les obligations du maître pour conserver à l'esclave sa part animale, le Code Noir en vient de nouveau à du fondamental : l'esclave ainsi pris en charge n'a plus besoin de rien. Ce qu'il a est à son maître. Autre manière de dire qu'il n'a rien et qu'il n'a rien à avoir.

Mais c'est de bas en haut qu'il convient de lire cet article pour le mieux ressourcer dans sa matrice romaine. « Gens incapables de disposer et contracter de leur chef » sont juridiquement gens qui ne peuvent accéder à aucune forme de propriété, l'appropriation sous-entendant la capacité de disposer et de contracter, et d'abord le droit de propriété sur soi-même. Tout cela, entendu sauf le bon plaisir du maître autour duquel s'organisera l'article 29 sans aucunement contredire l'article 28.

Ici droit romain oblige, logique juridique aussi. C'est à cet article qu'il faudra revenir – et à quelques autres tout aussi percutants – lorsqu'on voudra saisir le Code Noir dans toute sa magnificence. Mieux : c'est l'incapacité de ces gens à « disposer et à contracter de leur chef » qui rend raison de l'ensemble des articles 9 à 28, dont la dernière phrase pourrait parfaitement figurer dans le préambule.

On a déjà signalé que seule l'existence canonique et animale (« bestiale » conviendrait davantage) était reconnue à l'esclave. L'article 28 rappelle, ayant l'air de ne toucher qu'à la catégorie de l'avoir, que l'esclave n'existe ni dans cette catégorie ni dans celle de l'existence civile. Il *n'a pas*, dépourvu qu'il est de capacité de disposer et contracter. Il *n'est pas* civilement, ne pouvant de son chef entreprendre aucun acte lui permettant de faire irruption dans la sphère de l'existence civile dont, contrat ou sujétion, la condition liminaire est la reconnaissance d'exercice public d'une volonté. Et sur ce point, une fois admise la légitimité historique de l'esclavage, on ne s'étonnera pas de trouver en plein accord le droit romain, le Code Noir, Bossuet et Napoléon. Le droit romain ne compte l'esclave qu'à l'intérieur de l'économie domestique et en qualité de bien. Bossuet rappelle dans son *V^e^ avertissement aux protestants* que « les lois disent que l'esclave n'est pas une personne dans l'État »[1]. Enfin sous Napoléon, note Schoelcher, « la loi ne reconnaît pas d'état civil à l'esclave ; une circulaire du VI nivôse an XIV – 27 décembre 1805 – renouvelle cette déclaration de l'édit de 1685, lors de la promulgation du Code civil aux colonies. L'esclave existe aux yeux de la loi seulement par les recensements du maître »[2]. Les recensements ayant des effets fiscaux, et fiscaux seulement, ne deviennent obligatoires qu'en 1784. C'est à partir de cette date que les procureurs et les gérants furent tenus d'inscrire sur un registre spécial les naissances et les décès des Noirs[3].

Non, décidément : celui dont l'existence civile n'est pas reconnue ne saurait « disposer » ni « contracter » ni « avoir ». Et réciproquement. Cent ans entre la promulgation du Code Noir et l'obligation d'une manière de reconnaissance, au niveau des registres, d'une animalité spécifique au Noir, qui, par l'usage d'un nom et d'un sobriquet, ne se confondrait plus totalement avec celle des quadrupèdes.

← article 12
articles 29, 49 et 54 →

1. *Avertissement*, 5, § 50.
2. Schoelcher, *Colonies françaises*, p. 53.
3. Peytraud, p. 243-244.

Code Noir B, article 22. – Identique.

Article 29. – Voulons néanmoins que les maîtres soient tenus de ce que leurs esclaves auront fait par leur commandement, ensemble de ce qu'ils auront géré et négocié dans les boutiques, et pour l'espèce particulière de commerce à laquelle leurs maîtres les auront préposés ; et en cas que leurs maîtres n'aient donné aucun ordre et ne les aient point préposés, ils seront tenus seulement jusqu'à concurrence de ce qui aura tourné à leur profit ; et si rien n'a tourné au profit des maîtres, le pécule des dits esclaves que leurs maîtres leur auront permis d'avoir en sera tenu, après que leurs maîtres en auront déduit par préférence ce qui pourra leur en être dû ; sinon, que le pécule consistât en tout ou partie en marchandises dont les esclaves auraient permission de faire trafic à part, sur lesquelles leurs maîtres viendront seulement par contribution au sol la livre avec leurs autres créateurs.

Comment s'y retrouver dans la diabolique complexité de cet article ? Son application suppose, si on entend le lire dans le sens d'un souci spécifique de sauvegarde des intérêts économiques de l'esclave, le gommage définitif des indications contenues dans l'article précédent (« déclarons les esclaves ne pouvoir rien avoir qui ne soit à leurs maîtres ») : et telle n'est certainement pas l'intention du législateur. Comment concilier par ailleurs cette indication : « Le pécule des dits esclaves que les maîtres leur auront permis d'avoir » avec le contenu de ce même article 28 ? On a l'impression très nette que le législateur entremêle ici deux préoccupations bien distinctes : il songe d'une part aux dispositions du droit romain concernant les capacités reconnues aux esclaves de gestion d'intérêts domestiques, et tient compte d'autre part des intérêts que certains maîtres pouvaient avoir – avaient réellement – à confier aux très rares esclaves, employés autrement que comme domestiques ou aux travaux des champs et des ateliers, la capacité de percevoir, sinon de gérer, un prix pour leurs services. Un billet en poche, les esclaves pouvaient fréquenter les marchés et y proposer des marchandises (art. 20). Une pratique de louage des services des esclaves s'était instaurée, que la métropole fustigeait, mais dont l'esclave pouvait tirer quelque avantage matériel. Le Code examine ici, de façon particulièrement embrouillée et avant de passer définitivement à un autre chapitre de sa réglementation, la légitimité ou l'illégitimité de la détention d'un pécule, la part du légal et celle de l'illégal dans les activités des esclaves à métier.

Mais le désordre s'ordonne et le flou disparaît lorsque, en fin d'article, tout ceci est reconsidéré sous l'angle du jeu des débits et des crédits du maître. Le maître se sert, un point c'est tout. Contreviendrait-il, en agissant de la sorte, aux dispositions de l'article 29 ? On devine sans mal l'usage qu'il pourra faire, sans même devoir se référer à l'article 28, de l'excellente échappatoire que lui propose l'article 29 lorsqu'il envisage – un comble, dans la situation de dépendance de l'esclave – « que les maîtres n'aient donné aucun ordre et ne les aient point préposés ». Inutile de vouloir y voir plus clair, en attendant que cette question, et beaucoup d'autres, reçoivent dans l'article suivant une réponse définitive. Notons néanmoins avant d'en venir aux chances de succès d'un esclave en litige avec son maître, fût-ce d'un esclave à métier : tout bon connaisseur du droit romain remarquera que cette espèce de possibilité pour l'esclave d'avoir un pécule n'est qu'« une sorte d'usufruit résultant d'une concession bénévole », « une jouissance essentiellement précaire et toujours révocable », le bon plaisir magistral restant la règle[1]. En définitive, le maître honore ou n'honore pas le pécule, juridiquement interdit ailleurs, toléré ici ; et il s'en sert, si bon lui semble, pour se payer : « En admettant que, dans tous les cas, le pécule pût être revendiqué par le maître, il lui aurait été facile de comprendre la plus grande partie des marchandises qui lui appartenaient en propre sous la dénomination factice de pécule de son esclave pour le soustraire, en cas de mauvaises affaires, aux réclamations des créanciers. »[2]

← articles 18, 20 et 28

1. Peytraud, p. 266.
2. *Ibid.*, p. 281.

Code Noir B, article 23. – Identique.

Article 30. – Ne pourront les esclaves être pourvus d'offices ni de commissions ayant quelques fonctions publiques, ni être constitués agents par autres que leurs maîtres pour gérer ni administrer aucun négoce, ni être arbitres, experts ou témoins tant en matière civile que criminelle. Et en cas qu'ils soient ouïs en témoignage, leurs dépositions ne serviront que de mémoires pour aider les juges à s'éclaircir ailleurs, sans que l'on en puisse tirer aucune présomption, ni conjecture, ni adminicule de preuve.

À remarquer la pure et simple contiguïté de l'incapacité à exercer n'importe quelle fonction publique et de l'incapacité à témoigner tant en matière civile que criminelle. L'affirmation de l'incapacité juridique résultant nécessairement de l'inexistence de l'esclave comme sujet – et par conséquent comme sujet de droit – impose cette juxtaposition.

Dans tous les cas, l'esclave est la propriété du maître : il est son instrument. Le maître détient la volonté de son esclave. Par conséquent, l'esclave ne saurait intervenir là où la responsabilité de l'action doit être forcément personnelle. Et c'est des différents modes de cette incapacité d'intervention qu'il est ici question. Un esclave ayant une fonction publique se trouverait avoir deux maîtres, sans compter qu'il devrait, préalablement, s'appartenir. Le Code Noir lui refuse cette souveraineté sur soi-même : qu'on se souvienne de la distinction dont se sert le roi, « nos sujets, leurs esclaves ». Le maître d'un esclave investi d'une fonction publique aurait-il une part quelconque aux conséquences des actions qui ne relèveraient pas de son ordre magistral ? Absurde.

L'incapacité de témoigner obéit à la même logique. Elle est conforme en tous points au droit romain (que reprendra en son temps le droit canonique dans son chapitre inquisitorial, en accablant de cette incapacité non l'esclave, mais l'hérétique et le suspect d'hérésie). Mais son application est absurde dans la situation spécifique des Antilles, où la population noire est au moins dix fois supérieure à la population blanche. Les hommes de loi remarquent aussitôt l'incongruence de cet article. Dès octobre 1686, on introduit par ordonnance une première correction : « à défaut de celui des Blancs » et « hormis contre les maîtres », le témoignage porté par des Noirs peut être entendu et constituer un élément de preuve. Ces corrections sont reprises, telles quelles, par le Code de 1724. Plus tard, en 1738, une autre ordonnance confirme les dispositions de l'article 24 du Code de la Louisiane et les rend applicables dans l'ensemble des colonies à esclaves. Le Code de 1724 apporte donc un adoucissement sur ce point à la sévérité du Code Noir première mouture... à condition d'isoler cet article de son contexte juridique immédiat. Car on voit mal de quelle façon cette possibilité nouvelle de témoigner – sauf à charge ou à décharge des maîtres – peut s'harmoniser avec le rejet de l'esclave de toute la sphère juridique signifiée par l'article suivant, à rédaction identique en 1685 et 1724 (art. 31). On en restera en réalité à ces incapacités et à ces interdictions jusqu'à l'abolition. Et on prendra bien garde de relever au passage que, dans ces articles, le glissement est fait de l'opposition maître-esclave à l'opposition Blanc-Noir : les esclaves témoignent « à défaut de Blancs ».

Mettons entre crochets l'abjection du maintien de pareilles mesures jusqu'au milieu du XIXe siècle, et revenons au droit romain, puisque les rédacteurs du Code Noir aiment à s'y tenir. La proportion des esclaves par rapport aux libres aura été à Rome, bon an mal an, d'un sur dix. Aux Antilles elle atteindra vingt esclaves sur un libre. Quelle similitude ? Et que tout cela soit rappelé en toute sérénité, sans même jeter un regard sur l'étendue et la profondeur des tragédies suggérées au lecteur le plus distrait par cette incapacité totale du Noir à atteindre le droit du Blanc.

← article 26
article 31 →

Code Noir B, article 24. – ... Ne pourront aussi être témoins, tant en matières civiles que criminelles, à moins qu'ils ne soient témoins nécessaires, et seulement à défaut de Blancs ; mais dans aucun cas ils ne pourront servir de témoins pour ou contre leurs maîtres.

Article 31. – Ne pourront aussi les esclaves être partie ni être en jugement ni en matière civile, tant en demandant qu'en défendant, ni être parties civiles en matière criminelle, sauf à leurs maîtres d'agir et de défendre en matière civile, et de poursuivre en matière criminelle la réparation des outrages et excès qui auront été commis contre leurs esclaves.

Le partage juridique est net : inexistant quant à la possibilité juridique d'invoquer la loi, l'esclave existe bel et bien lorsque la loi le désigne. Et seulement dans ces cas-là. Position d'un classicisme total.

Il est donc clair que l'esclave n'a pas d'accès au droit : le Code Noir n'en finit pas de le répéter. Encore faut-il que l'esclave, considéré uniquement comme l'instrument de son maître, comme sa propriété et son bien, ne soit pas l'objet d'excès ou d'outrages de la part d'un tiers. Des abus que le maître commet sur son propre esclave, sur son « animalité » à laquelle il n'a théoriquement pas le droit de porter atteinte, il en était question plus haut. À l'article 26 l'esclave semblait accéder au droit, l'article 30 lui en verrouillait l'entrée. L'article 31 vient compléter cette doctrine et ce blindage.

Paul est l'esclave de Pierre. André maltraite Paul. En procédant de la sorte, André porte atteinte à la jouissance de la propriété de Pierre. Pierre traîne André au tribunal. Le tribunal monnaie au bénéfice de Pierre et aux dépens d'André les outrages ou les excès dont Paul a été l'objet… mais dont Pierre a été la seule victime. On ne dédommage pas un objet, on dédommage une victime. Vieille histoire que celle des égards dus par chacun à l'esclave d'autrui, à cause d'autrui, non à cause de l'esclave. Platon en parle déjà en des termes identiques à ceux qu'on retrouve dans le Code Noir. À l'autre bout de l'histoire, Montesquieu s'inquiète de cette question d'outrages et de dommages dans ses « règlements à faire entre le maître et les esclaves » et, ayant rappelé le droit qu'a le maître de punir son esclave, voire de le tuer, il raconte : « À Lacédémone, les esclaves ne pouvaient avoir aucune justice contre les insultes ni contre les injures. L'excès de leur malheur était tel, qu'ils n'étaient pas seulement esclaves d'un citoyen, mais encore du public ; ils appartenaient à tous et à un seul. À Rome dans le tort fait à l'esclave, on ne considérait que l'intérêt du maître (ce fut encore le cas des lois des peuples, qui sortirent de la Germanie, comme on le peut voir dans leurs codes). On confondait, sous l'action de la loi aquilienne, la blessure faite à une bête et celle faite à un esclave ; on n'avait attention qu'à la diminution de leur prix. À Athènes on punissait sévèrement, quelquefois même de mort, celui qui avait maltraité l'esclave d'un autre. La loi d'Athènes, avec raison, ne voulait point ajouter la perte de la sûreté à celle de la liberté. »[1] À Athènes, à Rome, éventuellement dans les vieux codes germains… Il est dit en son lieu ce que l'on peut penser de l'inexistence du Code Noir parmi les références de Montesquieu. Mais à propos de cet article, qu'il faut apparenter à l'article 44 où l'esclave est défini « bien meuble », notons au moins la continuité diaphane du gommage de l'esclave noir dans la littérature philosophico-juridique de l'époque des Lumières. Et insistons lourdement. Si esclavage il y a, cette proposition s'articule très harmonieusement avec tout le reste. Reconnaître à l'esclave la possibilité de bénéficier, lui et pas son maître, des dédommagements pour la blessure, des excuses pour l'insulte, c'est l'ériger au rang de personne. C'est ruiner l'édifice juridique qui le désigne en le niant tout entier. *Personam non habent, caput non habent*, disait-on des esclaves en droit romain. Le Code Noir le redit.

←articles 26 et 30

1. *De l'Esprit des lois*, liv. 15, chap. 17.

Code Noir B, article 25. – Identique.

Article 32. – Pourront les esclaves être poursuivis criminellement sans qu'il soit besoin de rendre leur maître partie, sinon en cas de complicité ; et seront les dits esclaves jugés en première instance par les juges ordinaires et par appel au Conseil souverain sur la même instruction, avec les mêmes formalités que les personnes libres.

Aboutissement juridiquement et judiciairement normal des articles précédents : la rigueur pleine et entière de la loi pour celui que la loi ne considère que dans son animalité. À lire attentivement cet article, on constate qu'il reconduit jusqu'à la modernité, jusqu'en plein XIXe siècle le style des codes archaïques qui condamnaient le chien ou le bœuf ou l'âne – et leurs maîtres en cas de complicité – pour des méfaits dont des tierces personnes, ou leurs biens, avaient été les victimes. Ainsi l'esclave est élevé au rang de personne (comme l'étaient, dans ces codes, les animaux domestiques) et il est tenu de rendre compte des actes par lesquels il aurait porté préjudice à un tiers.

Mais qui est le tiers dans ces aberrations juridiques que le droit romain hérite d'ailleurs et que le Code Noir hérite du droit romain ? Le tiers est, forcément, l'homme libre. Un esclave portant préjudice à un autre esclave n'est pas poursuivi à ce titre, mais parce que, au travers de l'esclave ayant subi préjudice, c'est le préjudice du maître de cet esclave qu'on doit considérer et que l'on considère effectivement (art. 31). Il ne saurait y avoir, pour le dire en termes d'aujourd'hui, de querelle juridique, de contentieux, entre esclave et esclave, en vertu des articles 30 et 31. La loi n'intervient donc que lorsqu'il y a dommage au seul sujet juridique que le Code Noir reconnaisse : l'homme libre. Si le maître, individuellement considéré, n'intervient, c'est la société des hommes libres (il ne peut y en avoir d'autre, en droit, pourraient dire les rédacteurs du Code Noir) qui mesure le préjudice et poursuit les esclaves comme « les personnes libres » !

En réalité le maître intervient et, fort des complaisances de l'officialité et de la compréhension de ceux de sa classe, il remplace, au criminel comme au civil (nous le verrons en commentant les articles suivants, nous l'avons vu en illustrant les précédents), les « juges ordinaires » pour tout ce qui touche son habitation et ses esclaves. Sur ce point, le Code Noir veut assainir une situation que le légalisme français ne peut tolérer. Mais sa tentative est tellement bancale qu'on est en droit de se demander si Versailles se préoccupe vraiment d'améliorer le sort de l'esclave ou si elle songe à rien d'autre qu'à fonder dans le droit des pratiques dont la reconduction ne pouvait être entravée par sa souplesse. Le Code de 1724 ajoute à cet article une phrase très significative : « aux exceptions ci-après ». Il est clair que la rigueur des peines et la nature des délits dont s'occupent les articles 33 à 43 n'ont pas grand-chose à voir avec les peines et les délits qui sollicitent habituellement les juges ordinaires. Indiquer ce caractère d'exception équivaut à considérer le reste – tous les cas non réductibles aux articles 33-43 – comme relevant du droit ordinaire. Mais, compte tenu de la réglementation imposée par le Code Noir, le maître peut réduire pratiquement à son arbitrage et à son jugement tous les « délits » qui n'entrent pas dans la série de ceux qu'énumèrent les onze articles suivants. Dès lors la question se pose : que vaut cet article 32 ? Il vaut rappel aussi solennel qu'inefficace de l'existence d'une instance ordinaire pour des délits « ordinaires ». On n'affirme pas pour autant qu'il n'y ait pas eu de poursuites d'esclaves selon les formes prévues dans cet article : il s'agit uniquement de faire remarquer que tout ce qui n'est pas exceptionnel (art. 26 du Code B) n'ira à connaissance de la justice que dans la mesure où le maître en décidera, en contrevenant ou non à l'ensemble des articles précédents.

← article 31
articles 40-43 →

Code Noir B, article 26. – ... avec les mêmes formalités que les personnes libres, aux exceptions ci-après.

Article 33. – L'esclave qui aura frappé son maître, sa maîtresse ou le mari de sa maîtresse ou leurs enfants avec contusion ou effusion de sang, ou au visage, sera puni de mort.

Dérangeons une fois de plus le droit romain : tuer l'esclave pour si peu n'est que justice, puisque c'est écrit. Les historiens nous ont conservé le témoignage des crimes des maîtres. On en trouve trace dans les archives des tribunaux. Si les maîtres s'emportent et tuent effectivement leurs esclaves, n'est-il pas considérable que le Code Noir les empêche d'en arriver à pareille extrémité (cf. art. 43) ? C'est considérable. Et il est sublime que la justice se dérange et punisse de mort l'esclave qui ose lever la main contre son maître ou contre la femme ou les enfants de son maître. Qu'est-ce qu'il lui prend à l'esclave ? Pourquoi lève-t-il soudain la main contre lui ? L'article 26 du Code ne lui donne-t-il pas toute faculté de régler juridiquement les problèmes que ce forcené trouve malin de résoudre à coups de poing ? Que ne s'installe-t-il pas au frais, à l'ombre de sa case, rédige son mémoire sur du beau papier avec une belle plume bien taillée, et ne le dépose entre les mains du procureur général : la justice blanche l'entendra, enquêtera, lui donnera raison ; puis elle essuyera les larmes de l'esclave malmené par son maître, et tout rentrera dans l'ordre.

1799. D'après le calendrier des festivités républicaines et l'histoire du calvaire de Canaan, l'abolition de l'esclavage a été votée par les conventionnels depuis cinq ans. En dix minutes, précise Césaire. Le Code Noir a plus d'un siècle d'âge. Des anciens fonctionnaires des colonies racontent des événements survenus sous leur administration, là-bas aux îles. « Des habitants humains », révoltés de certains excès de barbarie de la part des maîtres, « leur rapportaient des faits épouvantables dont des Noirs étaient les victimes… Mais il était impossible d'ordonner des poursuites. Les dépositions uniformes de trois ou quatre cents esclaves ne suffisaient pas pour prouver le forfait. Cette disposition (art. 30 et 31) est excessivement dure. Il faut pourtant reconnaître qu'elle est nécessaire. Les esclaves sont toujours comme en état de guerre avec leurs maîtres ; et si leur témoignage eût été reçu contre ceux-ci, ils auraient pu les traduire à leur gré devant les tribunaux. »[1] *Testis unus, testis nullus* (un seul témoin, pas de témoin) se traduit désormais, par la grâce du Code Noir, quatre cents témoins, pas de témoin. Et l'équation est bonne : *Personam non habent, caput non habent.* Quatre cents qui multiplient zéro font toujours zéro. Inutile d'insister sur ce chapitre, qui mériterait à lui seul d'être illustré par tout un volume. Le Noir humilié et meurtri, affamé et méprisé, étampé et taillé, frappe : il a négligé la voie du droit, il mérite la mort, il mourra. Le salut de la colonie en dépend, la France commerçante l'exige. « Combien il est à craindre que les nègres ne confondent le droit de se plaindre avec l'insubordination qui deviendra bien difficile à réprimer s'ils se croient appuyés par les lois. »[2] Le corollaire constant de cette proposition constante ? Nous le trouverons dans les illustrations des articles suivants. « Les lois, même faites en notre faveur, portent l'empreinte d'une cruauté despotique », dit Le More Lack avant d'analyser avec toute son amertume l'inutilité de toute mesure juridique favorable à l'esclave dans un système où le Blanc peut se venger impunément de la protestation du Noir. Et il enchaîne : « Par une suite cruelle de notre situation, tous les crimes des Blancs envers nous, plongés dans un éternel oubli, restent (...) impunis. Mais lorsqu'un nègre a le malheur de menacer un Blanc, son corps est déchiré à coups de verges jusqu'à ce que le sang coule de toutes parts ; et si, par un accident involontaire, un esclave, en se défendant contre les violences de son maître, avait le malheur de le blesser, il serait brûlé vivant. »[3] Et, article 33, ce serait justice.

articles 34 et 58 →

1. Document anonyme dont l'un des rédacteurs (selon Gisler, *L'esclavage*, p. 104) serait Barbé de Marbois, ancien intendant de Saint-Domingue.
2. Mémoire du gouverneur et de l'intendant au ministre, AN, colonies F3 90, p. 258, daté 29 août 1788.
3. Le More Lack, déjà cité, p. 159.

Code Noir B, article 27. – Identique.

Article 34. – Et quant aux excès et voies de fait qui seront commis par les esclaves contre les personnes libres, voulons qu'ils soient sévèrement punis, même de mort s'il y échet.

L'affaire est juridiquement simple : au mieux, une punition sévère, au pire la mort. Moreau de Saint-Méry relève quantité d'exécutions ordonnées en punition des crimes évoqués aux articles 33 et 34. Du Conseil du Cap, le 7 mai 1720 : un esclave est condamné à la pendaison pour avoir frappé un Blanc avec effusion de sang. Du conseil de Port-au-Prince, le 5 novembre 1753 : un esclave est condamné à avoir le poing coupé et à être pendu pour avoir frappé un enfant de sa maîtresse. Un esclave lève le bâton sur une dame pour la frapper : il est condamné à « être rompu vif en place publique et à y demeurer tant qu'il plaira à Dieu lui conserver la vie, la face tournée vers le ciel » ; on envoie une vingtaine d'esclaves « assister à ladite exécution et en voir l'exemple ». C'est d'un arrêt du Conseil du Cap, daté 2 et 8 juillet 1726. Voilà donc, à titre d'exemple, comment on tue dans ces cas-là.

Mais il y a aussi la « sévérité » qui n'est pas la mort. Illustrons-la de quelques considérations édifiantes autour d'un exemple que nous savons indéfiniment reconductible. Pour avoir frappé un Blanc à coups de poing, un Noir est condamné au fouet, à la marque et au bannissement. Cela se passe en Cayenne, régie par le Code Noir. Le ministre de la Marine écrit au Conseil de Cayenne à ce propos : « Une pareille punition, qui serait très grave pour un homme blanc parce qu'elle le déshonorerait et l'exclurait de la société, est de nul effet à l'égard des esclaves… et plus propre par conséquent à provoquer l'audace des nègres qu'à les contenir dans cette subordination rigoureuse qui importe si essentiellement à la sûreté de la colonie. Les lois à la vérité n'ont pas spécifié les différents genres de poursuites qui seraient infligées aux esclaves qui lèveraient la main contre les Blancs (…) ; les juges (…) étant à portée de connaître par eux-mêmes combien la sévérité est nécessaire en pareil cas, il a paru convenable de s'en rapporter à leur prudence. » Suit l'article 34 du Code Noir, et le ministre enchaîne : « Le Conseil supérieur, trop peu sévère, ne s'est pas conformé à l'esprit de cet édit, et s'il s'est réglé sur la maxime qui veut que les juges prononcent les peines les plus douces pour les crimes sur lesquels la loi n'a rien décidé de positif, il aurait dû plutôt observer que cette maxime, très recommandable à l'égard des personnes libres, serait de la plus dangereuse conséquence à l'égard des esclaves... Le roi, à qui j'ai rendu compte de ces observations, m'a chargé de vous faire savoir que son intention est que vous usiez de la plus grande sévérité envers les esclaves qui auront commis des excès ou voies de fait contre les Blancs ; qu'en proportionnant les peines à la nature des crimes, elles soient cependant telles qu'elles puissent affecter vivement les coupables et faire des exemples capables d'intimider les esclaves ; la peine des galères est la moindre qu'on puisse infliger en pareil cas. »

← article 33
article 58 →

Code Noir B, article 28. – Identique.

Article 35. – Les vols qualifiés, même ceux des chevaux, cavales, mulets, bœufs et vaches qui auront été faits par les esclaves, ou par les affranchis, seront punis de peines afflictives, même de mort si le cas le requiert.

Relevons tout d'abord que les affranchis sont ici assimilés aux esclaves – il en est de même à l'article 39 – contrairement à ce que dit l'article 59.

Trois articles du Code concernent explicitement le vol, dont il est indirectement question dans quelques autres (art. 18-21). Les deux premiers (35 et 36) réglementent les peines à proportion de la gravité des actes. Le troisième (art. 37) concerne le dédommagement dû au maître volé par le maître de l'esclave voleur. Compte tenu des pratiques coloniales et du régime du bon plaisir magistral dont les tribunaux tiennent grand compte, il conviendrait d'étudier ensemble les articles 35 et 36. Les punitions des maîtres et les arrêts de justice mélangent allégrement les vols qualifiés et les autres, si on s'en tient au seul critère qui puisse compter en définitive : le choix pour la répression de la mesure dans la rigueur ou de la démesure dans la férocité.

Un règlement antérieur au Code Noir et émanant du Conseil de la Martinique (octobre 1677) détermine que les esclaves seront châtiés par leurs maîtres pour les vols d'une valeur égale ou inférieure à 100 livres de sucre, et il semble faire comprendre que tous les autres vols doivent être soumis au juge. Quelques repères : pour les vols de bœufs, chevaux, etc., le voleur avait la jambe coupée ; en cas de récidive, il était pendu[1].

Aux articles 26 et 43, le Code Noir interdit aux maîtres, sans équivoque, de faire justice eux-mêmes : il serait donc en progrès par rapport au texte évoqué à l'instant. On remarquera néanmoins que si ce texte prévoit la pendaison en cas de récidive, le Code Noir prévoit la peine de mort dès le premier vol d'importance. Sur ce point, comme sur les deux articles 35 et 36, le Code Noir « est conforme aux mémoires de Patoulet et de Blenac et Begon, avec cette seule différence que ceux-ci prescrivaient pour les moindres vols les verges et la fleur de lis au visage, et non d'une manière conditionnelle »[2].

1. Peytraud, p. 309.
2. *Ibid.*

Mais faut-il vraiment voler un cheval pour se faire pendre ? Voici l'abrégé d'une histoire que raconte un arrêt du Conseil d'État en date du 17 octobre 1720. Le capitaine de la frégate *La Notre-Dame-de-Lorette* achète à Macao « des nègres pour remplacer une partie de l'équipage qu'il avait perdu dans la route. Ayant quitté le Macao… et se trouvant aux environs du Cap de Bonne-Espérance, ses nègres qu'il avait achetés, forcèrent la dépense à vivres, enlevèrent et burent le peu de vin qui y restait ». Ce vin, plaidera le capitaine, « était conservé précieusement comme un remède salutaire aux maladies dont l'équipage était affligé ». Le capitaine, « usant du droit et de l'autorité que lui donnaient les ordonnances… condamna l'un de ces nègres à mort, et l'autre au fouet, à la cale et aux fers ». Le procureur du roi de l'amirauté de Saint-Malo, « par l'instigation de quelques ennemis du suppliant », rendit contre lui « un décret de prise de corps ». Décret cassé et annulé, car le jugement rendu par le capitaine « contre ce nègre était régulier et dans la forme et dans le fonds ; (…) dans le fonds, puisque l'article 35 du Code Noir prononce la peine de mort contre les nègres dans le cas de vol ». Il ne faut donc pas voler un cheval pour se faire pendre, quelques rasades de vin peuvent suffire. Pour l'esthétique, je ne résiste pas à la tentation de transcrire intégralement la chute de cet arrêt : « Quand même ce jugement n'aurait pas été régulier, il demeurerait dans toute sa force jusqu'à ce qu'il fût attaqué, et même détruit, par cassation ou par quelqu'une des autres voies de droit ; il n'a jamais été dit que parce qu'un juge aurait mal jugé, il fût permis de lui faire son procès avant d'anéantir son jugement. »[3] Et le pendu ? Tant pis pour lui.

articles 57 et 58 →

3. *Le Code Noir ou recueil des règlements*, p. 235-239.

Code Noir B, article 29. – Identique.

Article 36. – Les vols de moutons, chèvres, cochons, volailles, cannes de sucre, pois, mil, manioc ou autres légumes faits par les esclaves, seront punis selon la qualité du vol, par les juges, qui pourront s'il y échet les condamner à être battus de verges par l'exécuteur de la haute justice, et marqués d'une fleur de lis.

Comme il a été dit à propos de l'article précédent, la pratique a vite fait de gommer la distinction établie par le Code Noir entre les vols qualifiés et les autres. Les maîtres, évidemment, dérangent encore moins la justice pour les petits vols qu'ils ne la sollicitent pour les vols plus considérables. Le récit serait interminable des exploits accomplis par la « justice magistrale » à l'insu, sinon avec la silencieuse complicité de la justice royale, dont les dispensateurs là-bas au loin avaient eux-mêmes des esclaves et maniaient en leurs quartiers le fouet avec autant d'élégance que chacun. En fin de compte, que la justice royale intervienne ou pas, ils n'échapperont pas, les esclaves voleurs de mil ou de pois, à la flagellation appliquée pour la moindre peccadille, la moindre faute, le moindre chapardage. La flagellation. À ne pas confondre avec « les coups de fouet distribués par-ci par-là et qui ne font que cingler la peau »[1]. C'est de la taille qu'on parle en cas de vol, c'est-à-dire de cette flagellation féroce qui entaillait profondément la peau et les chairs. À l'origine du système colonial le nombre de coups qu'on donnait n'était pas limité. On le fixa plus tard à 29. En vain, puisqu'on lit dans l'ordonnance célèbre de 1786 qu'il « sera désormais interdit de donner plus de 50 coups ».

La flagellation est différemment nommée selon les diverses façons de la pratiquer. On donne un *quatre piquets* si l'esclave est attaché à quatre piquets par terre. On parle d'*échelle* s'il est lié à une échelle pour recevoir les coups. On le suspend par les quatre membres pour le mieux tailler, et c'est le *hamac*. On le suspend par les mains seulement, c'est la *brimballe*. Le fouet est remplacé parfois par la *rigoise*, sorte de cravache à nerf de bœuf, ou par des lianes souples et pliantes comme de la baleine. La flagellation terminée, lorsque tout le corps de l'esclave n'est qu'une plaie, on le frottait vigoureusement avec du jus de citron, du sel ou du

1. Peytraud, p. 291.

piment pour éviter l'inflammation des plaies ou l'apparition de la gangrène.

Ce n'est pas tout. On mettait aussi les Noirs au *carcan* en leur appliquant un bâillon frotté de piment. On allait jusqu'à les attacher au carcan par une oreille avec un clou ; puis on coupait l'oreille. La justice « magistrale » mettait aussi les esclaves aux *ceps*, qui leur ferraient les pieds et les mains. Volaient-ils de la canne à sucre, en mâchaient-ils dans les champs ou les magasins ? Ils étaient coiffés d'un *masque de fer blanc*, dont les orifices permettaient de voir et de respirer, mais pas de manger.

Revenons à la taille ou flagellation. 29 coups ? 50 coups ? La jolie querelle. Le P. Labat a parfois des tendresses envers les esclaves. Sauf quand il s'énerve. C'est lui-même qui raconte avoir fait donner une fois « environ trois cents coups de fouet » à un esclave, « qui l'écorchèrent depuis les épaules jusqu'aux genoux. Il criait comme un désespéré et nos nègres me demandaient grâce pour lui ». Puis le bon père le « fit mettre aux fers après l'avoir fait laver avec une pimentade, c'est-à-dire avec de la saumure dans laquelle on a écrasé du piment et des petits citrons. Cela cause une douleur horrible à ceux que le fouet a écorchés, mais c'est un remède assuré contre la gangrène qui ne manquerait pas de venir aux plaies ». Cela se passait à la veillée. Le jour venu, le saint homme fit reconduire l'esclave à son maître. Le maître « me remercie de la peine que je m'étais donnée » et fit encore fouetter son esclave « de la belle manière »[2].

article 42 →

2. Labat, *Nouveau voyage*, t. 1, p. 166-167.

Code Noir B, article 30. – Identique.

Article 37. – Seront tenus les maîtres en cas de vol ou d'autre dommage causé par leurs esclaves, outre la peine corporelle des esclaves, de réparer le tort en leur nom, s'ils n'aiment pas mieux abandonner l'esclave à celui auquel le tort a été fait ; ce qu'ils seront tenus d'opter dans les trois jours, à compter du jour de la condamnation, autrement ils en seront déchus.

Les articles 29-32 parlent des implications de la responsabilité des maîtres dans certaines activités des esclaves et règlent, dans cette circonstance, ce que l'esclave peut faire et ce qu'il ne peut pas faire. Le Code Noir y revient en cet article, en toute conformité avec l'esprit du droit romain d'une part, avec d'autre part l'intention claire et nette de forcer les maîtres à veiller de près sur leurs esclaves dont les écarts de conduite sur la propriété d'autrui leur reviendraient trop cher. « Outre la peine corporelle », il convient de chiffrer la valeur de ce qui a été volé ou endommagé, et de comparer à cette valeur celle de l'esclave lui-même, puisque le maître peut opter, à titre de dédommagement, pour l'abandon de l'esclave à celui à qui le tort a été causé. On marchande donc ; on marchande après l'application du châtiment corporel, si elle a été faite par la justice, et sans se demander si la victime du châtiment a eu droit, avant d'aller devant le juge, aux morsures de quelque fouet magistral. Mais, en cas de dédommagement par abandon de l'esclave fautif à la partie lésée, sa valeur chute par rapport à la valeur symbolique de la « pièce d'Inde » s'il a préalablement été condamné… à l'amputation d'une jambe.

La solidarité joue généralement entre les maîtres blancs en ce domaine, quelles que soient par ailleurs leurs querelles de tous les jours. Les maîtres ont tout intérêt à se débrouiller entre eux, de sorte que la justice officielle n'est généralement sollicitée que lorsqu'il y a eu exécution, auquel cas le maître doit faire face à une perte sèche, irréparable. C'est pour parer à cette fâcheuse conséquence de l'application de la justice que le Code Noir prévoit aux articles 40 et 41 des mesures propres à apaiser les inquiétudes des colons et à les encourager à seconder les efforts de la police.

Pour avoir une idée de ce que pouvait représenter pour un maître blanc l'abandon d'un esclave à titre de dédommagement, voici un tableau de la valeur de la « pièce d'Inde » à Saint-Domingue entre 1750 et 1785 :

Année	*Prix (en livres)*	*Année*	*Prix (en livres)*
1750	1 160	1770	1 560
1751	1 205	1771	1 820
1752	1 250	1772	1 860
1753	1 365	1773	1 740
1754	1 300	1774	1 760
1755	1 400	1775	1 720
1764	1 180	1776	1 825
1765	1 240	1777	1 740
1766	1 385	1778	1 900
1767	1 440	1783	2 000
1768	1 480	1784	1 900
1769	1 600	1785	2 200

La « pièce d'Inde » est l'esclave jeune, mâle, en pleine force, sans défaut apparent, dont on estime l'âge entre 20 et 25 ans. C'est celui dont le maître attend le meilleur rendement. Peytraud affine les calculs des prix, ajuste au plus serré les moyennes et conclut, avant de rappeler qu'en 1848, à l'heure de l'abolition et du dédommagement des maîtres, les esclaves furent estimés officiellement « à 1 200 francs pièce » : évoluant à partir de 1 443 livres l'esclave ordinaire et de 1 630 la pièce d'Inde, on doit pouvoir fixer « à environ 1 500 livres la valeur qu'avaient atteinte communément les esclaves vers la fin de l'Ancien Régime »[1].

← article 17
article 42 →

1. Peytraud, p. 126 et suiv.

Code Noir B, article 31. – Identique.

Article 38. – L'esclave fugitif qui aura été en fuite pendant un mois à compter du jour que son maître l'aura dénoncé en justice, aura les oreilles coupées et sera marqué d'une fleur de lis sur une épaule ; et s'il récidive une autre fois à compter pareillement du jour de la dénonciation, aura le jarret coupé et il sera marqué d'une fleur de lis sur l'autre épaule ; et la troisième fois il sera puni de mort.

Le marronnage. La hantise du système colonial. Les Noirs, qu'on dit aussi brutes que les brutes et plus idiots que les pierres, n'aiment pas l'esclavage. Ils n'aiment pas leurs maîtres. Ils détestent le fouet. Ils haïssent l'étampage. Ils s'enfuient. Mais ils se regroupent loin des habitations, loin des plantations : ils deviennent « marrons ». Laissons au bon P. Margat le soin de nous rappeler qui sont-ils ceux qui risquent ainsi mutilations, amputations et pendaison pour fuir les tendresses des Blancs, qui ils sont et ce qu'ils font. Et nous comprendrons qu'ils aient mérité par leur épouvantable méfait – le choix de la liberté par l'évasion, avec des récidives – les peines que le Code Noir leur a réservées, en prélude, vraisemblablement, au feu de l'enfer qui les attend après pendaison. « Le terme de marron… vient de l'espagnol *simarron*[1], qui veut dire singe. On sait que ces animaux se retirent dans les bois et qu'ils n'en sortent que pour venir furtivement se jeter sur les fruits qui se trouvent dans les lieux voisins de leur retraite, et dont ils font un grand dégât. C'est le nom que les Espagnols donnèrent aux esclaves fugitifs, et ce nom a passé depuis dans les colonies françaises. En effet, lorsque les nègres sont mécontents de leurs maîtres, ou qu'après avoir fait un mauvais coup ils appréhendent le châtiment, ils fuient dans les bois et les montagnes ; ils s'y cachent pendant le jour, et la nuit se répandent dans les habitations voisines, pour y faire leurs provisions et enlever tout ce qui tombe sous leurs mains. Quelquefois même, lorsqu'ils ont su se procurer des armes, ils s'attroupent pendant le jour, se mettent en embuscade, et viennent fondre sur les passants ; en sorte qu'on est souvent obligé d'envoyer des détachements considérables pour arrêter leurs brigandages et les ranger au devoir. »[2] Un autre moine raconte

1. Plus exactement : *cimarrón*.
2. Lettre du P. Margat, datée 2 février 1729.

en quels termes il s'adresse à un groupe de marrons : « Souvenez-vous, mes chers enfants, leur disais-je, que, quoi que vous soyez esclaves, vous êtes cependant chrétiens comme vos maîtres ; que vous faites profession depuis votre baptême de la même religion qu'eux, laquelle vous apprend que ceux qui ne vivent pas chrétiennement tombent après la mort dans les enfers. Quel malheur pour vous si, après avoir été les esclaves des hommes en ce monde et dans le temps, vous deveniez les esclaves du démon pendant toute l'éternité ! Ce malheur pourtant vous arrivera infailliblement si vous ne vous rangez pas à votre devoir, puisque vous êtes dans un état habituel de damnation : car, sans parler du tort que vous faites à vos maîtres en les privant de votre travail, vous n'entendez point la messe les jours saints ; vous n'approchez pas des sacrements ; vous vivez dans le concubinage, n'étant pas mariés devant vos légitimes pasteurs. Venez donc à moi, mes chers amis… »[3] Ces marrons sont-ils allés vers le P. Fauque, qui les exhorte si joliment ?

La question n'est pas là, mais dans la cécité du Code Noir et des « baveurs » (c'est ainsi qu'Aimé Césaire[4] nomme les missionnaires), et dans la façon dont le langage pastoral articule le marronnage et son extrême gravité juridique à sa propre économie de salut et de damnation.

Réconfortant d'apprendre, pour finir, qu'en vertu de l'édit de 1724 on ne dérange plus le Conseil supérieur pour des corrections aussi banales que le fouet, le ferrage et l'amputation des oreilles.

← article 17

3. Lettre du P. Fauque, Cayenne 10 mai 1751.
4. *Discours sur le colonialisme.*

Code Noir B, article 22. – Identique.

Code Noir B, article 23. – Voulons que les esclaves qui auront encouru les peines du fouet, de la fleur de lis et des oreilles coupées soient jugés en dernier ressort par les juges ordinaires et exécutés sans qu'il soit nécessaire que tels jugements soient confirmés par le Conseil supérieur, nonobstant le contenu en l'article 26 des présentes *(cf. art. 32 du Code Noir de 1685)*, qui n'aura lieu que pour les jugements portant condamnation de mort ou de jarret coupé.

Article 39. – Les affranchis qui auront donné retraite dans leurs maisons aux esclaves fugitifs seront condamnés par corps envers leurs maîtres en l'amende de trois cents livres de sucre par chacun jour de rétention ; et les autres personnes libres qui leur auront donné pareille retraite, en dix livres tournois d'amende pour chaque jour de rétention.

On apprendra à l'article 59 que les affranchis jouissent des mêmes droits privilèges et immunités dont jouissent les personnes nées libres. Il conviendra de se souvenir en le lisant qu'il n'en est rien lorsqu'ils se mêlent de faciliter la fuite d'un marron ou de le cacher : l'article 39 n'admet pas à ce propos d'autre lecture, et le Code Noir B prévoit même, en punition de ce délit, le retour à l'esclavage. Le Code Noir vise juste, admettons-le. L'esclave en fuite trouvera protection et complicité surtout (sinon exclusivement) chez ses frères de couleur pour lesquels l'esclavage a été bien autre chose qu'un pur et simple concept juridique ou qu'une composante pittoresque de la vie aux îles. On sait qu'il y aura des conflits entre esclaves, et entre affranchis et esclaves ; on sait aussi par de très nombreux témoignages que, tout finissant toujours par se monnayer, même le bon plaisir magistral, les affranchis peinent tant qu'ils peuvent pour acheter la liberté de ceux des leurs – parents, enfants, conjoints, proches – qui croupissent sous les fers. Jusqu'au point que, à la fin du XVIIIe siècle, on dira à leur propos qu'ils n'avaient pas longtemps de proches en esclavage parce qu'ils n'avaient de cesse que de tous les racheter. Le même phénomène de solidarité, de complicité joue entre marrons et affranchis. D'après les rédacteurs du Code Noir et des mémoires qui enrichiront, compléteront, amenderont les renseignements qu'il donne, il y a lieu d'établir une relation directe entre le marronnage d'une part, et d'autre part les pratiques subversives des Noirs : empoisonnements, coups de main et d'une façon générale toutes les formes de vol et de brigandage.

L'amende n'est pas légère. En Louisiane elle tourne au tragique pour le Noir affranchi ou libre : rechute dans l'esclavage, liberté pleine et entière aux sujets de Sa Majesté d'organiser la chasse aux marrons comme ils l'entendent.

La pratique du marronnage se retrouve dans toutes les colonies peuplées d'esclaves noirs, quelles qu'en aient été les nations propriétaires[1]. C'est « en marronnant » que les Noirs ébranleront de la façon la plus efficace les bases de la société coloniale, qu'ils accéderont à la conscience de leur capacité d'opposition systématique et de révolte. Les Blancs le savent. Des bandes de marrons fondent soudain sur les plantations qu'ils dévastent, sur les habitations dont ils massacrent les Blancs avant de s'enfuir dans la nuit. Incursions éclair, qui déclenchent à leur tour des chasses impitoyables. Des bandes sont décimées ou anéanties. D'autres se forment aussitôt. Les marrons qui ne tombent au combat n'échappent pas à la peine capitale, précédée de mutilations. On ampute et ferre, on mutile et exécute selon une mise en scène machinée pour la parfaite exemplarité des peines de la justice blanche.

← article 38
articles 57 et 59 →

1. S. Zavala, *El mundo*, t. 1, p. 176.

Code Noir B, article 34. – Les affranchis ou nègres libres qui auront donné retraite dans leurs maisons aux esclaves fugitifs, seront condamnés par corps envers le maître en une amende de trente livres par chacun jour de rétention ; et les autres personnes libres qui leur auront donné pareille retraite, en dix livres aussi pour chacun jour de rétention. Et faute par les dits nègres affranchis ou libres de pouvoir payer l'amende, ils seront réduits à la condition d'esclaves et vendus ; et si le prix de la vente passe l'amende, le surplus sera délivré à l'hôpital.

Code Noir B, article 35. – Permettons à nos sujets du dit pays, qui auront des esclaves fugitifs en quelque lieu que ce soit, d'en faire faire la recherche par telles personnes et à telles conditions qu'ils jugeront à propos, ou de la faire eux-mêmes, ainsi que bon leur semblera.

Article 40. – L'esclave puni de mort sur la dénonciation de son maître, non complice du crime par lequel il aura été condamné, sera estimé avant l'exécution par deux principaux habitants de l'Île qui seront nommés d'office par le juge ; et le prix de l'estimation sera payé au maître ; et pour à quoi satisfaire, il sera imposé par l'intendant sur chacune tête des nègres payant droits la somme portée par l'estimation, laquelle sera régalée sur chacun des dits nègres, et levée par le fermier du Domaine royal d'Occident pour éviter à frais.

Les condamnations à mort étaient fréquentes. D'après les données relevées par Moreau de Saint-Méry, pour la seule année 1690 et pour les seuls quartiers de Rochelois, de Nippes, du Petit-Goave et du Grand-Goave à Saint-Domingue, il y aurait eu 1 136 Noirs suppliciés. Une véritable hémorragie dans les finances des colons.

L'article 40 n'innove pas sur la coutume. Avant la publication du Code Noir la justice remboursait déjà au maître la valeur de l'esclave supplicié. Et si le Code Noir ajoute que, pour qu'il y ait remboursement, le maître doit avoir dénoncé lui-même le criminel, les archives montrent qu'en réalité on se passera de cette condition. On aura une « caisse des nègres justiciés » : ce sera une sorte de société d'assurance mutuelle imposée aux maîtres contre les risques communs à courir. « Chacun paye un droit établi au prorata de ses esclaves d'après la somme jugée nécessaire chaque année. »[1]

Dès 1665 on dispose de textes sur les remboursements des Noirs justiciés. Il en est question dans un arrêt du Conseil de la Martinique, que Moreau de Saint-Méry analyse en ces termes : « Il est juste que la sûreté que la mort d'un coupable procure à toute la société ne coûte pas un sacrifice trop cher à un seul individu. » Peytraud signale aussi que « ce même principe est appliqué peu de temps après à propos d'un accident et non d'un crime : deux nègres ayant été tués aux travaux publics de Fort-Royal, le Conseil décide que le prix en sera payé à leurs maîtres ». La pratique du remboursement ira s'étendant : « Le roi même stipule dans une autre occasion, que le nègre choisi comme bourreau doit être

1. Peytraud, p. 337-340 pour l'ensemble des données à propos de cet article.

payé par la caisse des justiciés. » On remboursera aussi à leurs propriétaires les Noirs tués ou estropiés en défendant les colonies. En 1775, un arrêt du Conseil de la Guadeloupe dresse la liste des catégories de Noirs remboursables. On y considère comme tels des esclaves exécutés pour crimes, ceux qui sont décédés en prison où ils avaient échoué en tant que prévenus d'un crime capital ; ceux qui étaient condamnés à la chaîne (travaux publics venant souvent en remplacement de la peine des galères) par suite d'un autre délit que le troisième marronnage ; ceux qui, déjà condamnés par contumace, auraient été tués ; ceux dont la tête avait été mise à prix ; ceux qui avaient succombé dans les corvées.

Les difficultés surgissaient lorsqu'il fallait chiffrer le montant du remboursement. Les arrangements « extrajudiciaires », commodes et fréquents à la suite de vols, n'étaient plus de mise dans les affaires aboutissant à l'exécution légale d'un esclave. Selon une décision du Conseil du Cap, datée 1708, on pratiquait au début une sorte de troc : « Les esclaves étaient remboursés au prix coûtant, savoir pièce d'Inde pour pièce d'Inde et défectueux pour défectueux, si mieux on aime en prendre la valeur en argent. » On s'orientera bientôt vers un barème de consultation et d'application plus commode, dont voici quelques éléments :

« Les esclaves sont évalués en moyenne à 500 livres en 1711 ; à 1 600 livres pour les nègres et 1 000 pour les négresses en 1756 ; en 1759, à 2 000 livres pour ceux qui sont tués à l'ennemi, et au besoin davantage, s'ils sont estimés plus comme "nègres à talents". » Les prix gonflent, la caisse des nègres justiciés ne peut plus faire face. Les estimations étaient arrivées, d'après Dessalles, jusqu'à 3 et 4 000 livres.

L'exécution n'était plus une perte pour le maître, mais une excellente affaire.

articles 41-43 →

Code Noir B, article 36. – Identique.

Article 41. – Défendons aux juges, à nos procureurs et aux greffiers de prendre aucune taxe dans les procès criminels contre les esclaves, à peine de concussion.

La justice est chère. Les maîtres n'ont que trop tendance à la dispenser à leur guise. Tout comme l'article 40 nous renseigne sur la façon dont le Code Noir dédommage les propriétaires des justiciés, l'article 41 nous rassure sur leur compte. Individuellement, le maître n'a pas à bourse délier en cas de poursuite contre son esclave. La justice pourvoit à ses propres frais [1].

La prison, elle aussi, est très chère. Ruineux, parfois, les déplacements qu'impose le tribunal, comme lorsqu'il faut amener à la Martinique des prévenus de la Grenade : il n'y a pas de Conseil supérieur dans chaque île.

Mais revenons au prix de l'emprisonnement et donnons-nous quelques repères. Septembre 1740. Un esclave emprisonné coûte 12 sols par jour. Du paiement de cette somme dépend qu'il ait sa ration quotidienne d'une cassave d'une livre et demie et d'eau de bonne qualité en quantité suffisante. D'après le même règlement de la même année, un esclave emprisonné par dettes (!) vaut 30 sols pour l'entrée en prison, 30 sols pour la sortie, et 22 livres 10 sols pour la nourriture d'un mois ; l'esclave débiteur aura, en plus de la cassave et de l'eau, une bonne quantité de fressure ou flancs de bête, et l'équivalent en poisson et légumes les jours maigres. L'écrou, pour un esclave, se paye trois livres.

Mais le pauvre maître ne sera pas dédommagé de la perte en quantité de travail non réalisé pendant l'emprisonnement de l'esclave, ni de l'incapacité dans laquelle, libéré, il se trouvera pendant plus ou moins de temps à reprendre le travail, ni de la « dépréciation » de la « marchandise » selon ce qu'auront été les conditions réelles de l'emprisonnement. Voilà des considérations bien humanitaires que les maîtres ne manquent pas de se faire et qui les poussent – comme bien d'autres, évoquées chemin faisant tout le long du Code Noir – à persévérer dans leur tendance bien affirmée et, en définitive, nullement risquée, à se faire justice eux-mêmes.

1. Peytraud, p. 305-325.

Restons dans le macabre. Lorsque la justice, malgré tout, intervient, le mieux que le maître puisse souhaiter au plan du dédommagement, voire des bénéfices, est la mise à mort de l'esclave (cf. art. 40).

Et finissons cette partie, plus odieuse encore que les autres s'il se peut, sur les fastes de la justice royale, avec le sinistre tarifaire des peines que devait appliquer le bourreau et qui constituait la base de son casuel. Il était dû à l'exécuteur :

Pour pendre	30	livres
Pour rouer vif	60	–
Pour brûler vif	60	–
Pour pendre et brûler	35	–
Pour couper le poignet	2	–
Pour traîner et pendre un cadavre	35	–
Pour donner la question ordinaire et extraordinaire	15	–
Pour donner la question ordinaire seulement	7	– 10 sols
Pour amende honorable	10	–
Pour couper le jarret et flétrir	15	–
Pour fouetter	5	–
Pour mettre au carcan	3	–
Pour effigier	10	–
Pour couper la langue	6	–
Pour percer la langue	5	–
Pour couper les oreilles	5	–

Code Noir B, article 37. – Identique.

Article 42. – Pourront seulement les maîtres, lorsqu'ils croiront que leurs esclaves l'auront mérité, les faire enchaîner et les faire battre de verges ou de cordes ; leur défendons de leur donner la torture, ni de leur faire aucune mutilation de membre, à peine de confiscation des esclaves et d'être procédé contre les maîtres extraordinairement.

« Lorsqu'ils croiront que leurs esclaves l'auront mérité » : on ne saurait être plus clair. D'après « les maîtres » (formule de 1685) et d'après « nos sujets... de quelque qualité et condition qu'ils soient » (formule de 1724), les esclaves méritent souvent des corrections. Elles étaient féroces avant la promulgation du Code Noir. Elles le demeureront sous le Code Noir. Sur ce chapitre, si les officiels prêchent souvent, mais pas toujours, la modération, les maîtres ont tendance à faire du zèle. L'officialité veut à tout prix maintenir l'esclave noir dans sa position de totale infériorité par rapport au maître blanc, mais s'offre parfois des scrupules sur les moyens. Les colons savent que, pour maintenir béant le fossé entre eux et les esclaves, pour survivre, ils doivent tailler et tailler encore, brimer et meurtrir, torturer et tuer. Et ils s'en donnent à cœur joie. Depuis toujours, et jusqu'à la veille de l'abolition, et sans trop de risques, malgré les trémolos de l'article 42. À preuve, en échantillon, ce tableau extrait de l'*Exposé général des résultats du patronage des esclaves dans les Colonies françaises* (Paris, 1843) relevant des poursuites exercées contre des maîtres entre 1840 et 1843, pour avoir exercé des châtiments excessifs :

« Meurtre sur deux esclaves : acquittement. Tortures ayant occasionné la mort d'un esclave : acquittement. Séquestration prolongée d'une esclave, châtiments excessifs et torture : acquittement. Complicité d'un maître dans l'assassinat commis par un de ses esclaves sur un autre esclave : acquittement. Traitements inhumains non suivis d'incapacité de travail de plus de vingt jours : un an de prison. Séquestration prolongée d'une esclave : 2 000 F d'amende. Châtiments excessifs sur deux esclaves : acquittement. Châtiments inhumains sur plusieurs esclaves : acquittement. Violences exercées sur une esclave : 200 F d'amende. Blessures ayant occasionné la mort de plusieurs esclaves : un mois de prison. »

L'ordonnance royale du 15 octobre 1786 disait pourtant que seraient notés d'infamie les maîtres qui auraient fait mutiler leurs esclaves, et punis de mort ceux qui, de leur autorité, les auraient fait périr. Voici l'exemple, banal, du sieur Lejeune et des façons dont il tient compte, en 1788, des volontés royales. Il traite depuis toujours ses esclaves avec cruauté, chacun le sait. Chacun sait que son habitation est, depuis des années, « le théâtre de la barbarie des maîtres et des vengeances des esclaves ». En mars 1788, des esclaves meurent. Ils ont été empoisonnés, pense Lejeune. Il s'en prend aux survivants et, avec l'aide d'un « chirurgien » nommé Magre, il en fait périr quatre en leur brûlant avec des flambeaux de pin résineux les pieds, les jambes, les cuisses. Sous les tourments, ils avouent n'importe quoi. Il se saisit de deux femmes noires, il commence à les torturer. L'atelier, affolé, prend la fuite et dénonce. Lejeune ne sera pas inquiété[1].

À quoi bon poursuivre ? On n'en finirait pas. Mais faut-il conclure ? Oui. Pour relever que les recherches menées dans les fonds archivistiques par Peytraud, Gisler, Devèze, Debbach, Debien et tant d'autres montrent à l'évidence qu'il n'y a de « confiscation d'esclaves » ni de procédure extraordinaire contre les maîtres que de façon scandaleusement ponctuelle et historiquement (sériellement, si on préfère) négligeable. Mais, au fond, ce laisser-aller de la justice n'est pas illégal du tout : l'article 43 le légitime sans l'ombre d'un doute.

1. AN, colonies F3 90.

Code Noir B, article 38. – Défendons aussi à tous nos sujets desdits pays, de quelque qualité et condition qu'ils soient, de donner ou faire donner de leur autorité privée la question ou torture à leurs esclaves sous quelque prétexte que ce soit, ni de leur faire ou faire faire aucune mutilation de membre, à peine de confiscation des esclaves, et d'être procédé contre eux extraordinairement. Leur permettons seulement, lorsqu'ils croiront que les esclaves l'auront mérité, de les faire enchaîner et battre de verges ou de cordes.

Article 43. – Enjoignons à nos officiers de poursuivre criminellement les maîtres ou les commandeurs qui auront tué un esclave sous leur puissance ou sous leur direction, et de punir le meurtre selon l'atrocité des circonstances ; et en cas qu'il y ait lieu de l'absolution, permettons à nos officiers de renvoyer tant les maîtres que les commandeurs absous, sans qu'ils aient besoin d'obtenir de nous des lettres de grâce.

Voilà enfin les esclaves à l'abri de l'arbitraire magistral ! Si le maître tue un esclave (ou s'il lui mutile les membres, ajoute le Code de 1724), il sera sévèrement puni. Sauf s'il y a lieu de l'absoudre. Il sera pratiquement toujours absous. Quelques exemples. En 1697, au Petit-Goave, le sieur Belin a châtié avec tant de rigueur un de ces esclaves qu'il en est mort : il est prié de traiter à l'avenir ses esclaves plus humainement et condamné à une amende de 30 livres tournois. La même année, une maîtresse a battu à mort une esclave : elle est condamnée à 10 livres d'amende. En 1707, Gratien Barrault, pour avoir tué plusieurs de ses esclaves en les châtiant, est condamné à vendre sous quinzaine du jour du jugement ceux qui lui restent, et il lui est interdit d'en acheter d'autres. Barrault vend ses esclaves. Il rentre en France. Il en repart deux ans après. En 1709 il est aux Antilles, rachète des esclaves qu'il continue à malmener jusqu'à la mort.

L'imagination des maîtres interdits de torture et de mutilation est féconde lorsqu'il s'agit de châtier. D'une lettre de Phelypeaux au ministre : « Lorsqu'un habitant a perdu par mortalité des bestiaux ou souffert d'autres dommages, il attribue tout à ses nègres. Pour leur faire avouer qu'ils sont empoisonneurs et sorciers, quelques habitants donnent privément chez eux la question réitérée jusqu'à quatre ou cinq jours, mais question si cruelle que Phalaris, Busiris et les plus déterminés tyrans ne l'ont imaginée… Le patient tout nu est attaché à un pieu proche à une fourmilière, et, l'ayant un peu frotté de sucre, on lui verse à cuillerées réitérées des fourmis depuis le crâne jusqu'à la plante des pieds, les faisant soigneusement entrer dans tous les trous du corps… D'autres sont liés nus à des pieux aux endroits où il y a des maringouins, qui est un insecte fort piquant, et ceci est un tourment au-dessus de tout ce que l'on peut sentir (...) À d'autres on fait chauffer rouges des lattes de fer et on les applique bien attachées sur la plante des pieds, aux chevilles et au-dessus du cou-de-pied tournant que ces bourreaux rafraîchissent d'heure en heure. Il y a actuellement des nègres et négresses, qui, six mois après ce supplice, ne peuvent mettre pied à terre (...) J'ignore quel remède on peut y apporter, n'ayant ni autorité ni force pour cela. Le mal est très étendu, et plusieurs de nos habitants les plus méchants, les plus cruels qui soient sur terre. »[1]

À l'autre bout du siècle, l'ordonnance royale de 1786 porte témoignage que les maîtres n'ont cessé de tourmenter, torturer, tuer. Article 7 du titre II : « Sa Majesté a fait et fait très expresses inhibitions et défenses, sous les peines qui seront déclarées ci-après, à tous propriétaires, procureurs et économes gérants de traiter inhumainement leurs esclaves, en leur faisant donner plus de cinquante coups de fouet, en les frappant à coups de bâton, en les mutilant, ou enfin en les faisant périr de différents genres de mort. » Certes, il est enjoint aux esclaves dans le même texte « de porter respect et obéissance entière, dans tous les cas » à leurs maîtres. Avec quels résultats, tout cela ? L'affaire de Lejeune (art. 42) est de deux ans plus tard : le Conseil condamne Lejeune à présenter ses autres esclaves quand on le lui demandera : c'est tout. Enfin, nous avons vu à propos de l'article 42 quel tableau macabre on peut dresser de la situation des esclaves et des tendresses de la justice envers les maîtres, cinq ans seulement avant la date de l'abolition de l'esclavage.

1. Archives col., Colonies en général, XIII, F 90, 24 mai 1712 (Peytraud, p. 325-326).

Code Noir B, article 39. – ... les maîtres ou les commandeurs qui auront tué leurs esclaves ou leur auront mutilé les membres étant sous leur puissance... *(le reste et ce qui précède : inchangé).*

Article 44. – Déclarons les esclaves être meubles, et comme tels entrer en la communauté, n'avoir point de suite par hypothèque, se partager également entre les cohéritiers sans préciput ni droit d'aînesse, ni être sujets au douaire coutumier, au retrait féodal et lignager, aux droits féodaux et seigneuriaux, aux formalités des décrets, ni aux retranchements des quatre quints, en cas de disposition à cause de mort ou testamentaire.

Du cynisme dans cet article ? Pas plus que dans les précédents, pas moins que dans les suivants, ni plus ni moins que dans la totalité de ce code. Que l'esclave noir soit une chose, nous le savons. Qu'il s'élève au rang de personne seulement dans une économie de salut, nous le savons. Le Code Noir, magnanime, l'assimile aux brutes des systèmes juridiques les plus archaïques lorsqu'il fixe sa situation face aux pratiques carcérales ou pénales ; nous le savons aussi. Pas moins de onze articles, à partir du quarante-quatrième, pour réglementer la circulation de ces biens entre débiteurs et créanciers, acheteurs et vendeurs, testataires et héritiers. C'est qu'il est indispensable de faire entrer l'esclave dans les dispositions juridiques prévues pour lui dans le droit romain et, tant qu'on y est, dans l'Écriture sainte, mais non prévues – ni directement prévisibles – dans les *Usages de Paris* qui ignorent l'esclavage, bien qu'ils servent de référence constante aux lois (blanches) observées aux Antilles et autres territoires français du lointain.

Avant la publication du Code Noir, les esclaves étaient déjà considérés à tous effets transactionnels, testamentaires et fiscaux comme des biens meubles. Toutefois, les témoignages les plus anciens en font des biens immeubles. Un arrêt de 1655 annule la vente séparée de deux esclaves noires d'une maîtresse décédée. « Contraire aux usages », dit l'arrêt, qui fait observer que la vente séparée des deux esclaves serait contraire aux intérêts de la plantation sur laquelle elles servaient : elles ne peuvent donc être vendues que conjointement avec l'habitation. Mais dès 1658, on lit dans un règlement entre un propriétaire et des habitants, qu'il « sera permis aux dits habitants, après leurs dettes payées, d'enlever leurs nègres et autres meubles ». « Meubles » encore dans un règlement de 1664. « Meubles » toujours dans une ordonnance de 1671, qui autorise à saisir les esclaves pour dettes ainsi que les bestiaux. En 1684, le Conseil d'État décide : « Les nègres et les bestiaux sont réputés meubles, quoique insaisissables. »

Meubles ou immeubles ? En clair : formant partie intégrante des biens de la plantation, de l'habitation, ou pouvant être transmis séparément ? Peytraud[1], citant Loysel, donne la bonne lecture de cette « mobilité » et de cette « immobilité », qui semblent tellement fluctuantes et qui le sont si peu à l'analyse : « Les serfs, à proprement parler, ne sont pas meubles, mais choses mouvantes ; comme les chevaux, les moutons et les autres animaux sont compris sous ce mot *meubles* et que, par la coutume de Paris, tout ce qui n'est pas immeuble est meuble, il n'y a que deux sortes de biens, meubles et immeubles. Cette distinction est empruntée du droit romain. *Ut igitur apparet,* [*lex*] *servis nostris exaequat quadrupedes, quae pecudum numero sunt et gregatim habentur.* Ou encore : *Moventium item mobilium appellatione idem significamus.* Dans l'Exode, l'esclave est assimilé à l'argent du maître ; si celui-ci le frappe et qu'il le tue, il sera accusé de crime ; mais si l'esclave survit un jour, il n'encourra pas de peine, *quia pecunia illius est.* » Les réflexions de Loysel et celles de Peytraud convergent forcément. La mobilité de l'esclave aux effets testamentaires doit être comparée à celle des bestiaux dans la ferme, celle des poissons dans l'étang. Toute la casuistique concernant cette « immobile mobilité », qui préexiste au Code Noir et que le Code Noir tente de réglementer, renvoie bêtement aux deux formules du droit romain : « quadrupèdes », *gregatim habentur.* Voilà donc quelle lecture juridique de la nature de l'esclave, valable jusqu'en 1848, supporteront, sans la nommer, tant d'esprits forts de la France des Lumières et tant d'incorruptibles pourfendeurs du « préjugé ».

1. Peytraud, p. 247 et suiv.

Code Noir B, article 40. – Identique.

Article 45. – N'entendons toutefois priver nos sujets de la faculté de les stipuler propres à leurs personnes et aux leurs de leur côté et ligne, ainsi qu'il se pratique pour les sommes de deniers et autres choses mobiliaires.

Il s'agit ici d'une simple application partielle de la loi générale établie à l'article précédent. Les articles 44-46 (l'art. 47 soulève des problèmes d'une nature particulière) constituent un ensemble auquel s'oppose diamétralement l'article 48 qui considère, dans certaines circonstances, les esclaves comme des biens immeubles. La « nature » du bien à transmettre, les réticences du législateur à réduire grammaticalement, si l'on peut dire, les esclaves à des bêtes de labour explique l'imbroglio de ces derniers articles, la quantité considérable de problèmes soulevés par la gestion du « troupeau d'esclaves » dans les partages, les testaments, les mariages, les héritages, les veuvages et remariages [1].

Voici un exemple concernant à la fois les esclaves meubles entrant en la communauté (art. 44) et stipulables comme sommes de deniers et autres choses mobiliaires (art. 45) :

« À la Guadeloupe en 1758 une veuve, ayant renoncé à la communauté de son mari, réclame contre les héritiers bénéficiaires de la succession, en vertu de la clause de reprise portée sur son contrat de mariage, outre des immeubles qui n'avaient point été aliénés, un certain nombre d'esclaves provenant d'avances d'hoirie ou de successions et qui se trouvaient en nature dans la masse des biens de la communauté. L'arrêt du Conseil supérieur décide qu'elle reprendra ses esclaves, sans faire raison à la succession de son mari de la différence de la nouvelle estimation à l'ancienne. C'est là, on le voit, une application de l'article 45 du Code Noir. »

Les esclaves, biens meubles ? « Toutes nos lois sont pour l'inséparabilité des esclaves des fonds où ils sont attachés ; et le législateur ne s'y est décidé qu'après un sérieux examen de la question. Les lois romaines ont été d'une grande considération dans son établissement... Ceux de la campagne (d'après les lois romaines) étaient tellement attachés au fonds

1. Sur tout l'art. 45 : Peytraud, p. 262-265.

qu'ils étaient censés en faire partie, de sorte qu'ils ne pouvaient pas même être séparés par testament ; et, s'ils étaient légués séparément des fonds, le prix n'en était pas dû aux légataires par l'héritier des fonds, à moins que la volonté du testateur ne fût bien connue et bien expresse. » Ainsi s'exprime Dessalles.

Biens immeubles, les esclaves ? « La loi en vigueur fait de l'esclave un meuble. Elle défend cependant qu'un bien rural soit saisi sans que la saisie ne comprenne les esclaves qui le cultivent. Le propriétaire est toujours libre de distraire de son immeuble tout ou partie des nègres qui y sont attachés. Cet état de choses n'a pas peu contribué à empêcher les progrès de la civilisation et à entraver les mariages. » Telle est la réplique de Sully-Brunet, relevée par Schoelcher[2].

En définitive : sont-ils meubles, ou immeubles ? « Il est certain que presque tous les textes nous présentent les nègres comme étant des meubles, mais soumis tantôt aux règles des immeubles et tantôt à celles des meubles. » C'est la conclusion de Trayer[3].

2. Cité par Peytraud, *ibid.*
3. Relevé par Peytraud, *ibid.*

Code Noir B, article 41. – Identique.

Article 46. – Dans les saisies des esclaves seront observées les formalités prescrites par nos Ordonnances et les coutumes pour les saisies des choses mobiliaires. Voulons que les deniers en provenant soient distribués par ordre des saisies, ou, en cas de déconfiture, au sol la livre, après que les dettes privilégiées auront été payées, et généralement que la condition des esclaves soit réglée en toutes affaires, comme celle des autres choses mobiliaires, aux exceptions suivantes.

Le seul intérêt de cet article, pour ce qui concerne notre approche du Code Noir, réside dans la pure technicité de son énoncé. Chaque phrase mérite méditation, chacune illustrant la juxtaposition de l'« espèce » esclave au « genre » choses mobiliaires.

Il semble bien que le Code Noir ait voulu réglementer surtout cette transaction très particulière qu'est l'héritage. Les rédacteurs ont-ils pensé que le meilleur moyen d'intervenir consistait à déclarer l'esclave « meuble » avec toutes les conséquences que cela comportait ? Les « exceptions » à cette « mobilité » énoncées dès la fin de cet article sont de taille. Qu'on les lise.

On remarquera en même temps que, la raison juridique s'affinant, on retrouve les « brutes », les « quadrupèdes » et les « troupeaux » du droit romain évoqués à propos de l'article 44.

À titre d'exemple, cette réponse, qui fera jurisprudence, datée 20 octobre et 6 avril 1718, du Conseil de la Marine à la question de la mobilité ou de l'immobilité des « nègres qui se trouvent dans les habitations possédées par les Anglais ou Irlandais dans les colonies françaises » : « Les nègres, à la vérité, sont au rang des effets mobiliers par leur nature et la déclaration de l'année 1685, dont l'article 44 les met au rang des meubles ; mais la même déclaration décide que ces mêmes nègres, étant attachés à une habitation, sont réputés immeubles, lorsqu'il s'agit de la saisie réelle de l'habitation ; et cette loi décide de la question dont il s'agit aujourd'hui. Aux termes de cette déclaration, dès le moment qu'ils sont attachés par le propriétaire à la culture de son héritage, ils ne peuvent être considérés séparément ; ils sont attachés à cet héritage, de manière qu'ils participent à sa nature et deviennent immobiliers avec lui. La disposition de cette déclaration ne peut être regardée comme contraire aux principes puisque, par les lois romaines, les esclaves destinés par le maître à la culture des terres ne pouvaient être détachés et que le fonds ne pouvait être vendu ni légué sans l'esclave, ni l'esclave sans le fonds (titre *de agricolis et censitis*). Par la jurisprudence française, même dans les coutumes où les servitudes réelles se sont conservées, les serfs sont si étroitement attachés à l'héritage mainmortable qu'ils sont censés en faire partie et qu'on doit même, suivant quelques-unes de ces coutumes, les comprendre dans les aveux et dénombrements comme étant, suivant les termes de M. Le Bret, membres et instruments de la terre ; et cette maxime s'observe même à l'égard des bestiaux destinés à cultiver une terre, que les arrêts ont jugés faire partie du fonds. »[1]

On en revient fatalement au seul critère qui, juridiquement, permette d'y voir clair et d'assainir les problèmes de transfert et d'héritages : ce sont des quadrupèdes en troupeau, ou ce sont des instruments de la ferme. Et, par référence à l'un ou à l'autre modèle, tous les deux tirés du droit romain et restructurés par les pratiques juridiques de la féodalité, leur destin testamentaire est ou bien celui des troupeaux dans leur totalité ou dans leur décompte, ou bien celui d'une araire ou d'une charrue.

1. Moreau de Saint-Méry, 2, p. 597.

Code Noir B, article 42. – Identique.

Article 47. – Ne pourront être saisis et vendus séparément le mari de la femme et leurs enfants impubères, s'ils sont tous sous la puissance du même maître ; déclarons nulles les saisies et ventes séparées qui en seront faites, ce que nous voulons avoir lieu dans les aliénations volontaires, sur peine contre ceux qui feraient les aliénations d'être privés de celui ou de ceux qu'ils auront gardés, qui seront adjugés aux acquéreurs, sans qu'ils soient tenus de faire aucun supplément de prix.

Touchante disposition qu'on prendra la peine d'approcher des articles 9 et suivants concernant la réglementation des mariages, dont le Code Noir veut préserver ici l'indissolubilité lors des partages et des héritages ! Autre chose est cet article 47 extrait de son contexte et considéré dans la rigueur de ces termes, autre chose la place qu'il occupe dans la quotidienneté, et les services qu'il rend au maître blanc. Le Code Noir a dressé les obstacles que l'on sait (art. 16 et 17) à la circulation des esclaves. Il a prévu pour les délits de vagabondage et d'attroupements nocturnes des peines afflictives d'une extrême rigueur, voire même la peine capitale (art. 26). Il a interdit aux prêtres de célébrer des mariages d'esclaves sans le consentement des maîtres, et il a délégué au maître l'intégralité de l'autorité paternelle indispensable à chaque union (art. 10 et 11). Bref : il n'a pas seulement favorisé, il a pratiquement forcé les esclaves à se marier dans l'habitation ou à se passer de mariage. Les esclaves n'en feront rien. Pour des raisons évidentes du souci d'une manière de liberté ; pour ne pas fournir au maître, dont le pouvoir absolu s'exercerait sur le mari et la femme et les enfants, la commodité de les tenir par mille chantages.

Prenons les deux bouts de l'histoire. Deux ans après la promulgation du Code Noir, le F. de Saint-Gilles de la mission de Cayenne écrit : « On ne peut apporter trop de précautions pour empêcher qu'ils (les maîtres) ne les marient eux-mêmes, ce qu'ils pratiquent souvent, même à l'égard des esclaves chrétiens ; et ce, pour avoir la facilité de vendre le mari et la femme séparément, contre les défenses de l'ordonnance de 1685. »[1] Dessalles témoigne, lui, pour la fin du XVIIIe siècle : « J'ai devant les yeux plusieurs exemples de gens qui marient presque tous les nègres de leurs habitations, et qui par ce moyen ont une pépinière de nègres créoles. »[2]

1. AN, colonies F3 21, lettre de 1687.
2. Dessalles, t. 3, p. 293.

À la veille de l'abolition, Schoelcher note la pratique constante de la vente d'enfants impubères séparément de leurs parents (cf. art. 12). Mais Castelli[3] relève, pour l'année 1835, un total de 28 unions régulières parmi les Noirs de la Martinique, de la Guadeloupe et de l'île Bourbon réunies : 28 unions pour une population de près de 240 000 esclaves ! « Il est bien rare que les esclaves consentent à se marier sur la même habitation », lit-on dans les réponses du clergé de la Guadeloupe lors d'une enquête menée dans les différentes colonies en 1841-1844. Même témoignage pour l'île Bourbon : « On remarque, parmi les esclaves, une tendance générale à chercher leurs alliances parmi les esclaves d'un autre maître. »[4]

On pourrait multiplier les témoignages. Divergents sur certains points, convergents sur d'autres, ils peuvent se résumer en un seul critère : alliances et liaisons nombreuses à l'extérieur de l'habitation, rareté des mariages officiels, publics, à l'intérieur ; mais fréquence des mariages « célébrés » à l'intérieur des habitations, sans trace juridique et avec la complicité du maître et du prêtre, pour la tranquillité de chacun, pour la rentabilité de la « pépinière ». Le résultat, dans le cadre de l'article 47, est clair : le maître peut vendre les enfants séparément de ses parents et marchander séparément les époux qu'il n'aura aucun mal à présenter comme des concubins, s'ils manifestent quelque contrariété : absurde hypothèse, les possibilités de réplique du pouvoir magistral étant ce qu'elles sont.

« Meubles », les Noirs le demeureront à ces effets pendant toute la durée de l'esclavage afro-antillais. Et ayons l'air, pour finir, de ne pas avoir remarqué, en lisant les articles sur le mariage des esclaves, l'omniprésence de l'adultère et du bon usage qu'en fera le maître. Et notons que, pour le plus grand réconfort des Blancs, « la loi ne prévoit pas de cas d'adultère pour la négresse mariée »[5]. Le contexte esclavagiste rend vain l'article 47.

← articles 9, 11-13
articles 49 et 54 →

3. Castelli, *De l'esclavage en général et de l'émancipation des Noirs*, Paris, 1844, p. 120.
4. Cités par Gisler.
5. Peytraud, p. 212.

Code Noir B, article 43. – Identique.

Article 48. – Ne pourront aussi les esclaves travaillant actuellement dans les sucreries, indigoteries et habitations, figés de quatorze ans et au-dessus jusqu'à soixante ans, être saisis pour dettes, sinon pour ce qui sera dû du prix de leur achat, ou que la sucrerie ou indigoterie, ou habitation dans laquelle ils travaillent, soient saisies réellement ; défendons, à peine de nullité, de procéder par saisie réelle et adjudication par décret sur les sucreries, indigoteries ni habitations, sans y comprendre les esclaves de l'âge susdit et y travaillant actuellement.

Voici donc les esclaves meubles à l'article 44 devenus immeubles à l'article 48, par exception à la règle réitérée à l'article 46 de régler les affaires des esclaves « comme celles des autres choses mobiliaires ».

L'exception concerne *uniquement* les esclaves « travaillant actuellement dans les sucreries, indigoteries et habitations » âgés de 14 à 60 ans : la quasi-totalité des « troupeaux », pour rester dans le ton du droit romain. Ils forment partie intégrante de l'habitation : le Code Noir est aussi net sur ce point qu'il l'est sur son contraire en son article 44.

Difficile de s'y retrouver. « Les héritiers des meubles peuvent-ils les prendre en nature ou doivent-ils se contenter du prix de leur estimation ? » C'est la question posée par le ministère en 1741 aux administrateurs de la Martinique. Les meubles dont il s'inquiète sont, évidemment, des esclaves, et le ministre de la Marine rappelle, à l'appui de sa question, l'article 48 du Code Noir. Les administrateurs répondent l'année suivante. Ils se sont penchés sur les textes et sont parvenus à une conclusion toute simple : il n'est pas nécessaire de rédiger une nouvelle loi, les esclaves ne peuvent être séparés du fond et, par conséquent, en cas de vente l'habitation doit être vendue avec eux, et les héritiers toucheront en argent la part qui leur revient.

Le ministre de la Marine fait des observations à l'administration en 1753 au sujet d'une dérogation qu'elle a accordée au même article 48. Il lui rappelle que la règle établie par cet article « a toujours été observée dans toutes les colonies et (qu')il n'est pas permis aux juges de s'en écarter. Les gouvernements généraux et intendants ne sont même pas en droit d'y déroger »[1].

1. Peytraud, p. 262 (sur cet article : p. 260-265).

Ne pourrait-on changer la loi de l'immobilité ? C'est le vœu constant des administrateurs, qui se désolent de la voir gêner la réalisation de partages et transactions, le démarrage de nouvelles plantations. « Les augmentations prodigieuses qui, dans le cours des quatre dernières années de la guerre, sont survenues à la Guadeloupe dans le nombre des esclaves, dans celui de ses manufactures, dans ses plantations et ses productions en tout genre, rapprochées du petit nombre de nègres que la Martinique a pu se procurer pendant seize mois, dans des circonstances qui semblaient faciliter et provoquer les achats, achevèrent de mettre dans la dernière évidence les inconvénients d'une loi qui, par elle-même, est exclusive de toute confiance, de tout crédit. » Ainsi s'exprime l'intendant de la Martinique le 6 septembre 1763 devant le Conseil supérieur. Qu'on abroge donc l'article 48. Le Conseil approuve l'intendant. Dessalles commente quelques années plus tard dans des circonstances analogues : « Un propriétaire, qui sait qu'on ne peut jamais saisir les nègres de son habitation, s'embarrasse fort peu d'acquitter ses engagements. » Mais il ajoute que « l'intérêt de la colonie, celui de tous les colons, l'humanité même semblent en quelque sorte s'opposer à la saisie des nègres attachés à la culture de la terre ».

Rappelons de nouveau le mot de Trayer : meubles, les nègres ; mais soumis tantôt aux règles des immeubles, tantôt à celles des meubles. Au fond, la formule retenue par le Conseil d'État (cf. commentaire à l'art. 44) en 1684 dit la « sagesse » dans cette affaire : « Les nègres et les bestiaux sont réputés meubles, quoique insaisissables. »

← article 44

Code Noir B, article 44. – Identique.

Article 49. – Les fermiers judiciaires des sucreries, indigoteries ou habitations saisies réellement conjointement avec les esclaves seront tenus de payer le prix entier de leur bail : sans qu'ils puissent compter parmi les fruits qu'ils percevront les enfants nés des esclaves pendant le bail.

Encore un point fort dans le Code Noir qui en comporte tant. L'esclave appartient à son maître. Le fils de l'esclave lui appartient aussi. Le Code Noir le dit en ses articles 12 et 13. À quoi bon le répéter ? C'est que les fermiers judiciaires pourraient être tentés de se servir un peu plus qu'il ne le faudrait en monnayant à leur compte les enfants nés en esclavage pendant la durée de leur bail. Contre cette fâcheuse tendance, le droit romain avait déjà pris des précautions, lui qui pouvait sans scrupules « chrétiens » d'aucune sorte assimiler le groupe des esclaves d'une *domus* à un troupeau, plus franchement que ne pouvaient le faire les rédacteurs chrétiens du Code Noir : « *In pecudum fructu etiam fetus est, sicuti lac et pilus et lana : itaque agni et hoedi et vituli et equuli statim naturali jure domini sunt fructuarii ; partus vero ancillae in fructu non est ; itaque ad dominum proprietatis pertinet ; absurdum enim videtur hominem in fructu esse, cum omnes fructus rerum natura hominum gratia comparavit* » (*Institutes*, II, I, § 37). Beau texte qu'Ortolan commente de jolie façon : « Bien que l'esclave fût au rang des choses, c'eût été descendre au dernier degré de la dégradation que de la considérer comme destinée au croît et d'assimiler son enfant à un fruit. En fait, et prenant l'origine de la question, on voit que c'est un sentiment de dignité pour l'homme qui l'avait fait soulever par les jurisconsultes philosophes et qui avait dicté la décision insérée aux *Institutes*. »

Quoi qu'en disent les *Institutes*, il est remarquable que la bestialité de l'esclave puisse être rappelée à la fin du XVIIe siècle avec tant d'équanimité. « Suivant l'usage de la coutume de Paris, les bestiaux qui sont dans les fermes et les métairies ne font pas partie d'icelles, mais se vendent séparément, et dans les successions appartenant aux héritiers des meubles, les créanciers de la succession les distribuent entre eux par contribution au sol la livre de leur dû ; et comme dans l'île Saint-

Domingue on suit la coutume de Paris, il ne peut y avoir de difficulté que les nègres ne font pas partie du fonds. »[1]

Et, suivant les mêmes usages, nous constatons que, si fluctuation il y a dans le Code à propos de la mobilité et de l'immobilité, il n'y en a pas quant à la bestialisation, qui, elle, ne semble pas déranger grand monde. « Fruit » ou « homme », l'enfant d'esclave est apprécié à ces égards comme « les bestiaux qui sont dans les fermes et métairies ».

article 54 →

1. Moreau de Saint-Méry, t. 2, p. 41.

Code Noir B, article 45. – Identique.

Article 50. – Voulons, nonobstant toutes conventions contraires que nous déclarons nulles, que les dits enfants appartiennent à la partie saisie, si les créanciers sont satisfaits d'ailleurs, ou à l'adjudicataire, s'il intervient un décret ; et à cet effet mention sera faite, dans la dernière affiche avant l'interposition du décret, des dits enfants nés des esclaves depuis la saisie réelle ; que dans la même affiche il sera fait mention des esclaves décédés depuis la saisie réelle dans laquelle ils étaient compris.

Article 51. – Voulons, pour éviter aux frais et aux longueurs des procédures, que la distribution du prix entier de l'adjudication conjointe des fonds et des esclaves, et de ce qui proviendra du prix des baux judiciaires, soit faite entre les créanciers selon l'ordre de leurs privilèges et hypothèques, sans distinguer ce qui est pour le prix des fonds d'avec ce qui est pour le prix des esclaves.

Article 52. – Et néanmoins les droits féodaux et seigneuriaux ne seront payés qu'à proportion du prix des fonds.

Article 53. – Ne seront reçus les lignagiers et les seigneurs féodaux à retirer les fonds décrétés, s'ils ne retirent les esclaves vendus conjointement avec les fonds, ni les adjudicataires à retenir les esclaves sans les fonds.

Article 54. – Enjoignons aux gardiens nobles et bourgeois, usufruitiers amodiateurs et autres jouissants des fonds auxquels sont attachés des esclaves qui travaillent, de gouverner les dits esclaves comme bons pères de famille sans qu'ils soient tenus après leur administration de rendre le prix de ceux qui seront décédés ou diminués par maladies, vieillesse ou autrement sans leur faute, et sans qu'ils puissent aussi retenir comme fruits à leurs profits les enfants nés des esclaves durant leur administration ; lesquels nous voulons être conservés et rendus à ceux qui en seront les maîtres et propriétaires.

Cet ensemble d'articles n'a d'autre intérêt que celui d'éclairer le sens des articles précédents concernant les « transferts d'esclaves », et d'examiner quelques applications spécifiques de ce que prévoit le Code à l'article 49, en posant la distinction entre « fruit » et « enfant d'esclave » pendant la gestion d'un tiers, à titre judiciaire, usufructuaire ou autre.

Quant aux objurations faites aux « gardiens nobles et bourgeois » de gouverner les esclaves « comme bons pères de famille », il est inutile de s'y attarder. Le gardien noble ou bourgeois n'a qu'à s'en tenir, pour son « gardiennage », à la totalité des articles du Code Noir : cela lui donne sans aucun doute toute latitude pour bien faire et pour que personne ne dépérisse autour de lui « par maladie, vieillesse ou autrement ». Par ailleurs, les esclaves gardés n'émergeant pas à l'état civil, comme signalé à propos de l'article 28, il saura comment se débrouiller pour présenter au maître des comptes cohérents à la fin de sa gestion.

Code Noir B, articles 46-47-48-49. – Identiques.

Article 55. – Les maîtres âgés de vingt ans pourront affranchir leurs esclaves par tous actes entre vifs ou à cause de mort, sans qu'ils soient tenus de rendre raison de leur affranchissement, ni qu'ils aient besoin d'avis de parents, encore qu'ils soient mineurs de vingt-cinq ans.

Premier d'une série de cinq articles consacrés aux formes légales de l'affranchissement et de ses conséquences juridiques et sociologiques, l'article 55 reprend les dispositions des *Digeste* (XL, I, § 1) qui autorisaient les mineurs de vingt ans accomplis à affranchir leurs esclaves.

Avant la promulgation du Code Noir, les affranchissements étaient relativement fréquents, surtout – sinon exclusivement – au bénéfice des esclaves domestiques. Si le Noir de la plantation ou de la manufacture ne devait jamais se dégager, aux yeux de son maître, de son image de brute sauvage, il en allait autrement pour les esclaves domestiques. Malgré les coups et les supplices, des relations d'affection, de tendresse, de reconnaissance se tissaient entre des enfants blancs et leurs nourrices, par exemple, relation dont l'affranchissement pouvait devenir le terme normal, dès que le jeune maître pouvait légitimement le prononcer. L'article 9 réglait, avec des restrictions, l'accès de la femme noire et des enfants à la liberté. En approchant l'un des autres l'article 9 et les articles 55 et 56 on constate que, sociologiquement, l'affranchissement va de pair avec le métissage, sauf en de rares exceptions historiquement négligeables ; et on remarque aussi que le Code Noir ne mettait pas d'obstacle direct ou indirect au « bon plaisir » magistral en matière d'affranchissement, sauf lorsque le Noir ou le maître se trouvaient concernés par telle ou telle mesure légale (art. 9) prévoyant explicitement la confiscation de l'esclave ou l'interdiction de l'affranchir. La Couronne ne tardera pas à s'en émouvoir.

Elle ne tardera pas à s'émouvoir d'une autre pratique, dont des mémoires lui raconteront le détail : le louage des services des esclaves, la pratique – des esclaves domestiques surtout, sinon exclusivement – de se constituer un pécule, d'acheter leur liberté et, celle-ci acquise, de peiner encore pour racheter les proches. C'était enfantin pour la Couronne d'amalgamer les deux situations et de donner un sévère coup de frein à l'affranchissement des gens de couleur, des « sang-mêlés », en tirant prétexte de la raison la plus solide dont elle pût se réclamer : l'intérêt des colonies et de leur ordre intérieur, la nécessité de maintenir dans l'esclavage ceux qui avaient été amenés de force pour l'exploitation. D'ici les ordonnances royales du 15 décembre 1721 et du 1er février 1743, interdisant aux mineurs de 25 ans, même émancipés, d'affranchir leurs esclaves, et toute une série de dispositions juridiques et fiscales (dont les « Amis des Noirs » parleront abondamment, contre lesquelles ils se battront avec une ardeur exemplaire) pénalisant durement l'affranchissement. D'ici les modifications substantielles apportées à l'article 55 du Code Noir par l'article 50 de sa version de 1724 pour la Louisiane.

Avant même que Montesquieu n'eût conseillé aux princes de « ne pas faire tout à coup et par une loi générale un nombre considérable d'affranchissements », car la République serait « en danger de la part d'un trop grand nombre d'affranchis »[1], la Couronne avait déjà compris la leçon.

1. *De l'Esprit des lois*, liv. 15, chap. 18.

Code Noir B, article 50. – Les maîtres âgés de vingt-cinq ans pourront affranchir leurs esclaves par tous actes entre vifs ou à cause de mort. Et cependant, comme il se peut trouver des maîtres assez mercenaires pour mettre la liberté de leurs esclaves à prix, ce qui porte les dits esclaves au vol et au brigandage, défendons à toutes personnes, de quelque qualité et condition qu'elles soient, d'affranchir leurs esclaves sans en avoir obtenu la permission par arrêt de notre dit Conseil supérieur. Laquelle permission sera accordée sans frais, lorsque les motifs qui auront été exposés par les maîtres paraîtront légitimes. Voulons que les affranchissements qui seront faits à l'avenir sans ces permissions soient nuls, et que les affranchis n'en puissent jouir, ni être reconnus comme tels. Ordonnons au contraire qu'ils soient tenus et réputés esclaves ; que les maîtres en soient privés, et qu'ils soient confisqués au profit de la Compagnie des Indes.

Article 56. – Les esclaves qui auront été faits légataires universels par leurs maîtres, ou nommés exécuteurs de leurs testaments, ou tuteurs de leurs enfants, seront tenus et réputés, les tenons et réputons pour affranchis.

L'article 55 s'inspirait des *Digeste*. L'article 56 trouve son modèle dans les *Institutes* II, XIV, § 1 : « *Servus autem a domino suo heres institutus, si quidem in eadem causa manserit, fit ex testamento liber heresque necessarius.* » Mais la référence au droit romain ne saurait tromper personne dans le cas d'espèce. On contemplait là une situation radicalement différente, dans laquelle il n'était pas extraordinaire qu'un Romain eût comme tuteur un esclave grec, ou comme administrateur, puis comme exécuteur testamentaire, un esclave égyptien. Mais peut-on seulement imaginer que la société esclavagiste et raciste des Antilles (pouvant se référer et se référant effectivement par son administration, au moins, au chapitre esclavagiste et raciste de l'idéologie la concernant) eût pu adopter sérieusement, significativement, la pratique mentionnée par l'article 56 ? Il n'y a pas eu, bien entendu, de tutorat de Noirs ni de mulâtres sur des Blancs. Il n'y a pas eu, évidemment, d'exécuteurs testamentaires noirs ou métis de maîtres blancs trépassés. Les archives semblent légitimer, sur ce point, le légitime silence des historiens et donner raison au « bon sens ». La mesure de faveur (jusqu'à l'affranchissement) dont bénéficiera un Noir, une Noire, un métis, une métisse pour services spécifiques rendus à la cuisine, à la table ou au lit est une chose. C'en est une autre de tout à fait incomparable le tutorat, la légation universelle, l'exécution testamentaire.

Certes, les trois fonctions relèveraient, sans contradiction légale, des possibilités, réservées aux maîtres par l'article 30, de constituer tel ou tel de leurs esclaves comme « agent privé ». Il faudrait encore combiner aux dispositions de ces deux articles – le 30 et le 56 – les incapacités énoncées dans ce même article 30 et dans les articles 28 et 31, dont l'ensemble incapacite totalement l'esclave devant la loi. On alléguerait contre cela que l'article 56 aurait fait sauter les verrous apposés par les articles 28-31. L'allégation serait bonne – et l'a été – non seulement dans la perspective du droit romain, mais aussi dans les pratiques esclavagistes « classiques » dont il naissait et qu'il codifiait. Elle est inopérante dans l'histoire de l'esclavage franco-africain ou franco-antillais, dont l'esprit et l'évolution ne réussiront jamais à surmonter le préjugé raciste de la couleur.

Le Code Noir pour la Louisiane abrège d'ailleurs singulièrement ces dispositions et n'affranchit, lui, que les seuls « esclaves qui auront été nommés par leurs maîtres tuteurs de leurs enfants ». Plus d'exécuteurs testamentaires dès 1724, plus besoin de broder inutilement autour des dispositions intempestives des *Institutes*.

« Il faut observer que tous les nègres ont été transportés aux colonies comme esclaves, que l'esclavage a imprimé une tache ineffaçable sur toute leur postérité, même sur ceux qui se trouvent d'un sang-mêlé ; et que, par conséquent, ceux qui en descendent ne peuvent jamais entrer dans la classe des Blancs. Car s'il était un temps où ils pourraient être réputés blancs, ils jouiraient alors de tous les privilèges des Blancs et pourraient, comme eux, prétendre à toutes les places et dignités, ce qui serait absolument contraire aux constitutions des colonies » : réponse d'un ministre de la Marine à un gouverneur lui demandant à partir de quelle génération les sang-mêlé doivent rentrer dans la classe des Blancs et être exemptés de capitation[1]. Certes, il ne s'agit pas de capitation dans l'article 56, mais bel et bien d'un automatisme d'entrée de certains sang-mêlés ou Noirs dans la classe des Blancs, dont le postulat de base serait forcément une égalité entre le Noir et le Blanc, voire, dans ce cas, de supériorité du Noir sur le Blanc, que ne peuvent supporter ni la métropole ni les colonies.

← articles 28-31

1. 13 octobre 1766.

Code Noir B, article 51. – Voulons néanmoins que les esclaves qui auront été nommés par leurs maîtres tuteurs de leurs enfants soient tenus et réputés comme nous les tenons et réputons pour affranchis.

Article 57. – Déclarons leurs affranchissements faits dans nos Îles leur tenir lieu de naissance dans nos îles, et les esclaves affranchis n'avoir besoin de nos lettres de naturalité pour jouir des avantages de nos sujets naturels dans notre royaume, terres et pays de notre obéissance, encore qu'ils soient nés dans les pays étrangers.

Sur ce point le décalage entre le Code Noir et sa refonte pour la Louisiane serait à lui seul suffisamment parlant pour qu'il fallût pousser plus loin l'analyse. L'article 57, dans sa brièveté, ferait véritablement de l'affranchi un libre, un sujet du roi, s'il n'était la série de touchantes restrictions apportées par les articles 58 et 59. Mais le blocage se fait à la racine, dès son article 52, dans le Code de la Louisiane.

En fait, des circulaires postérieures au Code Noir viennent très vite redresser les murs et creuser plus profonds les fossés interraciaux que les articles 55 et 56 avaient légèrement lézardés et sensiblement comblés. À lire les articles 57-59, surtout à s'en tenir à l'article 57, on jurerait qu'une fois le Noir ou le sang-mêlé libéré, plus rien ne le distinguait juridiquement ou sociologiquement du Blanc. La métropole et les colonies sont, en revanche, fondamentalement d'accord, et se le disent, sur la nécessité de maintenir les deux communautés à une distance infranchissable.

D'abord, simple mesure de police, les Noirs libres (ils ne sont pas légion) et les hommes de couleur libres doivent être capables en toute circonstance de prouver leur liberté. En sont-ils incapables ? Ils peuvent retomber dans l'esclavage[1].

Le souci des Blancs de préserver leurs privilèges inspira la rédaction et l'application d'un nombre considérable de dispositions locales ou générales, destinées à rappeler, avec des arguments d'un racisme insoutenable, la distance infranchissable entre les Blancs et les sang-mêlé. On poussa le savoir juridique jusqu'à détecter, archives notariales ou racontars aidant, la moindre goutte de sang noir dans les veines de n'importe qui, n'importe qui se trouvant rangé de ce fait dans la caté-

1. Peytraud, p. 419-420.

gorie des gens de couleur. Les Amis des Noirs renverseront en leur temps la lecture de cette chimie et plaideront qu'une infinitésimale partie de sang européen bonifie nécessairement le sang noir et rend tout sang-mêlé digne de la liberté pleine et entière.

En attendant, il ne faudrait pas que les affranchis prennent leur liberté trop au sérieux et qu'ils se mettent à acheter et à vendre, à négocier ou à faire de l'argent. Dès 1741, une décision royale les autorise à disposer de leurs biens (!) lorsqu'ils n'ont pas d'enfants, en opposition à une autre disposition royale de 1726 qui réaffirmait à leur particulière attention l'article 28 du Code Noir les déclarant incapables, bien que libres, « de recevoir des Blancs aucune donation entre vifs, etc. », sous quelque dénomination ou prétexte que ce fût[2].

Ils jouiront des avantages de nos sujets naturels, dit le roi. Mais, par une ordonnance de 1773, le roi interdit aux affranchis de porter des noms de Blancs. Ordonnance tardive, mais rétroactive : tous les affranchis d'avant cette date seront obligés de changer de nom et d'ajouter au leur « un surnom tiré de l'idiome africain ou de leur métier et couleur, mais qui ne pourra jamais être celui d'une famille blanche de la colonie »[3]. Libres. Mais différents et, bien entendu, méprisables. Susceptibles de bénéficier de la faveur magistrale ou royale, mais différents et cloués à leurs différences. Jusqu'à l'habillement, qui leur est réglementé, sous peine, s'ils n'en tiennent compte, de perte de la liberté[4]. Et cela à la toute fin du XVIIIe siècle.

2. Moreau de Saint-Méry, t. 3, p. 159 (8 février 1726).
3. *Ibid.*, t. 5, p. 448.
4. Règlement de la Martinique, 6 novembre 1781 (Peytraud, p. 427).

Code Noir B, article 52. – Déclarons les affranchissements faits dans les formes ci-devant prescrites tenir lieu de naissance dans notre dite province de la Louisiane, et les affranchis n'avoir besoin de nos lettres de naturalité pour jouir des avantages de nos sujets naturels dans notre royaume, terres et pays de notre obéissance, encore qu'ils soient nés dans les pays étrangers. Déclarons cependant les dits affranchis, ensemble le nègre libre, incapables de recevoir des Blancs aucune donation entre vifs, à cause de mort ou autrement. Voulons qu'en cas qu'il leur en soit fait aucune, elle demeure nulle à leur égard, et soit appliquée au profit de l'hôpital le plus prochain.

Article 58. – Commandons aux affranchis de porter un respect singulier à leurs anciens maîtres, à leurs veuves et à leurs enfants ; en sorte que l'injure qu'ils leur auront faite soit punie plus grièvement, que si elle était faite à une autre personne. Les déclarons toutefois francs et quittes envers eux de toutes autres charges, services et droits utiles que leurs anciens maîtres voudraient prétendre, tant sur les personnes que sur leurs biens et successions en qualité de patrons.

Que les affranchis doivent « un respect singulier à leurs anciens maîtres » c'est tout à fait dans la nature du Code Noir, et c'était tout à fait dans celle du droit romain. Mais les textes « d'application », si l'on peut dire, iront beaucoup plus loin. Les articles 56 et 57 n'étaient-ils donc pas assez explicites ? C'est au Blanc en général et dans tous et chacun des individus de la noble couleur que le sang-mêlé ou le Noir doivent le respect. Passons sur l'interdiction faite aux maîtres de se considérer créditeurs, après affranchissement, de services gratuits. Passons sur les restrictions vestimentaires, etc., évoquées aux articles 25 et 57. N'évoquons que pour mémoire un arrêt de février 1761 maintenant pour les affranchis l'interdiction de port d'armes affectant les esclaves au titre de l'article 15. Allons à l'essentiel. En 1779 un règlement somme les affranchis de porter « le plus grand respect à tous les Blancs en général… à peine d'être punis même par la perte de la liberté, si le manquement le mérite »[1]. Un exemple, relevé par Hilliard d'Auberteuil devance le règlement de 1779. Nous sommes en 1767. Un affranchi métis a battu un Européen. Il a été flagellé, ferré et vendu comme esclave[2].

Le mépris des Blancs est tel, si solide le support que lui offre le schéma blanco-biblique d'une part, celui de l'anthropologie de saison d'autre part, que des métis tentent d'échapper à la malédiction qui les frappe et de diminuer la distance qui les sépare des Blancs en essayant de se trouver des liens de sang avec les Indiens. En s'indianisant n'échapperaient-ils pas à cet ordre de subordination à chacun qu'imposent les ampliations de l'article 58 dans les ordonnances qui en renforçaient la portée ? Ne pourraient-ils pas, de surcroît, accéder ainsi aux rangs de la noblesse, qui n'étaient pas totalement interdits aux Indiens ? La réponse

1. Moreau de Saint-Méry, t. 5, p. 855.
2. Hilliard d'Auberteuil, ouvr. cité, t. 2, p. 73.

ministérielle, rédigée en pleine époque des Lumières, est d'une clarté totale : c'est non. Il y a une différence essentielle entre les Indiens et les Noirs. « La raison de cette différence est prise de ce que les Indiens sont nés libres et ont toujours conservé l'avantage de la liberté dans les colonies, tandis que les nègres n'y ont été introduits que pour y demeurer dans l'état d'esclavage, première tache qui s'étend sur tous leurs descendants et que le don de la liberté ne peut effacer. »[3] Nous sommes en 1767. Paris n'avait-il pas été bien compris ? Quatre ans plus tard, le ministre doit encore se pencher sur une demande émanant de métis en quête d'indianité et, par là, de rédemption de leur « faute originelle » : « Une pareille grâce tendrait à détruire la différence que la nature a mise entre les Blancs et les Noirs, et que le préjugé politique a eu soin d'entretenir comme une distance à laquelle les gens de couleur et leurs descendants ne devaient jamais atteindre. »[4] Voilà donc comment il convient de lire l'application du Code Noir sur cet article pas marginal du tout. Les ordonnances insistent constamment sur l'interdiction (prévue dans le Code de 1724) des mariages entre Blancs et femmes de couleur libres, parce que de telles unions augmenteraient « l'insolence et l'insubordination des nègres »[5]. Passons au XIXe siècle. On réaffirme encore en 1827 et à la Guadeloupe que les peines infligées par la justice ne dépendent même pas du statut juridique, mais de la race à laquelle appartient le criminel[6]. Et revenons à la morale de l'article 58 et de ses ampliations : « La perte de la liberté était la punition qui menaçait sans cesse les affranchis ou même leurs descendants et qui rendait précaire la condition d'un grand nombre d'entre eux. »[7] Fallait-il tuer pour cela ? Une menace, un vol (art. 35), une réaction vive à une insulte y suffisaient.

← articles 35 et 39
article 59 →

3. Moreau de Saint-Méry, t. 5, p. 80.
4. *Ibid.*, p. 356.
5. Cabon, *Histoire d'Haïti*, Port-au-Prince, 1930, t. 1, p. 145.
6. Sainville, *Les conditions des Noirs* (cité par W. B. Cohen, *Français et Africains*, p. 287).
7. Peytraud, p. 434.

Code Noir B, article 53. – Identique.

Article 59. – Octroyons aux affranchis les mêmes droits, privilèges et immunités dont jouissent les personnes nées libres ; voulons que le mérite d'une liberté acquise produise en eux, tant pour leurs personnes que pour leurs biens, les mêmes effets que le bonheur de la liberté naturelle cause à nos autres sujets.

Le tragicomique des derniers mots de cet article tel que formulé dans la rédaction dix-huitiémiste du Code (« le tout aux exceptions portées par l'article 52 des présentes ») contient toute la vérité de l'article 59 et des articles 55-58 : la liberté acquise vaut la liberté naturelle… à quelques exceptions près. On ne va pas liquider ici, en vingt lignes, les données d'un débat philosophico-théologique qui donne sens – et non-sens – à pareille comparaison de l'une et l'autre libertés : il n'est question que de cela dans la totalité des pages consacrées au calvaire de Canaan. Les réflexions de Dessalles, en exergue ou en conclusion aux récits de mille atrocités dont il est témoin oculaire, garderaient tout leur à-propos pour commenter ce que devient tout le Code Noir, des aurores de son histoire jusqu'aux dernières ordonnances qui en aient précisé la portée : « Par un abus contraire à toutes les lois, à toute idée de justice, l'esclave est soumis uniquement à la loi que son maître veut lui imposer ; il en résulte que celui-ci a sur lui, par le fait, le droit de vie et de mort, ce qui répugne à tous les principes : il est à la fois l'offensé, l'accusateur, le juge et souvent le bourreau. »[1] Au bon plaisir magistral s'est combiné le bon plaisir royal. Puis l'un et l'autre se sont donné les moyens de tergiverser avec le souci constant, jamais gommé, de maintenir le Noir dans la bestialité, le métis à la frontière de cette même bestialité. La faute à Canaan et à la Bible ? La faute, après cela, à cette « science » dont Buffon participe et qui voit dans le Noir la dégénération de la race Blanche[2] ?

Les mêmes droits, les mêmes privilèges, les mêmes immunités. Sauf toutes les exceptions indiquées. Sauf l'accès à la noblesse, ce qui n'est pas, en Ancien Régime, un barrage mineur. Sauf l'accès à la « classe des

1. Repris par Peytraud, p. 336.
2. Cf. W. B. Cohen, *Français et Africains*, p. 321.

Blancs ». Sauf que « tout habitant de sang-mêlé ne pourra exercer aucune charge dans la judicature ni dans les milices », dit le roi dès 1733, le roi qui ajoute « je veux aussi que tout habitant qui se mariera avec une négresse ou mulâtresse ne puisse être officier, ni posséder aucun emploi dans les colonies »[3]. Sauf que toute profession les mettant même de loin en relation avec les fonctions juridiques ou judiciaires n'est pas pour eux, car ces occupations ne sauraient être confiées « qu'à des personnes dont la probité soit reconnue, ce qu'on ne pouvait présumer se rencontrer dans une naissance aussi vile que celle d'un mulâtre »[4].

On n'en finirait pas. À moins de réduire toutes les exceptions par lesquelles la *liberté acquise* se distingue de la *liberté naturelle* – la chance de l'une du bonheur de l'autre – à une seule et unique formule : jamais un Noir libre, un métis libre n'aura pu être assimilé juridiquement aux Blancs, car leur sang le leur interdisait.

La facture des articles 55-59, les plus « lumineux » du Code Noir, autorise historiquement le glissement de l'esclavagisme au racisme. Plus exactement, elle met en lumière la concomitance des deux aberrations. Le Code Noir a « joué le jeu » de la distinction pure et simple entre les libres et les esclaves. L'histoire s'en est mêlée, et le mélange des Noirs et des Blancs au quotidien a imposé, malgré la brutalité blanche et grâce à elle, le métissage. Le Code Noir pourra, sans contradictions majeures, préserver sur des critères purement raciaux aux Blancs sur les Noirs et les métis l'hégémonie dont il livrait la clé et les instruments aux maîtres au détriment de tous les esclaves. C'est là, dans ces derniers articles à l'« humanitarisme » émouvant, qu'il faut voir l'illustration grossière de ce racisme flagrant que tant d'historiens ont du mal à détecter et dans l'esclavagisme franco-antillais et dans le silence tonitruant de ceux qui, en France et pendant la longue vie du Code, jouaient sur les scènes théologiques, philosophiques et juridiques de tout autres représentations.

← articles 35, 39 et 58

3. Moreau de Saint-Méry, t. 4, p. 342.
4. Durand-Molard, t. 2, p. 375 (mai 1765).

Code Noir B, article 54. – ... cause à nos autres sujets, le tout cependant aux exceptions portées par l'article 52 des présentes.

Article 60. – Déclarons les confiscations et les amendes, qui n'ont point de destination particulière par ces présentes, nous appartenir, pour être payées à ceux qui se sont préposés à la recette de nos revenus. Voulons néanmoins que distraction soit faite du tiers des dites confiscations et amendes au profit de l'hôpital établi dans l'île où elles auront été adjugées.

Si donnons en mandement à nos amés et féaux les Gens tenant notre Conseil souverain établi à la Martinique, Gade-Loupe, Saint-Christophle, que ces présentes ils aient à faire lire, publier et enregistrer, et le contenu en elles garder et observer de point en point selon leur forme et teneur, sans contrevenir ni permettre qu'il y soit contrevenu en quelque sorte et manière que ce soit, nonobstant tous édits, déclarations, arrêts et usages, auxquels nous avons dérogé et dérogeons par ces dites présentes. Car tel est notre bon plaisir ; et afin que ce soit chose ferme et stable à toujours, nous y avons fait mettre notre scel. Donné à Versailles au mois de mars mil six cent quatre-vingt-cinq, et de notre règne le quarante deuxième. Signé Louis. Et plus bas, par le Roi, Colbert. Visa, Le Tellier. Et scellé du grand sceau de cire verte, en lacs de soie verte et rouge[1].

Délicate, cette façon de finir en distrayant pour les bonnes œuvres sur lesquelles veillera[2] l'Église une partie substantielle de ce que la Couronne dit lui appartenir. Opportune, même si non intentionnelle, la touchante évocation en ces dernières lignes de cette autorité bicéphale et doublement tutélaire sans laquelle le Code Noir n'aurait été ni compréhensible ni imaginable. Le Code Noir, « l'œuvre de Colbert, inspiré à la fois de la Bible et du droit romain, du christianisme et du droit canonique »[3], méritait de finir sur cet harmonieux accord entre la largesse royale et la bienfaisance chrétienne.

←article 27

1. « Lu, publié et enregistré au Conseil Souverain de la Cote de St. Domingue, tenu au Petit Gouave, le 6 mai 1687. Signé : Moriceau. » On aura remarqué la signature « posthume » de Colbert sur un document publié après sa mort.
2. « Veillera », car, comme précisé à propos de l'art. 27, il n'y aura d'« hôpital » à proprement parler que cent ans plus tard.
3. Peytraud, p. 438.

Code Noir B, article 55. – Déclarons les confiscations et les amendes qui n'ont point de destination particulière par ces présentes, appartenir à la dite Compagnie des Indes, pour être payées à ceux qui sont préposés à la recette de ses droits et revenus. Voulons néanmoins que distraction soit faite du tiers des dites confiscations et amendes au profit de l'hôpital le plus proche du lieu où elles auront été adjugées.

Si donnons en mandement à nos amés et féaux les Gens tenant notre Conseil supérieur de la Louisiane, que ces présentes ils aient à faire lire, publier, registrer et le contenu en icelles garder et observer selon leur forme et teneur, nonobstant tous édits et déclarations, arrêts, règlements et usages à ce contraires, auxquels nous avons dérogé et dérogeons par ces présentes. Car tel est notre bon plaisir. Et afin que ce soit chose ferme et stable à toujours, nous y avons fait mettre notre scel. Donné à Versailles au mois de mars l'an de grâce mil sept cent vingt-quatre, et de notre règne le neuvième. Signé, Louis. Et plus bas, par le Roi, Phelypeaux. Visa, Fleuriau. Vu au Conseil, Dodun. Et scellé du grand sceau de cire verte en lacs de soie rouge et verte.

Troisième Partie

Le Code Noir à l'ombre des Lumières

1. La parole aux esclaves. More Lack, Cugoano

Si les vaincus écrivaient l'histoire de leur défaite, les vainqueurs la liraient sans imaginer un seul instant qu'elle leur parlât de leur victoire. Ce que nous racontons est bel et bien une guerre, avec des vainqueurs et des vaincus.

Trêve de querelles sur la légitimité profonde, ou historique, ou conjoncturelle, du Code Noir. Extrait de l'ordonnance des 31 mars et 5 avril 1762 : « La chaleur de ces climats (des colonies), la température du nôtre ne permettait pas aux Français un travail aussi pénible que le défrichement des terres incultes de ces pays brûlants ; il fallait y suppléer par des hommes accoutumés à l'ardeur du soleil et à la fatigue la plus extraordinaire. De là l'importation des nègres de l'Afrique dans nos colonies. De là la nécessité de l'esclavage pour soumettre une multitude d'hommes robustes à une petite quantité de Français transplantés dans ces îles. Et on ne peut disconvenir que l'esclavage, dans ce cas, n'ait été dicté par la prudence et par la politique la plus sage. (…) Des lois dictées par la bonté de nos rois ont pourvu à leur sûreté, à leur éducation, à leur entretien. Uniquement destinés à la culture de nos colonies, la nécessité les y a introduits, cette même nécessité les y conserve. »[1] À la fin du XVIIIe siècle, l'argu-

1. De par le roi, ordonnances de Monseigneur le duc de Ponthièvre Louis Jean-Marie de Bourbon, amiral de France, des 31 mars et 5 avril 1762, *Le Code Noir*, p. 427-446, p. 434-435.

mentation esclavagiste vogue toutes voiles déployées au vent constant des évidences. S'interroge-t-on sur le sens constant de la course du Soleil ? Celui de la dérive séculaire des Africains n'est pas plus inquiétant. Nécessaires, ce sens et cette dérive le sont, voilà tout. Cette nécessité fait pourtant des ravages sur la « lignée de Cham » : peut-on vraiment ne pas en avoir cure ? Que les esprits délicats s'apaisent et que la loi brille de tous ses feux. « Avec l'avènement du Code Noir tout rentre dans l'ordre. L'esclavage mène à Dieu, et il est régulièrement codifié. »[2] Émouvante harmonie, celle des langages canonique et régaliste. Plus de drame dans les cœurs, ni par souci de christianisme ni par souci d'humanité.

« Codification régulière » égale mesure. Quelle n'aurait été la férocité des colons, quels débordements n'auraient connus leurs passions si le Code Noir n'avait freiné leur puissance, réprimé leur arrogance, refroidi leur fièvre délirante ! On frémit rien que d'y songer. Et nombreux sont les historiens qui jaugent à la cruauté des crimes possibles et non commis parce que réprimés par le Code Noir la positivité du Code Noir malgré la monstruosité des crimes réels qu'il préconise et justifie. À cette aune n'importe quel code est un cadeau des dieux, car on peut toujours imaginer des situations pires que celles examinées et réglementées par chaque code. Voilà donc l'esclave à l'abri du pur arbitraire, si on accepte de mettre entre parenthèses l'arbitraire pur du Code Noir.

Mais non. À l'arbitraire pur du Code s'ajoute celui de la volonté du maître, au sarcasme de ses articles celui des velléités quotidiennes du Blanc : « Le Code Noir et toutes les ordonnances relatives aux esclaves n'ont été que de faibles barrières à la tyrannie des maîtres. S'ils ne font plus appliquer la question[3], ils les assomment de coups ; s'ils ne font plus donner que vingt-cinq coups de fouet, ils récidivent le lendemain ; non seulement ils éludent la loi, ils la transgressent ; excéder de travail ou de coups l'esclave est, pour un maître cruel, l'*ultimum bonum.* »[4]

Le Code Noir prévoit des peines pour le maître qui aurait eu la main trop lourde, il prévoit son pardon dans la même phrase[5]. À le bien lire, on pourrait ne pas douter qu'il ait pu peser de toute sa rigueur sur le maître incapable de se contenir. Condorcet enquête et conclut : « Il

2. C. Biondi, *Ces esclaves*, p. 8.
3. C'est-à-dire la torture.
4. Bonnemain, ouvr. cité, p. 16 (*ultimum bonum* = bonheur suprême).
5. Art. 42 et 43.

n'y a pas eu, depuis plus d'un siècle, un seul exemple d'un supplice infligé à un colon pour avoir assassiné son esclave. »[6]

Il arrive néanmoins que la codification ait du bon. Prenons le marronnage. Rapportons-nous aux articles 38 et 39 où s'étalent, grandioses, les peines à infliger aux coupables de ce crime et aux récidivistes. Cette peine capitale pour la troisième tentative, quelle perte pour le colon ! Pourquoi ne pas châtrer le fuyard et le garder au travail plutôt que le tuer ? Versailles mande au gouverneur impétrant dans ce sens[7] que le roi n'accepte pas pareille modification au Code Noir[8]. On tue. On n'émascule pas. Et nous pensons qu'une note explicative en bas de page serait ici totalement superflue, chacun sachant pertinemment où niche, en dernier ressort, l'intégrité physique, qu'elle soit théorisée en langage théologique ou qu'elle le soit en langage humaniste[9]. Qu'on les pende donc et qu'on les brûle, et qu'au préalable on les mutile et les ampute sans les émasculer pourtant, car il y aurait là tricherie avec les notions de mort et de vie et, surtout, affront au Code. Et puisque cela doit être fait, que ce soit fait selon la loi, en toute cérémonialité, insisterait Montesquieu[10]. Un bon point pour le Code Noir et son intention modératrice, tant aimée des historiens : grâce à lui, on tue légalement le marron, mais on châtre illégalement le fuyard. Pour le reste, du moment que le maître étampe, frappe et taille en maître et le roi mutile ou pend en roi, tout est pour le mieux dans le meilleur des mondes.

Les Blancs les mieux intentionnés veulent croire de toutes leurs

6. Condorcet, *Réflexions sur l'esclavage des nègres. Par M. Schwartz, Pasteur du Saint Évangile à Bienne, Membre de la Société Économique de Bxxx*, Neufchâtel et Paris, 1788, p. 78 (*EDHIS* 6). Peytraud confirme (p. 325-326) : dans certains cas, très rares, et n'ayant aucun rapport avec la gravité des sévices infligés aux esclaves, on impose aux maîtres des amendes et des peines de confiscation.

7. Il s'agit du gouverneur Begon, et sa requête est de 1705. Begon était l'un des « pères fondateurs » du Code Noir. Il succéda à Patoulet et à ce titre il collabora avec Blenac dans la rédaction de l'un des deux mémoires qui servirent de base à la rédaction du Code Noir. Cf. *supra*, n. 17, p. 80.

8. AN, Colonies, F2 90.

9. Précisons tout de même que Versailles est ici d'un thomisme délicat. Le maître a le droit de frapper l'esclave pour le corriger et l'éduquer ; cela relève du pouvoir domestique. Le pouvoir de tuer et de mutiler en choisissant le genre de mort et de mutilation, c'est-à-dire l'application des *peines irréparables*, appartient au prince et à lui seul, car il relève de la souveraineté politique (*Somme théologique*, 2.2, q. 65, art. 1 et 2). Le thomisme radical aurait autorisé la castration : Thomas affirme la licéité de l'opération (*ibid.*, ad. 1) s'il doit en résulter un bien pour la communauté entière « *cuius est ipse homo et omnes partes eius* ». Sur tout cela, Thomas peine à harmoniser les données du droit romain avec l'Ecclésiastique 33, 25-30.

10. *L'Esprit des lois*, liv. 16, chap. 16.

forces en l'aménagement de quelques zones de bonheur dans l'enfer de l'esclavage. Là où les Noirs, de quelque mouroir que leurs voix nous parviennent, confondent tous les Blancs sous le titre de « plus cruels persécuteurs du genre humain »[11], les bons Blancs cataloguent, hiérarchisent, dosent les bons points et les blâmes : « Victime de l'avarice de l'industrieux Hollandais, du luxe du pétulant Français, traité avec mépris par le fier et ingénieux Anglais, (le Noir) passe une vie moins dure, moins humiliante avec l'indolent et grave Espagnol et il vit avec plus de justice, plus d'égalité avec l'actif et voluptueux Portugais. Mais il est une terre où vraiment il est heureux, là il est homme (...) Plus raisonnables et plus humains que les autres peuples, beaucoup d'Anglo-Américains font de leurs esclaves les compagnons de leurs travaux et de leur table ; ils les vêtissent, les instruisent et les traitent en frères. Là on permet l'essor à leur âme, d'où rejaillit l'étincelle d'un esprit à qui il ne manque que d'être cultivé. »[12] Retenons, sans aller plus loin dans l'analyse, uniquement ceci : le Code Noir, dont on a tant et si souvent vanté la positivité, place l'esclave noir des Français au dernier échelon de l'échelle du bonheur, avec l'esclave de l'Anglais et du Hollandais.

Imaginons que le genre d'existence que le Code Noir aménage aux esclaves comportât la possibilité que des êtres à ce point accablés de tous les malheurs du monde se hasardassent à formuler une plainte : « Si malheureusement un Noir osait se plaindre de son maître ou de son conducteur, sa punition future serait plus cruelle encore, il dépérirait bientôt sous leurs mains. »[13] Le More Lack ne fait pas de casuistique, lui. Il ne calibre pas les positivités et les négativités pour bien peser leurs sommes et tirer le bilan. Il sait. Il dit ce qu'il sait. Avec ce désagréable manque de nuances qui caractérise les vociférations des vaincus[14]

11. *Le More Lack, ou Essai sur les moyens les plus doux et les plus équitables d'abolir la traite et l'esclavage des nègres d'Afrique en conservant aux colonies tous les avantages d'une population agricole*, Londres et Paris, Prault, 1782 (*EDHIS* 3, 1), p. 176.

12. Bonnemain, ouvr. cité, p. 20-21.

13. Ouvr. cité, p. 192-193.

14. Lecointe-Marsillac écrit « sous la dictée » du More Lack. Cugoano écrit lui-même ses souvenirs. Quelle part de réalité, quelle part de fiction dans la vérité de ces deux personnages ? Fictifs ou réels, j'oserai dire que dans les deux cas ces deux personnages sont également intéressants. Si la fiction l'emporte, il est historiquement très intéressant que des lecteurs aient pu entendre, dans ces deux textes, la voix de deux esclaves. Purement fictifs ? L'hypothèse induit une conséquence de taille : nous ne disposons pas d'un seul témoignage littéraire sur la réalité de

soudain admis à la parole. Invoquer la loi, dit en somme Le More Lack, c'est invoquer la mort.

Il ne sert à rien effectivement d'invoquer la loi quand elle se moule dans le Code Noir. Cugoano, dont la chair porte la trace du fouet et la peau celle de l'étampage, sait de quoi il parle : « Partout la servitude est permise par les lois. Les lois contradictoires s'annulent elles-mêmes, ou sont sans consistance. Elles assurent cependant les propriétés, dira-t-on. Oui ! Mais parmi les voleurs, dont la première loi est de voler tous ceux qui ne sont pas de leur société. Alors, et seulement alors, le vol et le pillage ne sont pas des crimes. Alors le voleur d'hommes et celui qui les achète ne doivent pas être punis. »[15] Oui, on peut tuer le Noir qui chaparde pour manger, d'après le Code[16] dont la réflexion de l'esclave Cugoano pourrait être l'exact liminaire. « Les lois même faites en notre faveur portent l'empreinte d'une cruauté despotique »[17], insiste Le More Lack, qui maudit le tragique destin du Noir interdit d'accès à toute mesure juridique de défense contre l'agression du colon. De qui parle-t-il : du Noir de chez les Français, ou de celui de chez les Espagnols ou les Hollandais ? Aucune importance. « Par une suite cruelle de notre situation, tous les crimes des Blancs envers nous, plongés dans un éternel oubli, restent toujours impunis. Mais lorsqu'un nègre a le malheur de menacer un Blanc, son corps est déchiré à coups de verges jusqu'à ce que le sang coule de toutes parts. Et si par un accident involontaire, un esclave en se défendant contre les violences de son maître, avait le malheur de le blesser, il serait brûlé vivant. »[18]

Inutile de relever point par point tout ce qui peut motiver les critiques amères formulées par les Noirs à l'égard de la machine juridique qui leur vole l'âme et leur broie le corps : c'est la totalité de l'instrument de coercition qui est brutalement rejeté. Cugoano donne libre cours à son amertume en évoquant les beaux discours de ceux qui, négriers ou pas, critiquent, certes, l'institution de l'esclavage et ses excès, mais jurent que « la liberté sera répandue sur le globe, quand il en sera temps »[19]. L'affranchi commente : « Les vils avocats de

l'esclavage émanant d'un esclave. Ce qui en dit plus long que tous les raisonnements possibles sur l'efficacité du barrage dressé par la culture blanche face à la parole noire.

15. Ouvr. cité, p. 138-139.
16. Art. 35.
17. More Lack, p. 159.
18. *Ibid.*, p. 159.
19. Cugoano, p. 25.

l'esclavage (...) lorsqu'ils espèrent que la liberté universelle planera un jour sur tout le globe, ressemblent au crocodile qui pleure sur sa proie en la dévorant. »[20] Et Le More Lack à son tour : « Il faut convenir que chez aucun peuple de la terre la servitude ne fut administrée avec autant de rigueur et de cruauté que dans nos colonies américaines. »[21]

C'est net. Au fond de la déréliction, au plus profond du dénuement et de la souffrance, seul le superlatif convient pour qualifier la détresse, quelque progression « objective » qu'historiens et théoriciens veuillent signaler dans le statut des victimes, en comparant à celle d'hier l'horreur d'aujourd'hui, aux crimes d'ici ceux d'à côté. Cugoano, Le More Lack ne font pas le détail. « Enlever à un homme une propriété quelconque, écrit Cugoano, soit par astuce, soit par violence, soit par adresse, c'est commettre un crime. Mais pour enlever les hommes eux-mêmes et les mettre dans l'esclavage, il faut être un monstre. De quelque couleur que soit sa peau, qui ne donnerait pas tout pour sa vie ? Qui n'aimerait pas perdre toutes ses propriétés plutôt que la liberté ? Le fou seul peut penser autrement. »[22] Et Le More Lack gomme avec autant de concision la prétendue positivité du Code qui légitime tout cela : « Qui aurait cru en France que des lois faites dans Rome et dans la Grèce il y a deux mille ans eussent servi d'autorité aux Européens pour faire égorger et enchaîner un si grand nombre de nègres d'Afrique, et les condamner en Amérique à l'esclavage le plus rigoureux qui ait jamais existé sur terre ? »[23]

Non, ces êtres que la terminologie juridique de Versailles nommait dans une enfilade de notions à l'homogénéité criante – « nègres, effets, denrées et marchandises »[24] ne trouvent rien à garder dans le

20. Cugoano, p. 31. C'est en des termes semblables que Herder *(Encore une philosophie de l'Histoire)* brocarde la philanthropie universaliste des Lumières et le fait qu'elles n'aient rien à opposer à l'esclavage d'outre-mer tout en critiquant l'institution du servage dans le vieux continent.

21. More Lack, p. 186 : « Nous croyons pouvoir dire que l'esclavage moderne, avec les horreurs de la traite, a été aussi terrible pour les victimes, sinon même plus, que l'esclavage ancien. Or à la différence de ce qui s'était passé dans l'Antiquité, où la servitude était devenue une des conséquences naturelles de l'état social, rien ne justifiait chez les nations modernes cet odieux abus de la force. » Par l'« asservissement méthodique d'une race de civilisation inférieure par la race plus civilisée, du Noir par le Blanc, de l'idolâtre par le payen », on doit dire, compte tenu « du progrès des temps et des idées », que les Européens furent « sciemment coupables » (Peytraud, p. 444).

22. Cugoano, p. 71.

23. More Lack, p. 282.

24. On trouve partout des raccourcis de ce genre. À titre d'exemple, les lettres patentes concernant le commerce étranger aux îles et colonies de l'Amérique (Fontai-

Code Noir. La perspective même de l'affranchissement ne semble pas les conduire à moins d'outrecuidance dans leur rejet. Comme s'ils n'y croyaient pas. Comme si, légèreté ou ingratitude, le prix à payer pour aborder la banlieue de la légalité blanche leur semblait physiquement et psychiquement trop fort. Ou plutôt comme s'ils savaient, sans avoir fait leurs écoles, que le *summum* de l'humiliation et de la bestialisation consistait justement en ceci : qu'ils eussent à mériter, à attendre du bon plaisir du maître ce dont ils avaient été ignominieusement expoliés, l'existence et la liberté.

nebleau, octobre 1727). Du préambule : « nos îles et colonies (...) sont en état de soutenir une navigation et un commerce considérables pour la consommation et le débit des nègres, denrées et marchandises » ; « statuons et ordonnons qu'il ne soit reçu dans les colonies soumises à notre obéissance que les nègres, effets, denrées et marchandises qui y seront portés par des navires ou autres bâtiments de mer français ». De l'art. 1 : défense « de faire venir des pays étrangers et colonies étrangères aucuns nègres, effets, denrées et marchandises à l'exception néanmoins des chairs salées d'Irlande ». De l'art. 14 : « permission de vendre une certaine quantité de nègres, effets, denrées et marchandises ». Du libellé du titre II : « des nègres, effets, denrées et marchandises qui seront trouvés sur les grèves, ports et havres » (*Le Code Noir*, p. 331-367).

2. *Les mirages de la liberté. La « loi du retour »*

Étampés au nom de leurs maîtres successifs[1], des Noirs bénéficiaient un jour d'une « liberté acquise » que le roi voulait productrice, en eux, des mêmes effets que ceux procurés par la « liberté naturelle » à ses autres sujets[2] : le Code Noir est explicite dans l'énumération des circonstances pouvant déboucher sur des affranchissements.

Mais il n'y aura jamais de politique d'affranchissement ni massif, ni multitudinaire, ni quantitativement remarquable. Cette mesure demeurera ponctuelle, arbitraire (dans les étroites limites de ce que tolère la loi) jusqu'au bout, et d'application scrupuleusement surveillée par

1. « Étamper un nègre c'est le marquer avec un fer chaud pour reconnaître à qui il appartient. Les habitants français de l'île de Saint-Domingue ont coutume d'étamper leurs nègres aussitôt qu'ils les ont achetés ; mais l'estampe se fait avec une lame d'argent très mince, tournée en façon qu'elle forme leurs chiffres (...). À chaque vente et revente d'un nègre, le nouveau maître y met son estampe, de sorte qu'il y en a qui en paraissent comme tout couverts » (*Dictionnaire* de Savary, Paris, 1723).

2. Code Noir, art. 59.

l'autorité locale et métropolitaine. Toute une masse de lois et de règles d'exception détermine le quotidien des affranchis, sur lesquels pèse toujours la menace suprême d'un possible retour à l'esclavage, en cas d'incartade. Contrôlés dans leurs allées et venues, surveillés dans leur vie sexuelle et familiale, interdits de métiers, contraints à l'usage de certaines formes vestimentaires, victimes de mille et une discriminations, la liberté qu'ils ont « acquise » est scandaleusement loin de produire les effets de la liberté-tout-court[3]. Les dispositions de l'article 58 concernant le respect dû par l'affranchi à son ancien maître et à ses proches doivent être lues en valeurs absolues : le Blanc est intouchable[4]. Telle est la pratique. Tel est l'esprit de la loi. Le principe de l'irréversible infériorité sociale – et juridique – du Noir[5], même affranchi, est de ceux que la colonie ne discute pas et dont la monarchie ne tolère pas la mise en doute, chacun tenant fermement qu'il convient par-dessus tout de pouvoir contempler à travers la hiérarchisation des hommes et des choses dans la quotidienneté coloniale la solidité de la base idéologique du régime colonial[6].

Certains essaient de tricher avec le Code Noir dès la fin du XVIIe et les débuts du XVIIIe siècle en attribuant aux lois canoniques des effets civils qu'elles ne pouvaient produire : on « baptise comme libres des enfants de mères esclaves »[7] et prétend les affranchir ainsi. Versailles

3. Cf. éclaircissements aux art. 55-59.

4. Le 9 février 1779, l'administration de Saint-Domingue illustre ainsi l'article 58 : « Enjoignons à tous gens de couleur, ingénus ou affranchis de l'un ou l'autre sexe, de porter le plus grand respect (...) à tous les Blancs en général, à peine d'être poursuivis extraordinairement, si le cas y échet, et punis (...) même par la perte de la liberté, si le manquement le mérite. »

5. Le Noir affranchi est rarissime. On remarquera dans la note précédente que les « nègres » ne sont même pas nommés dans le texte cité. Par « gens de couleur » il convient d'entendre, sauf autres précisions, des « sang-mêlé ».

6. Même en cas de légitime défense, le Blanc était intouchable (cf. Hilliard d'Auberteuil, *Considérations sur l'état présent de la colonie française de Saint-Domingue*, Paris, 1782). D'un mémoire daté mars 1777 : « À quelque distance qu'ils (les gens de couleur) soient de leur origine, ils conservent toujours la tache de leur esclavage et sont déclarés incapables de toutes fonctions publiques ; les gentilshommes mêmes qui descendent, à quelque degré que ce soit, d'une femme de couleur ne peuvent jouir de la prérogative de la noblesse. Cette loi est dure, mais sage et nécessaire dans un pays où il y a 15 esclaves pour 1 Blanc ; on ne saurait mettre trop de distance entre les deux espèces ; on ne saurait imprimer aux nègres trop de respect pour ceux auxquels ils sont asservis. Cette distinction, rigoureusement observée même après la liberté, est le principal lien de la subordination de l'esclave, par l'opinion qui en résulte que sa couleur est vouée à la servitude, et que rien ne peut le rendre égal à son maître. L'administration doit être attentive à maintenir sévèrement cette distance et ce respect » (Durand-Molard, 3, p. 295 ; Peytraud, p. 424).

7. Ordonnance royale du 15 juin 1736, *Le Code Noir*, p. 367-371.

rappelle que cette prétention n'a pas de base juridique et tonne qu'il convient de faire cesser cet « abus dangereux »[8]. Le baptême vise le salut, non la liberté : est-ce clair ? L'« abus » cessera.

Reste pour les Blancs en mal de « reconnaissance » envers leurs esclaves noirs le mirage d'un autre moyen de les affranchir : les faire passer en France métropolitaine pour y bénéficier du charisme libérateur du sol français. Longue histoire que celle de ce charisme, riche en rebondissements de surface, émouvante par l'inaltérable de son calme profond.

Des colons rentrent en France qui ont acquis en Amérique du Vent et Sous-le-Vent l'habitude molle de se faire servir, éventer et pommader par des esclaves. Ils en emmènent quelques-uns avec eux. Sont-ils tous motivés, en se faisant ainsi accompagner, par le souci d'un séjour combinant affaires et retrouvailles à la douceur du farniente, aux délices de la parade ? Il en est qui, joignant l'utile à l'agréable, comptent mettre leurs accompagnateurs esclaves en apprentissage auprès de tel ou tel artisan, avec l'idée de se dédommager du coût de la traversée de ces bons à rien, ramenant en artisans des serviteurs inaptes jusque-là à rien d'autre qu'au service domestique ou aux corvées des sucreries. À en croire les préambules des édits royaux d'octobre 1716 et de mars-avril 1752[9] que nous évoquerons longuement, des colons se faisaient accompagner en France ou y expédiaient « quelques-uns de leurs esclaves pour les confirmer dans les instructions et les exercices de notre religion »[10]. Parmi ces colons, y en avait-il qui emmenaient des esclaves avec l'intention de les soustraire aux restrictions juridiques qui limitaient là-bas la pratique de l'affranchissement ? Y en avait-il qui avaient le projet secret d'oublier, en quelque sorte, leurs esclaves en métropole, hors la zone de juridiction du Code Noir ? Comptaient-ils – ou craignaient-ils – ceux-là que quelqu'un s'aviserait bien de dire aux esclaves, une fois en France, qu'ils étaient devenus libres par le simple fait d'avoir foulé le sol libérateur[11] ? Comment savoir. Mais

8. *Ibid.* « Ordonne Sa Majesté que les enfants qui seront baptisés comme libres quoique leurs mères soient esclaves, soient toujours réputés esclaves, que leurs maîtres en soient privés, qu'ils soient vendus au profit de Sa Majesté et que les maîtres soient en outre condamnés à une amende, qui ne pourra être moindre que la valeur des dits esclaves. » L'ordonnance rappelle des mises en garde similaires édictées en 1713.

9. Édit d'octobre 1716, *Le Code Noir*, p. 169-181. Édit de mars-avril 1732, *Le Code Noir*, p. 372-385. Mais aussi édit de décembre 1738.

10. *Le Code Noir*, p. 170.

11. Des éléments de réponse à toutes ces questions : Peytraud, ouvr. cité, chap. 8 : « Des esclaves amenés en France », p. 373-399.

nous sommes bien forcés de constater que l'édit d'octobre 1716 [12] offre aux Noirs débarqués en France quelques moyens d'échapper à l'esclavage [13], tout en réglementant méticuleusement leur séjour métropolitain en parfaite conformité avec le Code Noir qui réglementait aux îles leur quotidien. Plus précisément : en territoire métropolitain le maître garde sur son esclave, sur sa « chose » la totalité du pouvoir ; l'édit envisage néanmoins que le maître puisse « oublier » sa toute-puissance sur l'esclave et, dans cette hypothèse, Versailles semble interpréter cet « oubli » comme une dépossession calculée du droit magistral et entrebâiller à l'esclave, par l'effet d'une sorte de franchise royale, la porte de la liberté [14].

En quinze articles, le Régent louvoie entre le Code Noir chosifiant l'esclave et la loi voulant qu'il ne puisse y avoir d'esclave en France, entre la volonté de satisfaire les colons qui envoient des esclaves en métropole et le souci de ne point voler les maîtres en octroyant d'office la liberté aux esclaves, « ce qui pourrait causer aux dits habitants (colons) une perte considérable et les détourner d'un objet aussi pieux qu'utile » [15]. Ayant rappelé en l'article 1 que la loi en vigueur aux îles pour les esclaves est le Code Noir, Versailles manœuvre de l'article 2 à l'article 15 et dernier :

Le colon doit obtenir de l'autorité coloniale l'autorisation de faire embarquer des esclaves, et cette autorité doit enregistrer le nom du propriétaire, celui des esclaves qui voyageront, leur âge, leur signalement. Même procédure près du greffe de la juridiction du lieu de résidence du colon et près l'amirauté du lieu de débarquement en métropole dans la huitaine de l'arrivée. Bien entendu, si le maître ne fait pas le voyage, ces obligations incombent à celui ou à ceux qui seront chargés de conduire les esclaves. Ceux-ci « ne pourront prétendre avoir acquis leur liberté sous prétexte de leur arrivée dans le royaume et seront tenus de retourner

12. Il constitue le premier règlement complet sur la question.

13. Jusque-là, on aurait pu se référer au thème classique du sol libérateur. Il résulte d'une lettre ministérielle du 5 février 1698 à M. Ducasse que les esclaves deviennent libres par le seul fait de débarquer en France et qu'ils ne peuvent être contraints de retourner aux îles. Selon la même source, ceux qui, ayant été emmenés enfants dans le royaume, seraient renvoyés plus tard aux îles ne pourraient être privés de la liberté qui leur était acquise (Peytraud, p. 376).

14. Pour faire court, le Code Noir est juridiquement en retrait par rapport au principe « France, terre des Francs », c'est-à-dire des libres. Une casuistique s'impose pour garder au Code Noir sa vigueur sans avoir l'air de s'opposer frontalement à un principe traditionnellement invoqué.

15. Édit de 1716, préambule. Il convient d'entendre par cet objet « pieux et utile » une catéchèse un peu poussée et l'apprentissage « de quelque art et métier ».

dans (les) colonies quand leurs maîtres le jugeront à propos » (art. 5). Le verrouillage semble clair. Pourtant, il ne l'est pas : « Mais faute par les maîtres des esclaves d'observer les formalités prescrites par les précédents articles, les dits esclaves seront libres et ne pourront être réclamés » (art. 5). Ceci établi, l'édit menace de sanctions économiques extrêmement lourdes quiconque prétendrait « enlever ni soustraire en France les esclaves nègres de la puissance de leurs maîtres » (art. 6).

Pas de mariage d'esclaves noirs en France sans le consentement des maîtres[16] : « Mais si les maîtres y consentent, les dits esclaves seront et demeureront libres en vertu du dit consentement » (art. 7). Que le maître vienne à mourir pendant le séjour de tel de ses esclaves en France : les héritiers doivent le renvoyer aux colonies pour y être partagé avec les autres biens de la succession (art. 9)[17]. Le maître ne peut ni vendre ni échanger ses esclaves en France. En vertu de l'article 11, ces deux activités qui constituent la base même de l'esclavage ne sauraient se développer sur un sol libérateur par nature. Régies par le Code Noir[18] pour l'Amérique du Vent, et par les privilèges aux compagnies royales pour l'Afrique, elles ne peuvent avoir lieu que dans les colonies ou sur les terrains à traite. L'esclave qui, sans la permission de son maître, débarquerait en France ne serait pas libre. Poursuivi, arrêté, il serait renvoyé aux colonies (art. 14)[19].

Article 15 et dernier : « Les habitants de nos colonies qui, après être venus en France, voudront s'y établir et vendre les habitations qu'ils possèdent dans les dites colonies, seront tenus dans un an, à compter du jour qu'ils les auront vendues et auront cessé d'être colons, de renvoyer dans nos colonies les esclaves nègres de l'un et l'autre sexe qu'ils auront amenés ou envoyés dans notre royaume : les officiers qui ne seront plus employés dans les États de nos colonies, seront pareillement obligés dans un an, à compter du jour qu'ils auront cessé d'être employés dans les dits États, de renvoyer dans nos colonies les esclaves qu'ils auront amenés ou envoyés en France. Et faute par les dits

16. Comme prévu au Code Noir, art. 10.

17. Et ceci « conformément à l'édit du mois de mars 1685 (Code Noir), à moins que le maître décédé ne leur ait accordé la liberté par testament ou autrement, auquel cas les dits esclaves seront libres » (*ibid.*).

18. Invoqué explicitement en cet art. 11.

19. Cf. *supra*, n. 14, p. 209. L'art. 14 est d'une clarté définitive : la volonté magistrale se subordonne donc, avec l'accord de la couronne, qui prendra toutes dispositions « pour faire arrêter les dits esclaves (...) partout où ils pourront s'être retirés », le principe traditionnel de la liberté acquise du seul fait de toucher le sol français.

habitants et officiers de les renvoyer dans le dit terme, les dits esclaves seront libres. »

Trois échappatoires vers la liberté : l'*oubli* des formalités d'inscription au départ ou à l'arrivée ; le mariage ; l'*oubli* de l'obligation de renvoi en cas de non-retour définitif des maîtres aux colonies. Dans les trois cas, nous sommes devant le pouvoir arbitraire du maître, que le pouvoir royal semble parfaitement honorer.

Mais trois, c'est trois de trop. Versailles ne tardera pas à se raviser. Vingt-deux ans après la publication de cet édit, la situation semble avoir évolué de fâcheuse manière : il est temps de colmater les trois malheureuses brèches ouvertes par l'édit de 1716 sur l'hermétique clôture du Code Noir. Versailles, 15 décembre 1738 : « Nous sommes informés que depuis ce temps-là[20] on y en a fait passer un grand nombre (d'esclaves en France) ; que les habitants qui ont pris le parti de quitter les colonies et qui sont venus s'établir dans le royaume y gardent des esclaves nègres, au préjudice de ce qui est porté par l'article 15 du même édit ; que la plupart des nègres y contractent des habitudes et un esprit d'indépendance qui pourraient avoir des suites fâcheuses ; que d'ailleurs leurs maîtres négligent de leur faire apprendre quelque métier utile, en sorte que de tous ceux qui sont amenés ou envoyés en Francs, il y en a très peu qui soient renvoyés dans les colonies, et que dans ce dernier nombre, il s'en trouve le plus souvent d'inutiles, et même de dangereux. L'attention que nous donnons au maintien et à l'augmentation de nos colonies ne nous permet pas de laisser subsister des abus qui y sont si contraires ; et c'est pour les faire cesser, que nous avons résolu de changer quelques dispositions à notre édit d'octobre 1716 et d'y en ajouter d'autres qui nous ont paru nécessaires. »[21] Et tout comme nous avons vu Versailles endurcir en 1724 le Code Noir de 1685, nous le voyons ici renchérir sur les formalités d'inscription et d'autorisation avant et après la traversée. Avant on enregistrait le nom, l'âge et le signalement de l'esclave. Désormais on mentionnera aussi le métier que l'esclave doit apprendre (art. 3)[22]. On ne libère plus les esclaves dont

20. Depuis la publication de l'édit de 1716.

21. Édit de décembre 1738, préambule. Très intéressant le passage suivant du commentaire à cet édit du ministre de la Marine dans une lettre, datée 15 février 1739, à MM. de Larnage et Maillart : « Enfin, toutes les dispositions de cette déclaration ont pour objet d'empêcher que la liberté que le roi veut bien laisser aux habitants des îles de faire passer des esclaves en France ne puisse point occasionner la multiplicité des affranchissements ni le mélange de sang des noirs dans le royaume » (Arch. col., B 68, îles Sous-le-Vent, p. 8, Peytraud, p. 381).

22. « Et du maître qui sera chargé de les instruire. »

on aurait « oublié » l'inscription sur les bons registres[23]. Ils seront désormais, dit le roi, « confisqués à notre profit pour être renvoyés dans nos colonies et y être employés aux travaux par Nous ordonnés » (art. 4). Le séjour d'apprentissage est limité à trois ans. Cette période écoulée, l'esclave repart aux colonies, qu'il y soit réexpédié par le maître ou que, après confiscation, le roi l'envoie à ses chantiers d'outre-mer (art. 6). Le roi confisque et réexpédie, d'un mot, tout esclave noir qui demeurerait en France, au-delà des limites prévues, sous n'importe quel prétexte. Les patrons trop oublieux se voient infliger des amendes d'une extrême dureté. L'article 7 de l'édit de 1716 liait, en certaines circonstances, mariage en métropole et liberté. L'article 10 de l'édit de 1738 barre d'un trait toute possibilité de mariage (« même de consentement de leurs maîtres ») et annule ainsi la possibilité d'affranchissement laissée entrebâillée par l'édit précédent[24]. Le roi confisque à son profit et renvoie enfin à ses travaux dans les colonies les esclaves du colon qui s'établirait en France[25].

Les trois raccourcis vers la liberté – d'emprunt, il est vrai, plus que difficile – sont devenus trois culs-de-sac. Le Code Noir, dont ces deux édits évoquent la vigueur et invoquent la rigueur dans leurs préambules, n'est plus démenti nulle part.

Vingt-quatre ans plus tard, où en sommes-nous ? Les ordonnances royales de mars et avril 1762[26] font le point. On y lit un raccourci succulent de l'histoire de l'évolution de l'esclavage en France jusqu'à sa totale disparition, et de celle de son introduction dans les colonies, où « les personnes des esclaves sont traitées avec toute la douceur naturelle aux Français »[27], où « des lois dictées par la bonté de nos rois ont pourvu à leur sûreté, à leur éducation, à leur entretien »[28]. On s'y étonne que ces esclaves, introduits « par nécessité » dans les colonies « vinssent traîner leurs chaînes jusque dans le sein du royaume »[29]. On y déclare l'édit d'octobre 1716 « subreptice et obreptice, rendu sur faux

23. « Les esclaves nègres, de l'un ou l'autre sexe, qui seront conduits en France par leur maître, ou qui y seront par eux envoyés, ne pourront prétendre avoir acquis la liberté, sous prétexte de leur arrivée dans le royaume ; et seront tenus de retourner dans nos colonies, quand leurs maîtres jugeront à propos : mais faute pour leurs maîtres d'observer les formalités prescrites par les précédents articles, les dits esclaves seront confisqués. »

24. « Auquel nous dérogeons quant à ce. »

25. Art. 8.

26. *Le Code Noir*, p. 427-446.

27. *Ibid.*, p. 435.

28. *Ibid.*

29. *Ibid.*

exposé et sans aucun motif de nécessité »[30]. On veut remettre bon ordre à tout cela. « À l'abri de cette loi, non enregistrée, un déluge de nègres[31] parut en France, bientôt on oublia les formalités prescrites par cet édit, depuis renouvelé par une déclaration de 1738[32]. La France, surtout la capitale, est devenue un marché public, où l'on a vendu les hommes au plus offrant et dernier enchérisseur ; il n'est pas de bourgeois ni d'ouvrier qui n'ait son nègre esclave (...) en sorte que l'esclavage, si vous n'y remédiez promptement, reprendra bientôt ses droits en France, contre les saines maximes du royaume, qui n'admettent aucun esclave en France. Nous sommes continuellement occupés à faire ouvrir les prisons aux nègres qui y sont détenus sans autre formalité que la volonté de leurs maîtres qui osent exercer sous vos yeux un pouvoir contraire à l'ordre public et à nos lois[33]. De semblables abus ne peuvent être tolérés ; l'introduction d'une trop grande quantité de nègres en France, soit en qualité d'esclaves, soit à tout autre égard, est d'une dangereuse conséquence. Nous verrons bientôt la nation française défigurée si un pareil abus est toléré. D'ailleurs, les nègres en général sont des hommes dangereux, presque pas un de ceux auxquels vous avez rendu la liberté, qui n'en ait abusé et qui ne se soit porté à des excès dangereux pour la société. »[34] Bref, « attendu la maxime constante que tout esclave entrant en France devient libre de plein droit »[35] et « les abus aussi odieux qui multipliés qui se commettent journellement (...) à l'occasion des nègres et des mulâtres »[36], qu'« obligés de céder aux circonstances, les rois ne peuvent supprimer et anéantir que par gradation tout ce qui est contraire à l'essence et à la constitution d'un bon gouvernement »[37], il est temps de tenir les registres des Noirs et des mulâtres beaucoup mieux qu'auparavant, d'arrêter le « déluge de nègres » sur la France et d'en finir avec le scandaleux bruit des chaînes que les esclaves traînent aux pieds sur le pavé national. Qu'ils s'en aillent là où la nécessité les a menés, là où elle doit les

30. *Ibid.*, p. 436.
31. Cf. *supra*, n. 21, p. 211.
32. On remarquera la volonté de minimiser la valeur des deux édits. Celui de 1716 fut produit selon les bonnes formes et publié tout naturellement. Celui de 1738 n'était pas qu'une simple déclaration.
33. Mais ce pouvoir est tout à fait conforme à ce que prévoit, pour les colonies, le Code Noir, où non seulement les maîtres, mais tout un chacun est autorisé à conduire des Noirs en prison (cf. Code Noir, art. 16 entre autres).
34. *Le Code Noir*, p. 436-438.
35. *Ibid.*, p. 439.
36. *Ibid.*, p. 428-429.
37. *Ibid.*, p. 429.

maintenir sous les bonnes lois du Code Noir, sous la protection de la « douceur naturelle aux Français »[38].

Ainsi donc, de 1716 à 1762, s'évanouit le mirage de l'affranchissement par émanation de la vertu libératrice du sol. La chance du voyage en France était, bien entendu, minime pour les esclaves dont le Code Noir réglait l'existence. Théoriquement elle était pourtant là.

1777. Lorsque les esclaves ayant séjourné en France, dit le roi, reviennent aux colonies, ils « y portent l'esprit d'indépendance et d'indocilité et y deviennent plus nuisibles qu'utiles »[39]. Cela doit cesser. Il interdit l'accès à la métropole à tout « Noir, mulâtre ou autres gens de couleur »[40]. Il fallait trancher une fois pour toutes. « Les nègres se multiplient chaque jour en France. On y favorise leurs mariages avec des Européens, les maisons publiques en sont infectées ; les couleurs se mêlent, le sang s'altère. Une prodigieuse quantité d'esclaves enlevés à la culture dans les colonies ne sont amenés en France que pour flatter la vanité de leurs maîtres et ces mêmes esclaves, s'ils retournent en Amérique, y rapportent l'esprit de liberté, d'indépendance et d'égalité qu'ils communiquent aux autres. »[41] Clair : il était d'extrême urgence de faire cesser tout cela.

Combien étaient-ils ces esclaves en « prodigieuse quantité » pour que Versailles considère que le « seuil de tolérance » était atteint ? On avance généralement, pour toute la France et tout le XVIIIe siècle, des chiffres compris entre 1 000 et 5 000. Qu'avait-elle donc à craindre la « blanchitude » ? La peste et le choléra : la réintroduction chez elle de l'esclavagisme, sa légalisation par banalisation ; mais surtout la contamination du pur sang de France.

Ces Noirs, esclaves abandonnés ou émancipés, marins sans attaches, vivaient en marge de la société. Jongleurs, serviteurs, ils se mêlaient, rejetés de partout, au monde du coup de main et du crime. Moqués et poursuivis par la haute et par le peuple, ils cultivaient à leur insu l'image

38. *Ibid.*, p. 435.
39. Cité in *Revue de l'histoire des colonies françaises*, 1928, p. 436-441.
40. *Ibid.* L'interdiction est du 9 août.
41. D'un rapport dont le résultat fut l'interdiction proclamée en août 1777, où l'on remarque, pour mieux motiver le roi, que « la plupart des esclaves se pourvoient au siège de la Table de Marbre, à Paris, pour s'y faire déclarer libres » ; « que des mémoires imprimés, remplis de déclarations contre l'esclavage et contre la tyrannie des maîtres sont répandus, avec profusion, dans Paris » ; que quelquefois « les juges prennent (les esclaves) sous la sauvegarde de la justice », etc. (Peytraud, p. 389-390).

négative que toute la France se faisait de l'Afrique et celle, combien plus positive, des bienfaits de l'esclavage antillais.

Concluons. À chacune des étapes bien balisées de la balade en France d'une poignée d'esclaves africains ou antillais, noirs ou mulâtres, Versailles oppose, avec plus ou moins d'efficacité, mais avec une ténacité constante dans ses motivations juridiques et racistes, l'esprit du Code Noir et ses instruments de coercition. Après Versailles et la courte parenthèse républicaine dont nous verrons plus tard la touchante roublardise, Napoléon interdit aux Africains, à tout homme ou femme de couleur, de pénétrer sur le sol français. En 1818 une instruction ministérielle datée du 5 août rappelle encore aux Blancs qu'il leur est interdit de se faire accompagner en métropole par des serviteurs noirs ou métis[42].

Les régimes passent. Le sol de France ne libère qu'à bon escient. L'affranchissement, la liberté pour l'esclave noir restent, tout comme en 1685, l'affaire du Code Noir, c'est-à-dire l'apanage de l'arbitraire le plus absolu. « La maxime constante que tout esclave entrant en France devient libre de plein droit » n'est pas bonne, à l'analyse, pour les enfants de Cham. Ou si ? Dans ce cas, les enfants de Japhet doivent tout faire pour leur interdire l'entrée dans ce paradis des lois.

42. W. B. Cohen, p. 285.

3. Les élégances de Montesquieu

Peut-on risquer que les esprits qui comptent historiquement dans la France du XVIIIe siècle restent, dans leurs critiques ou leurs révoltes, nettement en deçà de ce qu'exige l'épouvantable tragédie vécue par la « lignée de Canaan » ? Peut-on hasarder que ce siècle passe son temps à réfléchir sur le droit, la loi, le territoire, la souveraineté, et à éluder de porter le fer de la critique au lieu même où toutes ces belles notions s'effilochent et s'abîment dans le néant d'un sarcastique non-sens ? Ou vaut-il mieux oser dire que les Lumières, quoi qu'elles éclairent, n'arrivent ni à « humaniser » les Noirs ni à « territorialiser » l'Afrique ? Je crains qu'il ne faille risquer, hasarder, oser si l'on tient à rester dans la vérité historique, à se donner les moyens de comprendre quelque chose à la disproportion flagrante dans des textes essentiels entre la grandeur des exposés théoriques et la pusillanimité de leurs chutes politiques ou pratiques, entre la grandiloquence des anathèmes au plan des principes, et les tergiversations casuistiques dans les chuchotements des remèdes proposés (quand propositions de cet ordre il y a) au chancre immonde de l'esclavage.

Données ensemble, ces trois affaires doivent être examinées ensemble : l'esclavage ; la discrimination raciale ; le lien essentiel entre ces deux phénomènes-là et la colonisation franco-américaine, avec son moyen liminaire, c'est-à-dire la traite. On doit pouvoir poser, sans tricher avec l'histoire, le principe suivant : les éventuels silences des théoriciens français de la loi concernant l'une ou l'autre de ces trois affaires sont significatifs, compte tenu qu'aucun des trois ne relève ni du secret politique ni d'une censure politico-juridique.

Comment faire pour ne pas perdre de vue ni l'existence – et l'efficience juridique – du Code Noir dans les terres du Couchant, ni la croisière transocéanique et tricontinentale des bateaux négriers, lorsqu'on s'extasie pour suivre le vol majestueux de la philosophie française décrivant en plein ciel la grandeur de l'homme et de ses lois ? Mais comment faire pour projeter en plein ciel les mouvements merveilleux des grands luminaires, la raison et la loi, pendant qu'au ras du sol et sur les flots et chez moi racisme, esclavagisme et colonialisme paraphent au fer rouge la loi sur la peau noire ? L'odeur de brûlé et de cadavre des bûchers de l'Inquisition romaine n'a perturbé qu'un instant, en son temps, les délicieux soliloques des mystiques du siècle d'or espagnol. Le ferrage de tous les jours et la constante désolation de Canaan n'ont perturbé qu'un temps l'élégance pommadée des philosophes français du XVIIIe siècle. Rendons-nous à l'évidence. Pour eux, les Noirs n'existent pas.

Inadmissible ? Démenti par les textes ? Alors, modérons notre propos. Pour eux, la lignée de Canaan n'est qu'un immense troupeau de bétail. C'est plus clair, plus « aristotélicien », moins laid.

Il semble historiquement acquis que les considérations plus ou moins critiques sur l'esclavage restent fragmentaires et anodines, épisodiques et inopérantes en France jusqu'au beau milieu du XVIIIe siècle. Avec Montesquieu tout change. *L'Esprit des lois*[1] porte un coup fatal aux laborieuses disquisitions philosophico-théologiques sur l'esclavage, qui jusque-là tenaient lieu d'anathème définitif. La pensée accomplit un saut qualitatif très considérable : tel, que le retour en arrière semblerait

1. Publié en 1748. J'utilise l'édition en deux volumes, présentée par V. Goldschmidt, Paris, GF, 1979.

incompréhensible et, pour tout dire, théoriquement irréalisable. L'historiographie chante les louanges de celui qui ose enfin condamner sans appel, après analyse sans concessions, la pratique multiséculaire et universelle de l'esclavage.

Montesquieu consacre tout le livre 15[2] de son ouvrage monumental à cette question. Il y analyse les diverses origines du « droit de l'esclavage », et on nous raconte qu'il y démolit une à une les argumentations qui lui donnèrent jadis et lui gardaient encore quelque légitimité. Théoriquement, l'immonde institution s'écroule après que Montesquieu en eut à jamais secoué l'assise rationnelle. On nous chante là une bien belle chanson, dont l'auteur de *L'Esprit des lois* nous donne la ritournelle tout au début du chapitre 8 de ce livre 15. Voyons-en l'intitulé : « Inutilité de l'esclavage parmi nous »[3]. Et la première phrase : « Il faut donc borner la servitude naturelle à de certains pays particuliers de la terre. »[4] Faut-il vraiment s'attarder sur le sens de « borner » et sur l'étendue géographique ou juridictionnelle de « parmi nous » ? Il le faut, car l'ensemble du livre 15 est riche en références aux pratiques esclavagistes de toutes les contrées et de toutes les périodes. On nous y cause des Chinois et des Arabes, des Hongrois et des Allemands, des Espagnols et des Africains, des Indo-Américains et des Russes, et des Grecs et des Romains ; et des pratiques esclavagistes de tous ces assassins, et des grandeurs et des misères de leurs lois pour rendre plus ou moins agréable, plus ou moins dure, ou douce, chez chacun d'eux, la condition d'esclave. Les Turcs y sont à l'honneur. Les Wisigoths retiennent l'attention de Montesquieu tout autant que les Siciliens ou les Athéniens. Antoine y côtoie Moïse, Tacite y donne la réplique à Plutarque et Justinien à Aristote. Des esclaves partout. Partout des balancements juridiques pour s'en arranger ou s'en débarrasser. Pas de doute, Montesquieu ferraille avec l'univers entier et avec toute l'histoire.

Mais chemin faisant, que de concessions à la théorie des climats[5], dont il est un ardent défenseur – le climat : la ritournelle de la chanson ! Et au travers de cette théorie, que d'états d'âme quant à la nécessité d'en

2. Liv. 15 : Comment les lois de l'esclavage civil ont du rapport avec la nature du climat.

3. *Esprit des lois (EL)*, p. 395.

4. *Ibid.*

5. Du liv. 14 au liv. 17, Montesquieu n'analyse-t-il pas le rapport au climat successivement des lois en général, des lois de l'esclavage civil, des lois de l'esclavage domestique et de celles de la servitude politique ?

finir vraiment (et non seulement pour l'élégance du syllogisme) avec une institution à laquelle la France offre, belle première dans la modernité[6], l'inviolable rempart d'un Code ! Seulement voilà : il est inutile, autant prévenir le lecteur tout de suite, de chercher dans ce livre (ou dans la totalité de *L'Esprit des lois*) la moindre référence au Code Noir. Inutile d'y chercher le moindre rappel de tel ou tel édit royal (il y en eut en prodigieuse quantité) concernant la traite ou l'esclavage. Pas une ligne. Le Code Noir, version 1685 ou refonte 1724, Montesquieu ne connaît pas. On le trouve pourtant dans les boutiques à livres dès 1713[7]. Monseigneur n'ignore rien des lois de partout, dont il a « posé les principes »[8], dont il raconte des détails pour mieux en faire sentir la certitude, sans bien sûr les donner tous pour ne pas infliger au lecteur un mortel ennui[9]. Mais il ne semble pas savoir que le Code Noir existe. Et l'ignorant, il ne peut l'évoquer, c'est humain, ni au chapitre des « principes » ni à celui des « détails » remarquables. Il sait qu'il y a des esclaves aux Antilles et en Louisiane[10]. Il ressource dans les textes fondateurs les diverses manifestations historiques de l'esclavage ou les diverses implantations territoriales par le vaste monde de cette chose-là. Pas une note au célèbre chapitre 5 du livre 15 (« De l'esclavage des nègres ») pour permettre au lecteur exigeant de faire en connaissance de cause la part de l'ironie, celle de la critique et, pourquoi pas, celle de la complaisance

6. D'autres nations négrières suivront son exemple. La Société des Amis des Noirs intègre à la liste des textes à consulter un *Code des lois pour les Noirs à la Jamaïque* (1788), en anglais (cf. *EDHIS* 8, 2) ; J. A. Gonsalvez de Mello analyse les lois spécifiquement « noires » établies par les Hollandais au cours du XVIIe siècle (*Tempo de Flamengos, influencia da ocupaçao holandesa na vida e na cultura de Norte du Brasil*, Rio de Janeiro, J. Olimpio, 1947). On sait l'existence des « Ordenanzas del siglo XVII sobre el buen tratamiento que se debe dar a los negros para su conservación » (José Torres Revello, Origen y aplicación del Código Negro en América Española, 1788-1794, in *Boletin del Instituto de Investigación Historica* XV, Buenos Aires, 1932, p. 42-50 ; Ildefonso Real, La aristocracia criolla venezolana y el Código Negrero de 1789, in *Revista de Historia* II, Caracas, 1961, p. 61-81).

7. Cf. *supra*, chap. 9.

8. « J'ai posé les principes, et j'ai vu les cas particuliers s'y plier d'eux-mêmes, les histoires de toutes les nations n'en être que les suites, et chaque loi particulière liée avec une autre loi, ou dépendre d'une autre plus générale » (Préface, p. 115).

9. « Ici, bien des vérités ne se feront sentir qu'après qu'on aura vu la chaîne qui les lie à d'autres. Plus on réfléchira sur les détails, plus on sentira la certitude des principes. Ces détails mêmes, je ne les ai pas tous donnés ; car qui pourrait dire tout sans un mortel ennui ? » (Préface, p. 115-116).

10. Analysant le cas classique de celui qui, de son propre chef, vend sa qualité de citoyen (*EL* 15, 2), il note en marge du texte : « Je parle de l'esclavage pris à la rigueur, tel qu'il était chez les Romains, et qu'il est établi dans nos colonies » (p. 390, n. *c*). À ne pas mélanger « nos colonies » et le « parmi nous » du titre du chap. 8 du même liv. 15 ! J'y reviendrai.

amusée dans cette tirade scandaleusement courte dont les derniers mots n'évoquent pas, comme partout ailleurs dans cette œuvre, la grandeur de la loi et de la justice, suprêmes remèdes à tous les chancres de l'humanité, mais l'humiliante viscosité de la « miséricorde » et de la « pitié »[11].

Rappelle-t-il la célèbre histoire des célèbres scrupules du sage et pieux Louis XIII à autoriser la traite[12] ? Il renvoie à Labat[13]. Lequel Labat parle du Code Noir et le transcrit, sans que Montesquieu fasse mine de l'avoir remarqué[14]. Parle-t-il du « pécule » qui serait propriété de l'esclave dans l'hypothèse où quelqu'un vendrait lui-même sa propre qualité de citoyen, ce qui est « un acte d'une telle extravagance, qu'on ne peut pas le supposer dans un homme »[15] ? Il montre l'incongruence juridique de pareille formule ; il rappelle, pour illustrer l'expression « vendre sa qualité de citoyen », l'esclavage « établi dans nos colonies »[16] sans prendre la peine de s'arrêter sur deux détails de rien du tout : que « dans nos colonies » il n'y a pas de gens qui vendent leur qualité de citoyens[17], et que le Code Noir interdit à notre esclave de là-bas la possession d'un pécule[18]. On a beau chercher chez Montesquieu une allusion à la forme typique de l'esclavage afro-antillais. L'« achat » à un « propriétaire » africain, roi ou pas, de ces esclaves, et le transfert de ces biens meubles d'un propriétaire à un autre sans la moindre invocation à je ne sais quel stade de la transaction ni du droit de guerre ni du droit d'occupation : vous n'en trouverez pas

11. « De petits esprits exagèrent trop l'injustice que l'on fait aux Africains. Car, si elle était telle qu'ils le disent, ne serait-ce pas venu dans la tête des princes d'Europe, qui font entre eux tant de conventions inutiles, d'en faire une générale en faveur de la miséricorde et de la pitié ? » (*EL*, p. 393).

12. Cf. *supra*, chap. 7, p. 55.

13. Note de Montesquieu au chap. 4 du liv. 15 d'*EL* : « Le P. Labat, *Nouveau voyage aux îles d'Amérique*, t. IV, p. 114, 1722. »

14. C'est dans le *Voyage du chevalier Des Marchais* que Labat transcrit intégralement le Code de 1685 et de 1724. C'est en 1730 que ce *Voyage* paraît. *L'Esprit des lois* paraît en 1748, Montesquieu n'a pas eu l'opportunité de le lire…

15. *EL* 15, 2, p. 390 : « Il n'est pas vrai qu'un homme libre puisse se vendre. La vente suppose un prix : l'esclave se vendant, tous ses biens entreraient dans la propriété du maître ; le maître ne donnerait donc rien, et l'esclave ne recevrait rien. Il aurait un pécule, dira-t-on, mais le pécule est accessoire à la personne. S'il n'est pas permis de se tuer, parce qu'on se dérobe à sa patrie, il n'est pas plus permis de se vendre (…) Vendre sa qualité de citoyen est un acte d'une telle extravagance, qu'on ne peut pas le supposer dans un homme. »

16. *Ibid.*, p. 390, n. *c* (et cf. *supra*, n. 10, p. 218).

17. Les Noirs de « nos colonies » ne sont ni des citoyens ni des sujets, ce sont des esclaves. Montesquieu semble ne pas l'avoir remarqué en écrivant cette note, plus indécente que légère. À moins qu'il ne songe aux « trente-six mois ». Et si c'est le cas, les évoquer en taisant les Noirs, quel aveu !

18. Code Noir, art. 28.

d'indices dans cette longue méditation. Et le tour est fait, complètement, de la présence des préoccupations afro-antillaises de Monseigneur : le Code Noir occulté en citant Labat, négligé en parlant du pécule. Mais poursuivons.

« Il y a des pays où la chaleur énerve les corps et affaiblit si fort le courage que les hommes ne sont portés à un devoir pénible que par la crainte du châtiment : l'esclavage y choque donc moins la raison. »[19] Aristote ne parle-t-il pas de l'existence « d'esclaves par nature »[20] ? Ce qu'il dit « ne le prouve guère »[21]. Mais « je crois que s'il y en a de tels, ce sont ceux dont je viens de parler »[22]. C'est diaphane. Ce qu'Aristote situait au-delà des frontières de l'hellénité, situons-le aux tropiques, de préférence en Afrique et en Amérique, et nous corrigeons ainsi les erreurs du stagirite tout en honorant sa mémoire sans plier pour autant sous son autorité.

L'« esclavage est contre la nature, quoique dans certains pays il soit fondé sur une raison naturelle »[23]... Lumineux. Il y a donc des endroits sur terre où la raison n'est ni raisonnable ni naturelle, où la nature n'est ni naturelle ni raisonnable. On s'en arrange. Et à l'occasion on y chasse. En Europe, grâce au christianisme, il n'y a plus ni maître ni esclave[24]. La nature chrétienne du continent le veut, à moins que ce ne soit la chrétienté naturelle du territoire qui l'exige. Ailleurs ? Dieu a pourvu pour ailleurs les soleils d'ailleurs, lui qui nous a gardé pour nous seuls, paternel, la douce chaleur du nôtre[25].

Proposons un résumé provisoire de tout cela : « miséricorde et pitié » pour les « nègres » esclaves que nous avons l'outrecuidance un rien païenne de considérer comme des sous-hommes[26]. Mais puisque,

19. *EL* 15, 7, p. 394-395.
20. *EL* 15, 7, p. 395.
21. *Ibid.*
22. *Ibid.*
23. *Ibid.* Montesquieu poursuit : « Et il faut bien distinguer ces pays d'avec ceux où les raisons naturelles mêmes le rejettent, comme les pays d'Europe où il a été si heureusement aboli. »
24. *EL* 15, 7, conclusion du chapitre, p. 395.
25. Et en disant le nôtre, il convient de bien distinguer, pour rester dans la ligne de ces quatre livres autour des climats et de leurs lois : notre Nord vaut mieux que notre Sud ; à notre Nord le génie qui aime la fraîcheur, à notre Sud le ronronnement de la Méditerranée lascive.
26. En réalité, et sans que Montesquieu s'en doute, l'art. 54 du Code Noir dans son esprit, ou l'art. 27 dans sa lettre ne vont-ils pas au-delà des catégories de la miséricorde et de la pitié ? Ne frôlent-ils pas les domaines de la bienfaisance et de l'amitié ? N'invoquent-ils pas de nobles sentiments ? Montesquieu sait-il qu'il est, avec ses ironies de salon, tout simplement en deçà du Code Noir ?

non à cause de leur couleur ni de la forme de leur nez, mais à cause de la dureté des climats des endroits où nous les avons razziés et de celle des endroits où nous les avons enchaînés, il semble bien que l'esclavage leur convienne, cherchons au moins « à en ôter (de l'esclavage) d'un côté les abus, de l'autre les dangers »[27].

Avant d'aller ôter « abus et dangers », il nous reste encore au moins deux choses à faire. La première : nous bien persuader que nous ôterons abus et dangers pour maintenir l'institution de l'esclavage sous l'emprise de la loi (« ce que les lois doivent faire par rapport à l'esclavage », écrit élégamment Montesquieu)[28], ce qui semblerait, à première vue, contredire les condamnations péremptoires de l'esclavage qu'on nous prie depuis toujours de savoir lire dans *L'Esprit des lois*. La deuxième, ce sera une petite balade en Lacédémonie : « L'abus extrême de l'esclavage est lorsqu'il est en même temps personnel et réel[29]. Telle était la servitude des ilotes chez les Lacédémoniens ; ils étaient soumis à tous les travaux hors de la maison, et à toutes sortes d'insultes dans la maison : cette ilotie est contre la nature des choses. Les peuples simples n'ont qu'un esclavage réel, parce que leurs femmes et leurs enfants font les travaux domestiques. Les peuples voluptueux ont un esclavage personnel, parce que le luxe demande le service des esclaves dans la maison. Or, l'ilotie joint, dans les mêmes personnes, l'esclavage établi chez les peuples voluptueux, et celui qui est établi chez les peuples simples. »[30] Il semble bien que cette « ilotie... contre la nature des choses » ne soit pas sensiblement différente de la forme d'esclavage que codifie le Code Noir[31]. Montesquieu ne suggère aucunement le rapprochement. Et c'est juste après ce rappel de l'iniquité lacédémonienne qu'il entreprend de montrer comment les lois civiles peuvent conserver à l'esclavage sa rigueur, en prenant garde d'en « ôter d'un côté les abus, et de l'autre les dangers ».

L'écrivain nous décrit alors, sans transition, des abus de l'esclavage chez les Arabes et chez les Romains, et il agrémente son récit d'une

27. *EL* 15, 11 : « Ce que les lois doivent faire par rapport à l'esclavage. – Mais de quelque nature que soit l'esclavage, il faut que les lois civiles cherchent à en ôter d'un côté les abus, et de l'autre les dangers. »

28. Cf. note précédente.

29. Esclavage réel : celui qui attache l'esclave au fonds de terre. C'est ainsi qu'étaient les esclaves chez les Germains (*EL* 15, 10, p. 397). Esclavage personnel : celui qui « regarde le ministère de la maison et se rapporte plus à la personne du maître » (*EL*, *ibid.*).

30. *EL*, *ibid.*

31. Sauf que celle du Code Noir est encore pire.

bonne trouvaille des Lombards, des Lombards du temps jadis évidemment. Dans les trois cas, il est uniquement question de la façon dont les maîtres usent à leur gré de la sexualité des esclaves et dont ils l'organisent selon leur magistral plaisir[32]. « La raison veut que le pouvoir du maître ne s'étende pas au-delà des choses qui sont de son service : il faut que l'esclavage soit pour l'utilité et non pour la volupté. Les lois de la pudicité sont de droit naturel et doivent être senties par toutes les nations du monde. Que si la loi qui conserve la pudicité des esclaves est bonne dans les États où le pouvoir sans bornes se joue de tout, combien le sera-t-elle dans les monarchies ? Combien dans les États républicains ? »[33] Rassuré une fois de plus, le lecteur de Montesquieu plaint les esclaves des États mahométans, se souvient que déjà Platon et Aristote firent (voilà deux millénaires déjà aux jours de Montesquieu) de savants *distinguo* entre l'instrumentalité de l'esclave (Aristote) et l'interdiction morale (Platon) de les utiliser à quelque chose que la morale réprouverait[34].

Le chapitre des abus est clos. Le sexe mis à part, Montesquieu, le comtempteur de l'esclavage, dont le « réquisitoire » est fondé sur les ravages de cette institution dans la vertu du maître et de l'esclave, livre désormais l'esclave qui « ne peut rien faire par vertu »[35] à l'utilité du maître. Convenons-en : il est rare de trouver dans l'histoire de la pensée critique plus diamétrale condamnation de l'esclavage que celle que nous devons au courage et à la témérité de Monseigneur. Au seuil du livre 15, aux premières envolées de l'exorde de ce vertigineux réquisitoire, le procureur s'inquiète des vertus du maître que sa fréquentation des esclaves met en grand danger : « Il devient fier, prompt, dur, colère, voluptueux, cruel. »[36] Au chapitre des abus, la fierté et la promptitude, la dureté, la colère et la cruauté ne sont plus du tout évoquées, probablement parce que, allez savoir, elles doivent pouvoir coadjuver à la multiforme utilité du maître. Seule la volupté est interdite à l'utilitarisme magistral.

32. *EL* 15, 12, p. 398.
33. *Ibid.*
34. Cf. *supra*, chap. 5.
35. *EL* 15, 1, p. 389. On dira probablement que la « vertu » déborde chez Montesquieu son sens chrétien et retrouve son sens romain – jamais négligé par la pensée chrétienne – remis à l'honneur par Machiavel. Qu'on le dise. Le contexte montre bien que Montesquieu se réfère surtout, dans son évocation de la vertu, à la déontologie du coucher et du copuler, non à ce que l'esclave pourrait faire ou s'abstenir de faire de ses propres forces, de son propre vouloir.
36. *EL* 15, 1, p. 389.

Après les abus – plus précisément, après le seul abus : le sexe –, les dangers. Mais il n'y avait qu'un abus, et il n'y a qu'un danger : le nombre. En deux chapitres l'affaire est réglée[37]. Les grandes masses d'esclaves conviennent aux gouvernements despotiques. « Dans les États modérés, il est très important qu'il n'y ait point trop d'esclaves. »[38] Pourquoi ? L'esclave « sent que son maître a une âme qui peut s'agrandir, et que la sienne est contrainte de s'abaisser sans cesse. Rien ne met plus près de la condition des bêtes que de voir toujours des hommes libres, et de ne l'être pas. De telles gens sont des ennemis naturels de la société ; et leur nombre serait dangereux. »[39] Rappel, dans ce chapitre, de la réalité afro-antillaise ? Pas un mot.

Qui dit nombre, dit police et défense. Faut-il armer les esclaves ? Cela dépend de la nature plus ou moins guerrière du peuple des maîtres, de l'arrangement martial traditionnel chez les uns ou les autres. Voyez les Goths en Espagne, les Romains et les Germains pour vous faire une science[40]. Ne regardez pas les terres françaises du Couchant : il ne s'y passe rien, il n'y a rien à voir.

Deuxième résumé provisoire. La « miséricorde » et la « pitié » dont il serait souhaitable que les Noirs bénéficient tiennent en deux mots : que le maître ne confonde pas son utilité et sa volupté et qu'il n'oublie pas qu'à s'entourer de trop d'esclaves il risque de ne plus pouvoir les contenir. S'il est gentil avec eux, tout ira pour le mieux : « L'humanité que l'on aura pour les esclaves pourra prévenir, dans l'État modéré, les dangers que l'on pourrait craindre de leur trop grand nombre. Les hommes s'accoutument à tout, et à la servitude même, pourvu que le maître ne soit pas plus dur que la servitude. »[41]

Nous devons, quoi que nous en ayons, arriver jusqu'au bout des arguties développées au livre 15 de cette œuvre, dans laquelle une France cultivée et traditionnelle décide de lire la première et radicale condamnation de l'esclavage, de contempler la rosace à travers laquelle les Lumières inondent de toutes les couleurs de l'arc-en-ciel les voûtes ténébreuses qui enferment « le préjugé ». Parce que, au bout, il n'y a plus de malentendu possible entre la savante et aseptique description de ce que l'esclavage a été jadis et ailleurs, les supputations sur ce qu'il

37. Éloquence des titres : « Danger du grand nombre d'esclaves » (*EL* 15, 13) ; « Des esclaves armés » (*EL* 15, 14).
38. *EL* 15, 13, p. 399.
39. *Ibid.*
40. *EL* 15, 14, p. 399-400.
41. *EL* 15, 16, p. 401.

aurait pu devenir si on s'y était juridiquement et politiquement pris autrement, et les mesures de conservation ou d'élimination de ce même système de soumission. Certes, « je n'écris pas pour censurer ce qui est établi dans quelque pays que ce soit »[42], nous prévient Montesquieu dans la préface de *L'Esprit des lois*. Il a néanmoins précisé lui-même son intention dans les termes que voici : « Si je pouvais faire en sorte que ceux qui commandent augmentassent leurs connaissances sur ce qu'ils doivent prescrire, et que ceux qui obéissent trouvassent un nouveau plaisir à obéir, je me croirais le plus heureux des mortels. »[43] Il ne censurera donc pas, mais il donnera à connaître. Et, n'en doutons pas, les Noirs de la France du Couchant danseront à jamais en son honneur la ronde folle d'une folle reconnaissance. D'esclaves malheureux qu'ils étaient avant Montesquieu et sous le Code Noir, ils deviendront les commensaux les plus complaisants à la table des maîtres après Montesquieu et toujours sous le Code Noir. Car désormais Montesquieu ne se borne plus à rappeler sans censurer : il propose. « Règlement à faire entre le maître et les esclaves », tel est le titre du pénultième chapitre du livre 15. Règlement à faire. Plus question du grand khan de Mongolie chevauchant comme un fou voici cinq cents ans[44], ni de telle bonne trouvaille des Germains relevée chez Tacite[45]. Règlement à faire : cela nous fait un bel usage de l'infinitif, mais cela nous a le goût de l'indicatif et du futur simple, voire de l'impératif présent. Retenons donc l'essentiel de ce qu'il y a à faire. Et pour quoi d'autre, sinon pour que l'esclavage continue d'être malgré tout ?

L'esclave doit avoir nourriture et vêtement, « cela doit être réglé par la loi »[46]. Quelle nourriture et combien ? Quel vêtement et de quelle qualité ? Il serait inélégant de mêler aux lois sacro-saintes des considérations de basse intendance : Monseigneur passe. La loi doit veiller aussi que les esclaves « soient soignés dans leurs maladies et dans leur vieillesse »[47]. Le Code Noir en dit autant[48]. Monseigneur n'en souffle mot et préfère nous rappeler qu'en son temps Claude l'empereur légiféra là-dessus incomplètement et mal à propos[49]. Louis XIV

42. *EL*, préface, p. 116.
43. *Ibid.*
44. Comme in *EL* 18, 19-21.
45. Comme in *EL* 15, 10.
46. *EL* 15, 17, p. 402. C'est fait : Code Noir, art. 22 et 25.
47. *EL* 15, 17, p. 402-403.
48. Art. 27.
49. *EL* 15, 17, p. 403 : « Claude ordonna que les esclaves qui auraient été abandonnés par leurs maîtres étant malades seraient libres s'ils échappaient. Cette loi assurait leur liberté ; il aurait fallu encore assurer leur vie. »

fit-il mieux ? Ce n'est de toute évidence pas le problème de Montesquieu.

« Quand la loi permet au maître d'ôter la vie à son esclave, c'est un droit qu'il doit exercer comme juge, et non pas comme maître : il faut que la loi ordonne des formalités, qui ôtent le soupçon d'une action violente. »[50] Inutile de commenter, si on a sous les yeux le Code Noir[51]. Il faut en revanche relever l'ignominie – ou l'ignorance coupable – de Montesquieu lorsque, sachant (ou choisissant de ne pas savoir) quelles sont les peines et les douceurs prévues par le Code Noir contre un Blanc coupable d'avoir tué un de ses esclaves, il s'indigne juste là, comme il convient aux esprits forts, contre Moïse : « La loi de Moïse était bien rude. "Si quelqu'un frappe son esclave, et qu'il meure sous sa main, il sera puni ; mais s'il survit un jour ou deux, il ne le sera pas, parce que c'est son argent." Quel peuple, que celui où il fallait que la loi civile se relâchât de la loi naturelle ! »[52]

Dans les règlements proposés par Montesquieu, il n'est jamais question des limites à l'horreur dans le traitement que le maître inflige à son esclave. Quand passe-t-il de la dignité à la « fierté », de l'efficacité à la « promptitude », de la sévérité à la « dureté », de la nervosité à la « colère », de la rigueur à la « cruauté » pour reprendre une à une les vertus dont il s'inquiète au début du livre 15 ? Mystère. Et puis, tout compte fait et la volupté verrouillée, à quoi bon s'en préoccuper ? L'esclave n'est-il pas tout à l'utilité du maître ? Notre philosophe ne consacre pas l'ombre d'une demi-syllabe au thème, probablement négligeable à ses yeux, des mutilations et des ferrages. Quand on gère dans sa tête toute l'épopée des lois, on n'a pas le temps de songer à des détails de ce genre. Et d'ailleurs les détails c'est fatigant. Pas un instant la gloire des lois françaises n'examine la possibilité pour l'esclave d'avoir recours contre son maître devant le juge : il ne faudrait pas confondre la « pitié » et la « miséricorde » avec le droit ! Pas de norme empiriquement pondérable (sauf celle-ci : s'il le tue, qu'il y mette des manières), pas d'indications de seuils de tolérance dans la façon dont le maître maltraitera son esclave. En revanche, « quand un citoyen maltraite l'esclave d'un autre, il faut que celui-ci puisse aller

50. *Ibid.*

51. Montesquieu est donc en retard sur le Code Noir, qui n'est pas à la pointe de son temps ! Le pourfendeur de l'esclavage en retard sur sa dernière codification. Le Code Noir n'autorise jamais le maître à tuer son esclave. Il le tue souvent, quand même. Mais Montesquieu ne mentionne nulle part les abus magistraux ; il s'en tient à la légitimation des parades de la mise à mort. Le Code Noir (la loi, donc) interdit au maître ce que Montesquieu lui octroie : la vie de l'esclave.

52. *EL* 15, 17, p. 403.

devant le juge. Les lois de Platon et de la plupart des peuples ôtent aux esclaves la défense naturelle : il faut donc leur donner la défense civile »[53]. C'est net : la défense civile pour les mauvais traitements que je reçois, en esclave, d'un autre que mon maître.

Allons jusqu'au bout des élégances de Montesquieu et fermons là son chapitre 17e, dont l'inspiration semble rester scandaleusement chevillée en deçà de ce qu'impose le Code Noir : au lecteur de faire les comparaisons qui s'imposent. Il nous est rappelé, pour finir en science et en beauté, qu'« à Rome dans le tort fait à un esclave on ne considérait que l'intérêt du maître »[54], et que tel « fut encore l'esprit des lois des peuples qui sortirent de la Germanie, comme on peut le voir dans leurs Codes ». On ne nous dit pas, ce serait le moment ou jamais, que cet esprit-là n'était pas seulement romain ou germain, mais qu'il constituait le fond et la forme du Code Noir[55]. Pas un mot.

Qui dit esclavage dit, semble-t-il, possibilité d'affranchissement, ne serait-ce que par cette raison très générale que l'affranchissement peut convenir à l'utilitarisme du maître ou à la haute idée qu'il pourrait se faire ici et là de sa propre vertu et de sa souveraineté « monastique »[56]. Le chapitre 18 et dernier[57] propose le mode d'emploi de cette mesure, corollaire d'un système somme toute sauvegardé. C'est infiniment simple et bêtement boutiquier : il convient d'affranchir ici et là, de temps en temps, ni trop ni trop peu. « Le mal est que, si on a trop d'esclaves, ils ne peuvent être contenus ; si l'on a trop d'affranchis, ils ne peuvent pas vivre, et ils deviennent à charge à la République : outre que celle-ci peut être également en danger de la part d'un trop grand nombre d'affranchis, et de la part d'un trop grand nombre d'esclaves. Il faut donc que les lois aient l'œil sur ces deux inconvénients. »[58] Compliqué tout cela. L'auteur en convient : « Je ne saurais guère dire quels sont les règlements qu'une bonne République doit faire là-dessus. Cela dépend trop des circonstances. »[59] Mais cela n'empêche pas Montesquieu d'avoir des certitudes. Dont la première est d'une subtilité archangélique : « Il ne faut pas faire et tout à coup par une loi générale un nombre considérable d'affranchis. »[60] C'est entendu, on y

53. *Ibid.*
54. *Ibid.*
55. Cf. art. 17, 37, 40.
56. Cf. *supra*, n. 7, p. 22, l'acception lascasienne de ce mot.
57. « Des affranchissements », *EL* 15, 18, p. 404.
58. *Ibid.*
59. *Ibid.*
60. *Ibid.*

ira parcimonieusement. Et on n'oubliera pas que, quoi qu'on détermine ou dispose, la condition des affranchis « doit être plus favorisée dans l'État civil que dans l'État politique ; parce que, dans le gouvernement, même populaire, la puissance ne doit point tomber entre les mains du bas peuple »[61]. Et puis – c'était élémentaire et Montesquieu y songe tout naturellement – « les lois peuvent favoriser le pécule et mettre les esclaves en état d'acheter leur liberté »[62]. Mais n'avait-il pas ironisé, notre aristocrate patricien, au chapitre 2 sur le non-sens juridique de l'attribution d'un pécule à l'esclave, parce que « le pécule est accessoire à la personne » et que l'esclave étant la propriété du maître, il n'est juridiquement… personne[63] ?

Il m'a semblé indispensable de m'attarder fastidieusement, au risque de provoquer la nausée, sur l'incroyable bric-à-brac de ce livre 15 pour les raisons évoquées quelques pages plus haut. Feindre à ce point d'ignorer la réalité de la traite et les réalités effectives de l'esclavage afro-antillais alors même que, comme en témoignent les notes de Montesquieu, on n'ignore rien ni des récits de voyages publiés en son temps (où notre homme puise à pleines mains pour articuler génie et abrutissement aux réalités climatiques) ni des règlements des compagnies négrières fonctionnant en son temps par privilège royal ; feindre à ce point n'est pas innocent. Réglementer à distance de quelques pages ce dont la pure existence a été qualifiée de non-sens rationnel c'est, au moins, troublant. Et ce l'est autant, sinon davantage, que l'historiographie française n'ait pas encore décidé de chanter en sourdine le dithyrambe constamment repris dans la République de nos lettres sur la grandeur souveraine de *L'Esprit des lois* et de son auteur.

Mais l'historiographie traditionnelle a peut-être fondamentalement et souterrainement raison. Elle constate que rien de radicalement contraire à l'esclavage afro-antillais n'est dit en langage philosophique ou juridique avant Montesquieu. Elle a joué la « positivité » de la codification de l'esclavage[64]. Elle lit chez Montesquieu des mesures de conservation de l'esclavage, de bestialisation et de chosification des Noirs, cette fois-ci c'est juré en termes de « miséricorde et de pitié »,

61. *Ibid.*, p. 405.
62. *Ibid.*
63. D'où l'« extravagance » de ce galimatias (*EL* 15, 2, p. 390).
64. Qui n'a pas vanté l'« humanité-malgré-tout » du Code Noir ? Peytraud lui-même écrira que dans le Code Noir « a passé malgré tout un souffle d'humanité » (Peytraud, p. 438). Seuls les Noirs, confrontés à leur propre histoire, négligent systématiquement le soupir du « malgré tout ». Mais voilà, ils sont Noirs et, par conséquent, pas crédibles. On ne peut pas être juge et partie.

dont l'énoncé en termes sèchement juridiques faisaient insuffisamment salon, ou boudoir. Elle a enfin quelque chose à se mettre sous la dent : l'éloge de la vertu dans le livre 15 de *L'Esprit des lois*. Dont le Code Noir n'aurait pas à retrancher une virgule pour maintenir les esclaves dans la déréliction totale où il les enchaîne.

Je n'ai pas l'intention de m'attarder sur la littérature carrément esclavagiste de même saison. Ses excès la datent suffisamment et ses délires l'écartent des grands axes théoriques que parcourt, malgré tout, la pensée qui s'apparente au progrès. Les excès des esclavagistes confirmés m'intéressent beaucoup moins que l'indécence des balancements théoriques de l'auteur de *L'Esprit des lois*. C'est Montesquieu libérateur qu'évoque l'historiographe éclairé, et non les insortables esclavagistes, pour faire jaillir du néant les Lumières en un coup d'éclat, comme il convient.

Au fond, la clé du mystère (si mystère il pouvait y avoir dans l'assourdissant tintamarre du silence du livre 15) est très simple. Montesquieu donne aux Noirs, chapitre 5, une âme et un rien de dignité qu'il leur ravit aussitôt pour leur souhaiter les douceurs d'un maître, éclairé sans doute, qui ne leur sera pas plus dur que leur servitude. Qu'est-ce donc qu'il leur souhaite ? Le Code Noir ? Ils l'ont. Le leur souhaite-t-il vraiment ? Pas même. Il est clair que la mise en code du livre 15 renforcerait davantage encore le pouvoir du maître. L'impératif essentiel de la politique royale là-bas – contenir les esclaves – coïncidant avec l'indication essentielle du projet de Montesquieu (si on a trop d'esclaves, ils ne peuvent être contenus), il est évident que les pages de « droit-fiction » qui ferment le livre 15 déboucheraient sur des volumes de scolies et de corollaires de cette « contention »-là.

Il me semble donc devoir conclure de la forme la moins glorieuse qui soit. Deux hypothèses. Montesquieu, qui connaît le Code Noir parce qu'il le lit au moins partiellement chez Savary et intégralement chez quelques autres, auteurs et compilateurs dont il utilise par ailleurs les travaux[65], voit des « abus » (nous savons lesquels) et indique des « dangers » (nous savons aussi lesquels). Au bénéfice de « ceux qui commandent »[66], il dit comment parer aux uns et aux autres pour que l'esclavage afro-antillais puisse durer à perpétuité sans danger ni pour la maîtrise des maîtres ni pour la souveraineté des rois, ni pour la vertu

65. Cf. *supra*, n. 13 et 14, p. 219, et chap. 9.
66. *EL*, préface, p. 116.

des uns et des autres. Dans ce cas, il serait insensé de parler d'antiesclavagisme chez Montesquieu.

Une autre hypothèse me semblerait devoir être envisagée. Le génocide[67] de son temps, de sa nation, de son gouvernement, de sa ville (Limoges et Clermont-Ferrand n'avaient déjà pas de port négrier, Bordeaux si) mérite toute une page, une entière d'un ouvrage qui en comporte un millier seulement de même format, nous le savons. Montesquieu, fidèle au thème de l'importance des climats sur les destins, ne sait plus en fin de compte si c'est la paresse qui fait l'esclavage ou l'esclavage qui fait la paresse, si c'est la chaleur qui fait la bassesse qui fait l'esclavage ou si c'est l'esclavage qui fait la bassesse lorsqu'il fait torride[68]. Il s'y perd. Les sauvages l'embêtent. Il liquide en une quarantaine de lignes et en jouant les esprits forts le thème irrecevable de la bestialité des Noirs[69]. Cette besogne accomplie, avec des siècles de retard par rapport à ce qu'avait imposé sur ce chapitre la discursivité théologienne, il revient sans plus du tout songer au monde afro-antillais – juridiquement inexistant dans la pleine rigueur des termes « esclavage » et « droit » qui s'excluent réciproquement[70] – et nous parle de tout autre chose. Il ne fait plus, comme on aurait pu le craindre, du « droit-fiction », mais de l'« histoire-fiction », et il nous raconte, non pas ce qu'il conviendrait de réglementer ici et maintenant pour là-bas entre les maîtres et les esclaves, mais ce qu'il aurait fallu réglementer entre ces deux-là en Lacédémonie[71] pour éviter que les esclaves ne s'y révoltassent, à l'exemple de ceux des Grecs et des Romains, jamais rassasiés de magistrale tendresse[72].

Bref, ma deuxième hypothèse tiendrait en peu de mots. Il ne se passe rien ni en Afrique ni dans les terres françaises de l'Amérique du Vent qui relève véritablement du droit. Ce qu'on vous a raconté malgré

67. Je prends ici ce mot dans son sens le plus restreint, le moins discutable, de pratique d'élimination d'un groupement humain non à cause de ce qu'il fait, mais à cause de ce qu'il est. Et je sais bien que d'autres définitions conviennent à ce mot, qui a tardé à venir qualifier des pratiques fort anciennes.

68. « Parce que les lois étaient mal faites, on a trouvé des hommes paresseux ; parce que ces hommes étaient paresseux, on les a mis dans l'esclavage » (*EL* 15, 8, p. 396). « Il ne faut pas être étonné que la lâcheté des peuples des climats chauds les ait presque toujours rendus esclaves, et que le courage des peuples des climats froids les ait maintenus libres. C'est un effet qui dérive de sa cause naturelle » (*EL* 17, 2, p. 425).

69. *EL* 15, 5, p. 393.

70. *EL* 15, 2, p. 390-391.

71. *EL* 15, 16, p. 401.

72. *EL*, *ibid.*

tout relève éventuellement ou de l'esthétique des choses, ou d'un système de sanctions apparenté à la normativité des vertus chrétiennes – ou de la vertu romaine – et à elle seule. Par la tempérance, les maîtres qui ne se tiennent pas bien sortiront un jour de leur impudicité, au grand bénéfice des esclaves dont la pudicité sera enfin préservée comme dans « toutes les nations du monde ». Et tout comme « dans nos climats », le christianisme a ramené cet âge du temps de Saturne, où, comme le raconte Plutarque, il n'y avait ni maître ni esclave[73], le langage de la miséricorde et de la pitié finira bien, un jour ou l'autre, par amener là-bas aussi, en leurs climats, le joli temps de Saturne.

Banale, cette deuxième hypothèse. Tétraplégique, l'argumentation de Montesquieu. Dans ce cas, il serait tout aussi inexact que dans l'hypothèse précédente de parler d'anti-esclavagisme. Nous serions devant une récupération tardive aussi creuse que grandiloquente et en terminologie laïque du thème éculé, remâché et historiquement inopérant du placage sur la peau noire d'une économie de perfectibilité et de salut, dont on sait qu'elle peut inclure l'esclave noir, mais qui réellement l'exclut de l'une et de l'autre, sauf le bon vouloir du maître, dans l'en-deçà du trépas[74]. Beau résultat. Deux siècles plus tôt, Sepúlveda lui-même n'en accordait pas moins à ses Indiens[75].

En attendant que l'âme du maître s'agrandisse assez[76] pour que l'esclave puisse enfin faire quelque chose par vertu[77], laissons là nos hypothèses et retenons le message le plus clair et le plus indiscutable du livre 15. Chaque chose en son temps. Ne parlons surtout pas maintenant du Code Noir. Nous n'avons rien à en dire et nous n'en dirons rien, convaincus que nous sommes que les rois asiatiques brûlent de savoir, par exemple, que chez eux les eunuques sont « un mal nécessaire »[78] et d'apprendre, en lisant *L'Esprit des lois*, comment s'en servir au mieux de leurs intérêts[79]. Voilà qui ne saurait attendre. Pas plus qu'on ne saurait renvoyer à plus tard la question brûlante des rapports

73. *EL* 15, 7, p. 395 : « Plutarque nous dit, dans la vie de Numa, que, du temps de Saturne, il n'y avait ni maître ni esclave. Dans nos climats, le christianisme a ramené cet âge. »

74. Cf. *supra*, chap. 4 et 7.

75. Mais si Sepúlveda est l'affreux du débat hispanique, Montesquieu est le héros du débat français.

76. Le maître a une âme « qui peut s'agrandir » (*EL* 15, 13, p. 399).

77. Pour l'instant, « il ne peut rien faire par vertu » (*EL* 15, 1, p. 389).

78. « Il semble que les eunuques, en Orient, soient un mal nécessaire » (*EL* 15, 19, p. 407).

79. Tout un chapitre et particulièrement long, rien que pour eux : *EL* 15, 19.

exemplaires établis dès la chute de l'Empire romain par les Wisigoths en Ibérie entre affranchissement, esclavage, guerre et fisc[80] dont tout un chacun, du roi au dernier des manants, que dis-je, du planteur le plus riche au dernier des esclaves, sait en 1748 que dépend l'avenir immédiat des îles du Vent et du continent africain.

Si j'étais noir « depuis les pieds jusqu'à la tête »[81], je n'y résisterais pas : Montesquieu, « inutile et vain ». Blanc, il me va. Il est indéniable que Montesquieu se bat avec panache et davantage contre la réintroduction chez moi, en Blancolande chrétienne et tempérée, de l'esclavage. La belle affaire. La fabuleuse philosophie du droit. L'ineffable témérité.

C'est pourtant en réclusion de ce néant philosophico-juridique[82], à la veille de la deuxième moitié du XVIIIe siècle, qu'il faut dater le changement de ton, ici et là, sur l'esclavage des Noirs dans la littérature française. Du rien au presque rien, la distance est infinie. Autant le souligner, c'est la moindre des choses, cependant que là-bas on continue de tailler et de ferrer, et d'enjoliver les liturgies des flagellations, des amputations et des pendaisons.

80. *EL* 15, 14, p. 400. Avec pas moins de trois renvois aux lois des Wisigoths.
81. *EL* 15, 5, p. 393.
82. Je ne fais allusion, bien entendu, qu'au liv. 15, le seul où on serait en droit de trouver quelque approximation substantielle à la réalité de l'esclavage.

4. Rousseau : ineffable esclavage

Le ton change-t-il vraiment ? Oui, sans l'ombre d'un doute. Il suffit, pour s'en convaincre, de laisser Montesquieu à ses hésitations et à ses balancements et de parcourir l'œuvre de Rousseau. Il suffit d'ouvrir toutes grandes les portes du cœur à sa parole libératrice. L'esclavage n'a aucune place dans le monde du contrat. Ce n'est pas que Rousseau soit critique pour cette institution : il est féroce. Il mène contre elle une guerre sans quartier sur le terrain ouvert de l'histoire des idées et du droit. Comme si le seul mot d'esclavage lui brûlait la gorge en le prononçant. Comme si la simple évocation de cette institution indigne lui cinglait la raison. Péremptoire et grandiose, solennel et définitif, Rousseau oppose au spectre de la servitude absolue la force invincible de la dignité humaine. Qui n'a pas en mémoire l'envolée merveilleuse par laquelle, au seuil du *Contrat social*, il condamne à jamais l'esclavage ? Souvenons-nous : « Ainsi, de quelque sens qu'on envisage les choses, le droit d'esclavage est nul, non seulement parce qu'il est illégitime, mais parce qu'il est absurde et ne signifie rien. Ces mots, *esclave et droit*, sont contradictoires ; ils s'excluent mutuellement. Soit d'un homme à un homme, soit d'un homme à un peuple, ce discours sera toujours également insensé : "Je fais avec toi une convention toute à ta charge et toute à mon profit, que j'observerai tant qu'il me plaira, et que tu observeras tant qu'il me plaira". »[1] L'affaire est bel et bien entendue. À jamais. Partout où l'on trouvera désormais ces deux termes, droit et esclavage l'un à l'autre combinés, quelque sens qu'on leur aura donné, on ne pourra pas ne pas songer à cette folle convention[2], dont l'incongruence parfaite rappellera aux plus distraits que, ou bien on a nommé mal à propos le droit ou bien on a nommé mal à propos l'esclavage. Le corollaire, non dit mais frappant, de cette sentence pour ce qui concerne notre enquête est évident : Le Code Noir, l'exemple le plus parfait, du temps de Rousseau, de ce type de convention, n'est pas un code. Le droit qu'il dit n'est pas du droit, puisqu'il prétend légaliser l'illégalisable, l'esclavage. Il n'y a pas lieu d'en douter : c'est bien ainsi qu'on montre du doigt, sous l'anathème rousseauiste ici lancé *urbi et orbi*, le monstre « juridique » signé par Louis XIV et par Colbert.

Nous voilà loin, heureusement loin, des hésitations de Montesquieu. Assurons-nous-en néanmoins. Et tâchons de bien mesurer la distance parcourue dans le sens du juste et du vrai, car l'affaire est d'importance pour des millions et des millions d'êtres humains : la masse des Africains réduits à l'esclavage, la masse des Africains susceptibles d'être razziés pendant que Rousseau prend ainsi de façon définitive leur défense sans même que ces malheureux puissent s'en douter.

Au chapitre 4 du livre 1 du *Contrat social*, il est question de l'esclavage et des différentes façons dont il a été pratiqué et théorisé, c'est-à-dire, de la réalité de l'esclavage « de quelque sens qu'on envisage les choses »[3]. Rousseau suit Grotius[4] et, avec une rage contenue par une rigueur impitoyable, il ramène à trois les manières d'être de l'esclavage. Il

1. Rousseau, *Du Contrat social*, liv. 1, chap. 4, dernier paragraphe, p. 70. (Pour le *Contrat social* et pour le *Discours sur l'origine de l'inégalité parmi les hommes*, j'utilise l'édition d'Henri Guillemin, Paris, « 10/18 », UGE, 1973 ; les majuscules *CS* et *DO* renverront à l'un et à l'autre de ces deux textes.)
2. « La folie ne fait pas droit », rappelle Rousseau (*CS* 1, 4, p. 66).
3. Cf. les deux notes précédentes.
4. Les références à Grotius sont constantes dans ce chap. 4 et dans les précédents.

analyse d'abord et rejette la valeur juridique de l'esclavage résultant de la vente de soi-même ou de son propre enfant à autrui en vue de l'obtention de quelque bénéfice octroyé en échange par l'acheteur[5]. Il expose en deuxième lieu les raisons mille fois colportées au cours des siècles au bénéfice de la valeur juridique de l'esclavage lorsqu'il est l'effet d'une guerre et qu'il est imposé au vaincu par le vainqueur comme une mesure plus douce que la mort[6]. Dérivé de ce deuxième cas, l'esclavage résultant du droit de conquête est considéré à son tour comme un non-sens juridique[7]. Ces trois cas recouvrent tous les cas retenus par Grotius et, avant lui, par la tradition la plus solide. Rousseau les a donc examinés. Il a retenu leur vérité historique et leur insoutenabilité juridique. Et il a enchaîné sans transition avec l'anathème que je viens de rappeler : « Ainsi, de quelque sens qu'on envisage les choses, le droit d'esclavage est nul, etc. »

Décantons. Ces trois sens ne sont pas tous les sens possibles. L'esclavage auquel la France du temps du Code Noir réduit les Noirs d'Afrique n'est pas celui d'un particulier qui aliène sa liberté pour se rendre esclave d'un maître[8] : le Noir razzié ne se donne ni ne se vend. La question incongrue « pourquoi se vend-il », que celui qui se vend soit un homme ou un peuple[9], ne peut en aucun cas convenir à la situation très spécifique de la traite, dont il serait ici fastidieux de rappeler les circonstances. Plus difficile encore de combiner à cette première hypothèse la situation de la traite et celle de la vente du propre fils par quelqu'un d'autre en vue d'un avantage spécifique pour le vendeur. Nous aurons l'occasion d'y revenir.

Rousseau critique en deuxième lieu la congruence juridique du rapport entre la guerre et l'esclavage. Qu'on suive attentivement l'enchaînement des raisons de cette critique : on conclura qu'il nous rappelle des situations historiques archiconnues, mais qu'il ne nous parle absolument de rien qui puisse évoquer de près ou de loin le brigandage français en Afrique. Brigandage qui n'est pas une guerre au sens rousseauiste du terme, tel que mis au clair dans ce même texte, tout simplement parce que dire guerre c'est dire une

5. L'exposé de ce premier cas occupe les § 2-6 du chap. 4, p. 65-67.
6. § 7-12, p. 67-69.
7. § 13-14, p. 69-70.
8. « Un homme qui se fait esclave ne se donne pas ; il se vend, tout au moins pour sa subsistance » (*CS* 1, 4, p. 65).
9. « Mais un peuple, pourquoi se vend-il ? (...) Les sujets donnent donc leur personne, à condition qu'on prendra aussi leur bien ? » (*CS* 1, 4, p. 65).

« relation d'État à État »[10] et que nul texte juridique français, nulle pratique historique de la France des XVIe-XVIIIe siècles n'envisage de cette façon les rapports que la grande nation entretient avec les régions africaines qu'elle empoisonne, saigne et razzie.

Reste le droit de conquête. Il ne légitime pas plus l'esclavage que ne le légitimaient la guerre ou l'aliénation volontaire d'un homme ou d'un peuple[11]. En quoi cette troisième et dernière forme concerne-t-elle la traite ? En rien. La France, par le truchement des compagnies négrières qu'elle organise, exempte et chérit, n'a pas de politique de conquête en Afrique, comparable à celle de Rome en Europe, à celle de la Castille, puis de l'Espagne aux Amériques. Elle a une politique d'implantation de forts et de comptoirs, de pénétration ponctuelle et violente et de retraits. La France n'a jamais parlé en cette saison ni de conquête de l'Afrique, ni de soumission à son joug de tel ou tel peuple africain[12]. Entre le peuple conquérant et le peuple conquis « l'état de guerre subsiste »[13], précise Rousseau, et c'est à cause de cet état de guerre que certains légitimeront la juridicité d'un asservissement des habitants du sol conquis. Ils légitimeront à tort. Mais en quoi cette troisième incongruence fustigée par Rousseau concerne-t-elle la traite ? En rien.

En quoi donc ces trois incongruences mises à nu par Rousseau concernent-elles l'esclavage des Noirs aux Antilles et sur les côtes orientales du continent du Couchant ? En rien. Sauf à prétendre que Rousseau ferait là, juste là dans ces passages, de l'allusif et de l'elliptique en virtuose. Mais ce serait beaucoup prétendre de quelqu'un – nous le verrons plus bas, mais chacun le sait – qui n'hésite pas, d'habitude, à appeler les choses par leur nom. Mais alors, pourquoi Rousseau s'énerve-t-il ?

10. « La guerre n'est donc point une relation d'homme à homme, mais une relation d'État à État, dans laquelle les particuliers ne sont ennemis qu'accidentellement, non point comme hommes, ni même comme citoyens, mais comme soldats (...) Enfin chaque État ne peut avoir pour ennemis que d'autres États, et non pas des hommes, attendu qu'entre choses de diverses natures on ne peut fixer aucun vrai rapport » (*CS* 1, 4, p. 68).

11. « Si la guerre ne donne point au vainqueur le droit de massacrer les peuples vaincus, ce droit qu'il n'a pas ne peut fonder celui de les asservir » (*CS* 1, 4, p. 69).

12. Plus tard, en 1772, on pourra lire au chap. 9 du liv. 11 de l'*Histoire philosophique et politique des deux Indes*, de l'abbé Raynal, un projet de conquête et d'occupation des États du nord de l'Afrique, « ce peuple de pirates, ces monstres de la mer » (éd. Benot, p. 165-166). Mais rien de tel dans les années où Rousseau rédige son *Contrat social*.

13. « L'état de guerre subsiste entre eux comme auparavant, leur relation même en est l'effet » (*CS* 1, 4, p. 70).

Son anathème ne vise pas la pratique esclavagiste de la France en Afrique et en Amérique, qui le laisse totalement indifférent, mais de façon générale cet état de la troisième époque, « celui du maître et de l'esclave, qui est le dernier degré de l'inégalité, et le terme auquel aboutissent tous les autres »[14]. Tous les autres : c'est-à-dire le premier, « l'état de riche et de pauvre », et le deuxième, « celui de puissant et de faible »[15]. L'auteur est explicite. Il déduit, dans le *Discours sur l'origine de l'inégalité*, en effectivités historiquement et politiquement claires maîtrise et esclavage de force et de faiblesse, force et faiblesse de richesse et pauvreté. Et au seuil du *Contrat social*, nous retrouvons, aboutissant à ce chapitre 4, la même chronologie, la même décantation historique et politique : de la richesse à la force, et de celle-ci à la maîtrise ; de la pauvreté à la faiblesse et de celle-ci à l'esclavage[16]. Cet esclave, que le maître force par une convention toute à son profit et toute à la charge de l'esclave, n'est pas le Noir razzié en Afrique et vomi sur le sol français de l'Amérique du Vent. Cet esclave est le Français de France, le Blanc de Blancolande chrétienne, le Parisien de Paris ; c'est tout simplement – et c'est grandiose, chacun en convient – le citoyen à qui Rousseau veut rendre la dignité en l'élevant à la catégorie de part du souverain. Le Noir d'Afrique n'en est pas là. Le Noir des Antilles encore moins.

C'est clair : le Noir du Code Noir ne sollicite aucunement l'attention de Rousseau. Rendons-nous à l'évidence : du seul esclave au sens juridique du terme dont parle un code français de ce temps, Rousseau n'en a cure. Mais reprenons et enquêtons de plus près.

Le Code Noir suppose la traite et sa réglementation, dont on sait qu'elle bestialise au mieux, qu'elle chosifie au pire le Noir razzié et troqué ; de l'histoire qu'il raconte nous savons que la chosification de l'esclave, sauf le bon plaisir du maître, dit toute la trame. Autant dire que, dans le cas de la traite, la convention évoquée par Rousseau n'est

14. *DO*, p. 380-381.

15. « Si nous suivons les progrès de l'inégalité, nous trouverons que l'établissement de la loi et du droit de propriété fut son premier terme, l'institution de la magistrature le second, que le troisième et dernier fut le changement du pouvoir légitime en pouvoir arbitraire ; en sorte que l'état de riche et de pauvre fut autorisé par la première époque, celui de puissant et de faible par la seconde, et par la troisième celui de maître et d'esclave, qui est le dernier terme de l'inégalité, et le terme auquel aboutissent enfin tous les autres » (*DO*, p. 380-381).

16. Chap. 2, 3, 4 du *CS* 1 : « Les sociétés patriarcales et les partages entre riches et pauvres » (chap. 2) ; « Le droit du plus fort et l'avènement du "juridique" et du partage entre les forts et les faibles » (chap. 3) ; « La tyrannie, les maîtres et les esclaves » (chap. 4).

ni incongrue ni inimaginable. Il suffit de concéder ce que Rousseau semble concéder, en taisant dans l'énumération des « sens où les choses sont envisagées » la traite en Afrique et l'esclavage en Amérique. Dans la traite, il n'y a pas de convention – si fictive fût-elle – entre un homme et un homme : il y a appropriation d'un bien meuble par un propriétaire. Il n'y a pas de convention – si fictive fût-elle – entre un homme et un peuple : il y a des hommes, qu'un État protège, troquant des biens meubles contre des « biens meubles », ou de la pacotille contre du « bétail ». Dans le contexte de la traite, c'est-à-dire dans le prélude du Code Noir et dans son orchestration, je ne fais pas une convention avec toi – comme la fait, sarcastiquement mais réellement, le monarque absolu ou le tyran avec ses sujets[17] – parce que tu n'existes pas, parce que tu n'occupes aucune place décelable au plan de mon altérité. Tu ne t'es pas vendu à moi, tu n'as pas guerroyé contre moi, je n'ai pas conquis ton sol, tu n'as pas de sol. Tu n'es personne.

Rousseau invoque à juste titre l'altérité naturelle des hommes – sans laquelle son raisonnement s'effondre – au début de son chapitre sur l'esclavage[18], et il ironise cruellement sur l'incongruence de cette « convention entre égaux » dont la légitimation de l'esclavage tire toute sa force[19]. On peut, nous l'avons déjà dit, s'en tenir là et bonsoir. Sauf si on sait par ailleurs, en parcourant le Code Noir par exemple, que des lois françaises de ce temps érigent en principe juridique la permanence d'un esclavage fondé sur un type de transaction marchande ou de brigandage politique irréductible aux situations motivant l'ironie du théoricien. Sauf si on sait que cette folle convention n'est pas une pure fiction de l'esprit, la pure déduction d'une situation paralogique, mais qu'elle est écrite, signée, scellée, appliquée « ici et maintenant ». Le débat sur la nature de la marchandise – bois d'ébène, pièce d'Indes –[20] troquée et utilisée – débat tout à fait conjoncturel au temps de Rousseau, qui est aussi le temps de Buffon, et de Montesquieu et des Encyclopédistes – n'est pas évoqué. Ni ici, où il serait pourtant à sa place, ni ailleurs dans les autres textes politico-juridiques de Rousseau. Franchement, on serait en droit d'attendre que,

17. « Les sujets donnent donc leur personne, à condition qu'on prendra aussi leur bien ? Je ne vois pas ce qu'il leur reste à conserver » (*CS* 1, 4, p. 65-66).

18. « Puisque *aucun homme* n'a aucune autorité naturelle sur *son semblable* » (*CS* 1, 4, p. 65).

19. Cf. *supra*, n. 1, p. 232.

20. Code Noir, commentaire à l'art. 37, p. 164.

sur une pratique si aberrante, à tel point connue et reconnue, aux conséquences plus que désastreuses, Rousseau eût trouvé une formule – une, au moins ! – aussi assassine que celles dont il brocarde l'esclavage du Blanc civilisé pour forcer cet esclave blanc à secouer ses chaînes, qu'il chérit, et à s'approprier sa part de souveraineté[21]. À lui seul, ce chapitre 4 porte un coup fatal aux complaisances historiques et aux justifications classiques de l'esclavage entre Blancs de bonne compagnie ; à plus forte raison si on l'apparente aux passages auxquels il doit être apparenté[22]. Mais il contourne tranquillement et vilainement la seule situation d'esclavage vrai, massif, à statut juridique en fonctionnement que la France ait connu et pratiqué au temps du philosophe procureur. Les questions obsédantes qu'on se pose en lisant chez Montesquieu l'art et la manière de faire durer un système que nature et raison rejettent[23], hantent de nouveau le lecteur lorsqu'il parcourt les débuts du *Contrat social*[24]. Chacun est pourtant disposé à faire la part des choses avec la part du temps. Mais le silence du *Contrat social*, en écho, si j'ose dire, aux tripatouillages du livre 15 de *L'Esprit des lois*, mérite sondage et tentative d'explication.

Au temps de Buffon, Rousseau ne se résout pas – pas plus que Montesquieu ne s'y résolvait – à reconnaître franchement, définitivement et sans arrière-pensée des égaux ou des hommes au sens plein du terme dans les Noirs razziés et enchaînés. On les maintient sous les fers (Montesquieu) ou on les ignore superbement (Rousseau). Certes, ces êtres-là ne sont pas exclus, par nature, d'une perspective de « perfectibilité »[25], traduisible en termes d'humanisation effective et d'accès au droit. Mais il est impossible (indécent ?) pour l'instant de considérer leur cas sous le chapitre général des conventions entre semblables,

21. « L'homme est né libre, et partout il est dans les fers. Tel se croit le maître des autres, qui ne laisse pas d'être plus esclave qu'eux » (*CS* 1, 1, p. 60). En quoi ces formules conviennent-elles à l'esclave noir traité et soumis aux Blancs de l'Amérique sous le Vent ? En quoi leurs fers sont-ils comparables à ceux des Blancs ? « Entre choses de diverses natures on ne peut fixer aucun vrai rapport », disait Rousseau (cf. *supra*, n. 10, p. 234). C'est le moment de s'en souvenir.

22. Cf. *supra*, p. 235 et n. 15 et 16.

23. Cf. chapitre précédent.

24. Ou le *Discours sur l'origine de l'inégalité*.

25. Rousseau aime ce mot, si commode, si utile à l'heure de la distribution des prix de vertu. Cf., par exemple « l'homme, reperdant par la vieillesse ou d'autres accidents tout ce que sa *perfectibilité* lui avait fait acquérir » (*DO*, p. 314). Et ailleurs : « Jusqu'à quel point sa *perfectibilité* peut avoir élevé l'homme civil au-dessus de son état originel » (*DO*, p. 413). Quant à Buffon et à ses « intervalles » entre le singe et le nègre, cf. *supra*, n. 1, p. 43.

d'homme à homme, de souverain à souverain, d'État à État. Si ces égalités avaient été acquises, profondément acquises par la philosophie rationnelle et par la science du XVIIIe siècle français, que nous savons sur ce plan en retard sur le XVIe hispanique et théologien[26], par cette philosophie et cette science dont la partie la plus éclairée (l'autre ne nous intéresse pas) n'en finit pas de jouer à faire table rase des références bibliques et néanmoins bancales à un unique socle anthropologique, il serait historiquement incompréhensible qu'un Montesquieu ait pu reconduire et alourdir des lois infâmes[27], et que Rousseau n'ait pas trouvé une seule occasion (une seule et on en aurait abondamment entendu parler) de se référer à la traite et au Code Noir en abordant le chapitre incontournable de l'esclavage. On a dit, déjà au XVIIIe siècle, qu'il convenait de voir dans l'ironie du Bordelais et dans le pesant silence du Genevois deux formes élégantes et définitives d'un seul et même philosophique mépris : la philosophie n'a pas à rabaisser sa sublimité jusqu'à épiloguer sur la monstruosité juridique la plus flagrante.

Touchant. Peu convaincant. La traite et l'esclavage ne concernent pas la très lointaine périphérie du droit, mais sa congruence. Ils ne concernent pas quatre vagabonds et un batelier, mais des millions d'hommes et plusieurs compagnies de navigation, et plus d'un tiers de la totalité de l'activité commerciale française[28]. Ils ne s'articulent donc pas à quelque région insignifiante de l'économie française, mais l'affectent dans ses rouages essentiels[29]. Élégance du philosophique mépris pour tout cela : pas un mot. C'est la juste mesure si les Noirs sont des sous-hommes (des pas-encore-tout-à-fait hommes[30]) dont on ne doute pas qu'ils iront s'« humanisant » leur petit bonhomme de chemin, les siècles aidant. C'est infiniment trop peu, scandaleusement trop

26. Cf. *supra*, chap. 4 et 7.

27. Voir chapitre précédent mes analyses des derniers chapitres du liv. 15 de *De l'Esprit des lois*.

28. Cette proportion – un tiers de la totalité – est souvent proposée par les historiens.

29. Si c'est moins d'un tiers, si les esclaves doivent être comptés par centaines de milliers et non par millions, cela m'indiffère. Ce qui compte ici (quelques résultats que puissent obtenir avec leurs calculs les historiens modernes), c'est que l'affaire ait été culturellement et politiquement vécue à l'échelle des millions, de l'importance massive des affaires, et de la rentabilité du tout.

30. Sepúlveda parlait, lui, d'*homunculi* et ne doutait pas de la « perfectibilité » des Indiens. Le racisme pré-hitlérien et hitlérien parlera de *Untermenschen* ayant suivi le chemin contraire : de la perfection à la déchéance par la dégénérescence. Les sous-hommes des théoriciens français se trouvent, somme toute, en très bonne compagnie. Et Buffon – encore lui – chérit le thème de la dégénérescence.

peu, si dans le « semblable »[31] et le « toi »[32] on inclut le Noir enchaîné en Afrique par le négrier de la Compagnie royale, relégué par le Code Noir au rang d'objet.

Faire entrer dans la diatribe de Rousseau cet « enchaînement » et cette « chosification » me semble historiquement impossible, rhétoriquement insoutenable. Fouiller dans l'ineffable pour qu'il dise, dans la majesté apophatique du silence, ce que les textes ne disent ni ne peuvent dire, c'est trop fouiller. Il est peut-être moins téméraire d'aller voir si Rousseau n'expose pas, par négligence ou par manque d'attention, dans tel passage les raisons de son silence ou de sa stratégie de l'ineffable esclavage.

On prend des risques en argumentant *a silentio* : il n'a rien dit, il pensait donc qu'il n'y avait rien à dire ; ou bien, il n'a rien dit de concret ni de singulier parce qu'il a parlé suffisamment haut et clair en termes généraux. Il faut choisir l'une ou l'autre des deux explications, pour sonder le silence. Je n'argumenterai pas et me limiterai pour l'instant à constater que Rousseau pense à autre chose, et pas à l'Afrique, ni à la traite, ni aux Antilles, lorsqu'il lance sur l'esclavage son anathème. Je n'argumenterai pas en auscultant son silence, mais en écoutant ce qu'il dit.

« Il y a bien des mots équivoques qui auraient besoin d'explication »[33], dit Rousseau après avoir cité Grotius et s'apprêtant à déterminer ce qu'il convient d'entendre par « aliéner »[34]. On a le droit de faire la même remarque, compte tenu du contexte historique et de l'urgence juridique, à propos de bien des mots utilisés par Rousseau et de bien des situations non évoquées. Mots et situations qu'il s'agira de faire jaillir *ex nihilo* : mais qui, singulièrement dans le *Discours sur l'origine de l'inégalité*, ont de toute évidence un rapport, en creux, avec le je-m'en-foutisme de Rousseau concernant les Noirs esclaves et le Code qui les tenaille. « L'homme est né libre et partout il est dans les fers. »[35] Joli. Mais le bœuf sous le joug, le cheval à la bride et le chien au collier, c'est normal. Le Noir ferré à la sucrerie, aussi. J'exagère ? Pas un seul instant, et je le prouve. En essayant de faire court.

31. Cf. *supra*, n. 18, p. 236.
32. « Je fais avec *toi* une convention… » (*CS* 1, 4, p. 70).
33. *CS* 1, 4, p. 65.
34. « Si un particulier, dit Grotius, peut aliéner sa liberté et se rendre esclave d'un maître, pourquoi tout un peuple ne pourrait-il pas aliéner la sienne et se rendre sujet d'un roi ? Il y a là bien des mots équivoques qui auraient besoin d'explication ; mais tenons-nous-en à celui d'*aliéner*. Aliéner, c'est donner ou vendre » (*CS*, *ibid.*).
35. *CS* 1, 1, p. 60.

Tout comme Montesquieu, Rousseau qui le lit, le médite et le cite, s'offre lui aussi ses africaneries. Il lit Kolben et les belles histoires qu'il raconte sur les mille talents des Hottentots en particulier et des Africains en général, comment ils savent « se battre, lancer une pierre, escalader un arbre »[36]. Il retient que les voyageurs parlent de « l'adresse » et de la « légèreté »[37] de tous ces sauvages ; « et comme il ne faut que des yeux pour observer ces choses, rien n'empêche qu'on ajoute foi à ce que certifient là-dessus des témoins oculaires ; j'en tire au hasard quelques exemples des premiers livres qui me tombent sous la main »[38]. Le hasard faisant bien les choses, les livres tombent toujours ouverts aux bonnes pages, là où les sauvages gambadent, pêchent, sautent et grimpent à qui mieux mieux. Rousseau saute systématiquement les pages, les chapitres entiers où la gambade et la course deviennent cauchemar, parce qu'on fuit le négrier ; où le filet n'est pas celui de la pêche en rivière ou au large, mais celui de la chasse au Noir pour les galères. Il lit pourtant Du Tertre et retient que ce prêtre dit sur les sauvages des Antilles à peu près les mêmes choses que Kolben raconte des Hottentots de Bonne-Espérance[39]. Du Tertre parle aussi, et avec quelle éloquence, du calvaire des Noirs aux Antilles, dit qu'on les traite là-bas comme des bêtes, qu'on les tue au travail et au fouet[40]. Sans intérêt pour Rousseau. Pas un mot là-dessus.

Dresse-t-il la fresque apocalyptique des catastrophes dont pâtit l'humanité du fait des techniques nouvelles d'exploitation, de navigation[41] ? Pas un demi-empan de la fresque pour les Noirs en traversée, et dans leurs plantations et dans leurs ateliers. La guerre envahit sous ses mille formes son récit[42]. La traite et le génocide afro-antillais ne sont pas nommés. On ne peut pas tout dire et on s'en tient à l'essentiel : c'était déjà l'excuse de Montesquieu, les détails sont assommants.

Et la question revient, lancinante. Pour Rousseau, les Noirs exis-

36. *DO*, p. 397-398.

37. « Les relations des voyageurs sont pleines d'exemples de la force et de la vigueur de ces hommes chez les nations barbares et sauvages ; elles ne vantent guère moins leur adresse et leur légèreté » (*DO*, p. 397).

38. *Ibid.*, p. 397. Et Rousseau enchaîne avec une longue citation de Kolben.

39. « Le père Du Tertre dit à peu près, sur les sauvages des Antilles, les mêmes choses qu'on vient de dire sur les Hottentots du Cap de Bonne-Espérance » (*DO*, p. 398). Il s'agit ici des « sauvages des Caraïbes », non des esclaves noirs expatriés là-bas.

40. Du Tertre (cf. *supra*, n. 12, p. 57).

41. *DO*, p. 404-407.

42. *Ibid.*

tent-ils en tant qu'hommes ? Car si ce sont des bêtes (même s'ils ne le sont que provisoirement), les problèmes théoriques de la chasse et de l'élevage leur conviennent, et non ceux de leur accès au droit. Or, justement, Rousseau ne sait pas trop. Il cite longuement les récits et les compilations de Purchass, Battel, Drapper et Merolla et leurs histoires d'orangs-outans « qui tiennent comme le milieu entre l'espèce humaine et le babouin »[43] ; rappelle que certains parlent de ces *quojasmorros*, animaux anthropomorphes, dont l'un, « transporté du Congo en Hollande », fut « présenté au prince d'Orange, Frédéric Henri » et se tint fort convenablement à table et au lit[44]. Un homme ? Une bête ? Rousseau se méfie des jugements colportés à ce propos par les voyageurs et par les missionnaires[45]. Et de glisser sans transition de ces histoires de Noirs et de singes à celle de l'enfant sauvage[46], que les auteurs cités par Rousseau auraient certainement bestialisé et « renvoyé dans le bois ou enfermé dans une ménagerie ; après quoi ils en auraient savamment parlé dans de belles relations comme d'une bête fort curieuse qui ressemblait assez à l'homme »[47]. Aucun doute : Rousseau étend sans scrupules l'humanité jusqu'aux limites les plus lointaines possible et n'aime plus, lui qui prêtait foi aux récits des témoins oculaires[48], qu'on lui raconte n'importe quoi. Il ne veut plus que des marchands, des soldats, des marins ou des missionnaires lui racontent n'importe quoi n'importe comment de la bestialité de certaines créatures anthropomorphes ni de l'humanité de certaines autres zoomorphes[49]. Il veut du solide, et dresse la liste de ce qu'on sait déjà à ce propos et de ce qu'on ignore encore sur ce registre.

Que savons-nous ? Presque tout des habitants de l'Europe septentrionale et de l'Amérique méridionale ; tout des Perses, « la Chine

43. *DO*, p. 411.
44. *Ibid.*, p. 412-413.
45. *Ibid.*, p. 415. Il lui semble pourtant sage de retenir l'avis de Merolla, « religieux lettré, témoin oculaire et qui, avec toute sa naïveté, ne laissait pas d'être homme d'esprit », plutôt que celui des « autres compilateurs ».
46. Le célèbre cas de 1694.
47. *DO*, p. 416.
48. « Et comme il ne faut que des yeux pour observer ces choses » (*DO*, p. 397 ; et cf. n. 38, p. 240).
49. « Il semble que la philosophie ne voyage point (...) il n'y a guère que quatre sortes d'hommes qui fassent des voyages de long cours, les marins, les marchands, les soldats et les missionnaires. Or on ne doit guère s'attendre que les trois premières classes fournissent de bons observateurs ; et quant à ceux de la quatrième, occupés de la vocation sublime qui les appelle, on doit croire qu'ils ne se livreront pas volontiers à des recherches qui paraissent de pure curiosité » (*DO*, p. 416).

paraît avoir été bien observée par les jésuites »[50], « et Kempfer donne une idée passable de ce qu'il a vu dans le Japon »[51] ; on ne sait pas grand-chose des peuples des Indes orientales. Des hommes partout, et pas des bêtes.

Mais l'Afrique ? « L'Afrique entière et ses nombreux habitants, aussi singuliers par leur caractère que par leur couleur, sont encore à examiner. »[52] Je ne peux pas ne pas relever que la *singularité de caractère* n'est évoquée que pour les Noirs ; que Rousseau se contente du peu qu'on sait des Japonais pour ne plus insister ; qu'il est incapable de dégager de toute la littérature africaniste de son temps de quoi trancher sans bavardages inutiles la « question » de l'humanité ou de la bestialité des Noirs ; qu'il traîne et n'en finit sur le *quoja-morro* de Frédéric[53], sur l'Hottentot policé et récalcitrant de Kolben[54] ; qu'il s'offre un bestiaire anthropomorphe plus compliqué et plus absurde encore que celui d'Augustin[55].

On lui a raconté des histoires de monstres africains : il y relève plus tard des incongruences qu'il n'avait pas vues lors d'une première lecture et s'en excuse – « il est vrai que mes idées n'étaient pas alors tournées de ce côté »[56]. Bref, il est, sur les Africains, sous-informé, mal renseigné. Il ne peut pas ne pas savoir qu'il est des boudoirs parisiens où l'on s'amuse indistinctement d'un singe ou d'un « négrillon »[57] : mais un boudoir n'est probablement pas le meilleur endroit pour tester l'humanité de l'un, l'animalité de l'autre. Comment faire, grands dieux, pour en avoir le cœur net ? Hommes ou bêtes ? Presque hommes ou un peu plus que bêtes ? Perfectibles par l'élevage ou perfectibles par le droit ? Ils sont « encore à examiner ». Et l'Afrique est si loin, si loin l'Amérique…

Il y a un moyen. « Supposons un Montesquieu, un Buffon, un Diderot, un Duclos, un d'Alembert, un Condillac, ou des hommes de cette trempe, voyageant pour instruire leurs compatriotes, observant et décrivant, comme ils savent faire, la Turquie, l'Égypte, la Barbarie, l'Empire du Maroc, la Guinée, le pays des Cafres, l'intérieur de l'Afrique

50. *DO*, p. 418. Rousseau fait ici aux jésuites la confiance qu'il dénie deux pages plus loin aux missionnaires. Comprenne qui pourra (cf. note précédente).
51. *DO*, *ibid.*
52. *DO*, *ibid.*
53. *DO*, p. 412.
54. *DO*, p. 398.
55. Augustin, *Cité de Dieu*, liv. 16, chap. 8 et 9.
56. *DO*, p. 414.
57. Cf. *supra*, troisième partie, chap. 2, sur la présence d'esclaves noirs en France.

et ses côtes orientales (...) enfin les Caraïbes, la Floride, et toutes les contrées sauvages (...) supposons que ces nouveaux Hercules, de retour de ces courses mémorables, fissent ensuite à loisir l'histoire naturelle, morale et politique de ce qu'ils auraient vu (...) je dis que quand de pareils observateurs affirmeront d'un tel animal que c'est un homme, et d'un autre que c'est une bête, il faudra les en croire ; mais ce serait une grands simplicité de s'en rapporter là-dessus à des voyageurs grossiers, sur lesquels on serait quelquefois tenté de faire la même question qu'ils se mêlent de résoudre sur d'autres animaux. »[58] De l'ironie, disent les uns. C'est un peu court. Le b-a-ba de l'ethnologie, clament les autres. Toutes choses égales par ailleurs, il faut aller voir l'immigré chez lui ; lui faire la conversation dans un couloir de métro ne suffit pas à juger de son humanité ou de sa bestialité. C'est entendu, les nouveaux Hercules voyageront, observeront, décriront ; et au retour ils trancheront. En attendant, ou bien Rousseau parle pour ne rien dire, ou bien il s'offre le réconfort du doute sur ce que cache ou montre d'humanité et de bestialité l'Afrique entière, chez elle. Et l'Afrique aux Antilles ? Elle n'est même pas prévue sur l'itinéraire des savants. À quoi bon la nommer à part ? Ce n'est pas d'elle que parle Rousseau lorsqu'il dit sa fascination pour le Caraïbe, mais de l'Indien.

Nous voilà loin de la traite et du Code Noir avec tout cela ? Nous y voilà au cœur. La traite ne concerne pas les Caraïbes innocents, passablement idiots et incapables, c'est charmant, de prévoir leurs propres besoins le matin pour le soir de la même journée[59]. Elle doit concerner, pour sûr, ces pauvres gens qu'on a arrachés de chez eux et qu'on a tenté d'élever et de nourrir ailleurs, après une très longue traversée en mer, « et que la tristesse et le désespoir ont tous fait périr soit de langueur, soit dans la mer où ils avaient tenté de regagner leur pays à la nage »[60]. C'est des Islandais transportés de force au Danemark que s'émeut ici Jean-Jacques[61]. Mais « désespoir » et « langueur »

58. *DO*, p. 418-419.

59. L'homme sauvage « que rien n'agite, se livre au seul sentiment de son existence actuelle sans aucune idée de l'avenir, quelque prochain qu'il puisse être, et ses projets, bornés comme ses vues, s'étendent à peine jusqu'à la fin de la journée. Tel est encore aujourd'hui le degré de prévoyance du Caraïbe : il vend le matin son lit de coton, et vient pleurer le soir pour le racheter, faute d'avoir prévu qu'il en aurait besoin pour la nuit prochaine » (*DO*, p. 317).

60. *DO*, p. 429.

61. « Sans parler des Groenlandais et des habitants de l'Islande, qu'on a tenté d'élever et de nourrir en Danemark, et que la tristesse et le désespoir ont tous fait périr », etc. (*DO*, p. 429).

sont des critères indéniables d'humanité. Mais nous savons « presque tout des habitants de l'Europe septentrionale »[62] et nul n'a jamais prétendu que les Islandais grimpassent aux cocotiers avec une agilité pour le moins suspecte. Arracher de force, transporter ailleurs à travers mer, se suicider en route, se jeter dans les flots pour retrouver le rivage, mourir de langueur ou de désespoir : arrive-t-il des choses similaires aux Noirs razziés en Afrique et transportés aux Antilles ? Jamais ! Rousseau pleurerait là-dessus toutes les larmes de son corps. Il ne pleure pas ? C'est donc que les navires reliant l'Islande au Danemark étaient de vrais bateaux, mais des bétaillères flottantes les navires négriers.

En attendant qu'un Montesquieu et les autres se mettent en route et testent de par le monde cases, soutes et bagages, qu'ils goûtent, comme les marins portugais, du bout de la langue le grain de leurs échantillons, parlons droit, feignant une seconde d'avoir parlé jusqu'ici d'autre chose. Souvenons-nous de l'absurde convention qui, mettant tout « à ta charge » et tout « à mon profit »[63], illustre l'incompatibilité essentielle entre l'esclavage et le droit. Dans le *Discours sur l'origine de l'inégalité*, l'absurde convention est déjà relevée, mais pour rappeler que, grâce au ciel, elle n'a pas cours dans le royaume de France. Voici :

« En continuant d'examiner ainsi les faits par le droit, on ne trouverait pas plus de solidité que de vérité dans l'établissement volontaire de la tyrannie, et il serait difficile de montrer la validité d'un contrat qui n'obligerait qu'une des parties, où l'on mettrait tout d'un côté et rien de l'autre, et qui ne tournerait qu'au préjudice de celui qui s'engage. Ce système odieux est bien éloigné d'être, même aujourd'hui, celui des sages et bons monarques, et surtout des rois de France, comme on peut le voir en divers endroits de leurs édits, et en particulier dans le passage suivant d'un écrit célèbre, publié en 1667, au nom et par les ordres de Louis XIV. »[64] On a bien lu. L'esclavage dont parle Rousseau n'est jamais celui que le même Louis XIV codifie dans le Code Noir. Les bons et sages rois de France écrivent de bons et sages édits. Mon

62. Qui ont été décrits par des géomètres-philosophes (*DO*, p. 418).

63. *CS* 1, 4, p. 70.

64. *DO*, p. 373-374. Voici le passage cité par Rousseau, tiré du *Traité des droits de la Reine très chrétienne sur divers États de la Monarchie d'Espagne*, Paris, Imprimerie Royale, 1667 (note d'Henri Guillemin) : « Qu'on ne dise donc point que le souverain ne soit pas sujet aux lois de son État, puisque la proposition contraire est une vérité du droit des gens, que la flatterie a quelquefois attaquée, mais que les bons princes ont toujours défendue comme une divinité tutélaire de leurs États. Combien est-il plus légitime de dire, avec le sage Platon, que la parfaite félicité d'un royaume est qu'un prince soit obéi de ses sujets, que le prince obéisse à la loi, et que la loi soit droite et toujours dirigée au bien public ! »

hypothèse semble bien se confirmer. Il n'y avait pas d'outrance à parler du je-m'en-foutisme de Rousseau. La « convention » moquée dans le *Contrat social* suppose un « tu » pour qu'elle soit absurde. Les Noirs n'entrent pas dans cette catégorie, ni dans celle de « sujets » du bon et sage roi de France. Les Noirs peuvent être perfectibles, allez : mais avec leur caractère aussi singulier que leur couleur, ils sont loin d'avoir accompli leur processus d'humanisation. Les édits royaux ne les traitent pas en interlocuteurs (alors qu'ils traitent en interlocuteurs les Blancs), mais disent aux négriers comment faire avec leur bétail[65]. Rousseau cite un édit de 1667 pour mettre la glorieuse mémoire de feu Louis XIV à l'abri de s'empêtrer dans ce « système odieux » qui combine droit et esclavage en instaurant et légitimant la tyrannie. Le même bon et sage monarque tyrannise absolument les « nègres » (les Noirs, à lire le Code Noir, il ne sait même pas que cela puisse exister) d'Afrique dans maints règlements de compagnies négrières, et dans un autre édit célèbre, celui de mars 1685, sur lequel un autre bon et sage roi insiste en 1724. Rousseau, qui sait tout, ne sait pas cela. Mieux : il sait tout, et cela aussi[66]. Il n'en a cure. Le roi de France n'est pas un tyran, puisqu'en ferrant et en étampant les Noirs, il ne tyrannise pas des hommes, mais il « contient » des nègres. Et que les nègres soient vraiment des hommes accomplis ou encore des bêtes, Rousseau nous a dit très nettement attendre que les nouveaux Hercules, toujours pas sur le départ, rentrent de leur tour du monde pour trancher la question en pleine connaissance de tous les éléments du très difficile dossier.

Finissons-en. L'occultation du Code Noir par Montesquieu, dont on nous demande de vénérer la hardiesse, devient inhumation nocturne et clandestine chez Rousseau, dont on nous conjure de glorifier le courage. La feinte ignorance de Montesquieu à son propos était dérangeante. Celle de Rousseau est irritante, scandaleuse. Tenez. Là où le Code Noir ne peut pas ne pas hanter l'esprit du lecteur du *Discours sur l'origine de l'inégalité*, Rousseau – Barbeyrac et Locke à l'appui – n'en finit pas d'enfoncer le clou : « Nul ne peut vendre sa liberté jusqu'à se soumettre à une puissance arbitraire qui le traite à sa fantaisie »[67] ; « ce serait offenser à la fois la nature et la raison que d'y renoncer à quelque prix que ce fût »[68]. C'est de l'esclavage qu'il s'agit encore et toujours. Joue-t-on de mauvaise foi en s'étonnant que,

65. Code Noir, art. 49-54.
66. Cf. *supra*, p. 240, à propos des lectures de Rousseau.
67. *DO*, p. 374-375.
68. *DO*, p. 375.

là non plus, le Code Noir n'apparaisse, ne serait-ce qu'en une toute petite note en bas de page, pour rappeler que, dans cet édit, il n'y a même pas possibilité pour le Noir de se vendre, ou de renoncer à la vie ou à la liberté ? Est-ce excessif et pas scientifique de s'étonner de l'absence du rappel qu'il est en France[69] des situations d'esclavage d'une tout autre gravité ?

Dans la foulée, notre auteur en vient au scandale des scandales, l'esclavage des enfants nés de mère esclave : « Et les jurisconsultes qui ont gravement prononcé que l'enfant d'une esclave naîtrait esclave ont décidé en d'autres termes qu'un homme ne naîtrait pas homme. »[70] Les jurisconsultes ! Rome a bon dos. Rousseau ne lit-il donc pas l'*Encyclopédie* ? Ne sait-il rien des recueils de Néron et Girard ? Il aurait pu se renseigner. Ça en valait la peine. Il aurait vu que les « jurisconsultes » de la cour de Versailles enjolivent à merveille, à l'intention stricte du ventre des négresses, cette « matrilinéarité ». Ne lit-il pas Labat ? Il connaît bien Diderot. C'est son bon et sage Louis XIV et pas le grand khan de Mandchourie qui prononce gravement dans le Code Noir que l'enfant d'une esclave naît esclave et appartient au maître de la mère ! Les jurisconsultes décidèrent, voilà une bonne poignée de siècles, qu'un homme ne naîtrait pas homme. Les imbéciles. Rousseau, en ne relevant pas ce passage du Code Noir – car ce n'est pas là qu'il relève l'éternelle formule *filius sequitur ventrem*[71] –, central pour tout son fonctionnement, se range lui-même du même côté de la logique qu'il fustige : la portée de la brebis appartient au maître du troupeau. Élémentaire.

Autrefois, dit Rousseau, les chefs s'accoutumèrent à compter leurs esclaves « comme du bétail, au nombre des choses qui leur appartenaient »[72]. Autrefois n'est pas maintenant.

Et maintenant n'est pas ici. N'est ici, ni aux Antilles françaises, cet endroit où « la plus aveugle obéissance est la seule vertu qui reste aux esclaves »[73] ; mais par une fiction littéraire d'une surprenante nouveauté et d'une effrayante témérité, c'est dans le royaume d'un sultan que cela se passe et c'est là que la foule, se révoltant à juste titre, finit par étrangler et détrôner son tyran enrubanné[74].

69. En France (cf. troisième partie, chap. 2) et pas seulement dans les colonies lointaines.
70. *DO*, p. 376.
71. Mais dans les réflexions de Puffendorff (cf. *DO*, p. 375).
72. *DO*, p. 380. Cf. commentaires aux art. 44 et 49 du Code Noir.
73. *Ibid.*, p. 386.
74. *Ibid.*

Une conclusion s'impose. Rousseau mérite mille fois le titre de pourfendeur de la servitude et de l'asservissement des citoyens par les couronnes. Mais il a usurpé totalement celui de contempteur de l'*esclavage* au sens des pratiques qui lui furent contemporaines. Son silence à leur propos est révoltant. La traite, le Code Noir, l'esclavage des Noirs aux Antilles, en Louisiane et en France ? Sans aucun intérêt pour lui. Des hommes ? Des bêtes ? Il les sait traités en « biens » et ne s'en offusque ni dans la longueur d'un chapitre ni dans la fulgurance d'une demi-phrase. Fait-il des allusions à des situations d'esclavagisme actuelles, hors classicisme ? Voyez les sultans ou considérez vos propres chaînes. Parle-t-il de déracinements et d'arrachements ? Voyez la langueur des Islandais au Danemark et tenez-vous-en là. Cite-t-il des édits ? Il lève au pinacle un texte de Louis XIV, dont il « ignore » les édits instituant les compagnies négrières tout autant que le Code Noir.

Il écrira néanmoins un jour – et cela on nous le ressortira à temps et à contretemps dans nos « humanités » – : « Si j'étais chef de quelqu'un des peuples de la Nigritie, je déclare que je ferais élever sur la frontière du pays une potence où je ferais pendre sans rémission le premier Européen qui oserait y pénétrer et le premier citoyen qui tenterait d'en sortir. »[75] La forte parole qui mettrait dans l'embarras les savants qu'il rêve d'envoyer en balade se faire une opinion sur l'humanité ou la bestialité des gens de Nigritie au « singulier caractère » ! Mais nous savons par cœur quel sens il faut donner à cette tirade en la comparant à ce que nous avons relevé dans le *Contrat social* et dans le *Discours sur l'origine de l'inégalité*. Le comportement de Rousseau – chef pour rien, un instant, en Nigritie, comme Sancho Pança le fut un peu plus longtemps d'une île au cœur de la Manche – n'induit absolument pas son silence ni sur l'esclavage noir ni sur le Code Noir.

Je me suis demandé, en parcourant Montesquieu, si Sepúlveda n'aurait pu parapher ses règlements et j'ai répondu par l'affirmative[76]. Je constate en parcourant Rousseau qu'Augustin, malgré son « préjugé » et ses ignorances, a toute une humanité d'avance sur Jean-Jacques[77].

Et les colonies là-dedans ? Faisons court. Et suivant les érudits qui sondent l'ensemble de l'œuvre du Genevois et relèvent que Rousseau est à l'évidence l'adversaire le plus obstiné de l'expansion européenne, constatons qu'« il ne demanda jamais – comme le firent certains –

75. Dernière réponse à M. Bourdes (in *OC*, Paris, 1823, t. 1, p. 152).
76. Cf. *supra*, chapitre précédent, p. 230.
77. Cf. *supra*, p. 29.

l'abandon par les Français de leurs possessions d'outre-mer »[78]. Ceci expliquerait-il tout ce qui précède ?

Au fond, les révolutionnaires de 1789 et des années suivantes ont très bien lu Rousseau : c'était eux les esclaves, à eux de briser leurs propres chaînes et de se débarrasser de leurs tyrans [79]. L'affaire des Noirs afro-antillais, elle ne figurait pas dans le mode d'emploi de la révolution, elle ne les concernait pas.

78. W. B. Cohen, *Français et Africains*, p. 252. À comparer avec Las Casas : cf. *infra*, p. 253.

79. « Nous voulons remplir les vœux de la nature, accomplir les destins de l'humanité, tenir les promesses de la philosophie, absoudre la providence du long règne du crime et de la tyrannie ; que la France, jadis illustre parmi les pays esclaves, éclipsant la gloire de tous les peuples qui ont existé, devienne le modèle des nations, l'effroi des oppresseurs… » (Robespierre, Le 17 pluviôse de l'An II, *Rapport sur les principes de la morale politique qui doivent guider la Convention*).

5. Raynal et les autres : un autre langage pour d'autres Noirs

Dire que le chemin est long à parcourir entre les critiques de l'esclavage classique et l'abolition inutile et provisoire de l'esclavage en 1794 c'est ne rien dire. Il n'y a pas de chemin entre ceci et cela, tout simplement parce qu'on ne peut induire de la vaillante critique de l'esclavage la nécessité de supprimer des techniques d'élevage pour le labour et l'abattoir. Diderot et Raynal devront réinventer, pour convaincre, le ton et la manière.

Avec des gens comme Mirabeau, Pierre Poivre, Henrion de Pansey ou Bernardin de Saint-Pierre, il n'est plus question de planer ni au ciel du classicisme gréco-romain ni à celui du servage féodal : il est question de la traite, de l'esclavage afro-antillais et du Code Noir. Nous sommes désormais, avec eux et d'autres, au cœur du sujet. On nous a les accents de la réprobation indignée en nous parlant de « troupeaux d'esclaves » et en nous désignant les Antilles comme des « contrées (aux) trois quarts d'habitants changés en bêtes pour le service de l'autre quart »[1]. Physiocrates, ecclésiastiques, romanciers, philosophes, adminis-

1. J. Delaporte, *Voyageur français ou connaissance de l'ancien et du nouveau monde*, Paris, 1765-1793, 42 vol. ; lettre 128, t. 11, p. 204, cité par Biondi, *Ces*

trateurs daignent enfin tenir compte, non plus d'une perfectibilité toute littéraire et assez bonne fille pour fournir à chacun l'alibi de la complaisance, mais de l'effectivité de l'humanité, dont ils voient la preuve la plus évidente dans les tentatives – aussi ponctuelles qu'inefficaces – de révolte des Noirs dans les plantations et dans les habitations, et dans le fait que les esclaves n'en finissent pas de risquer l'amputation et la mort en choisissant, contre le calvaire de la sucrerie, celui du marronnage aux conditions de survie atroces, mais à leurs yeux absolument préférables à l'éternel mépris et à l'éternel fouet. Le conflit entre le monogénisme et le polygénisme n'est plus au cœur du débat, mais la capacité des Noirs à se révolter et, ce qui n'est pas négligeable, le bilan économique de la colonisation. En deux mots : et si l'esclavage, traite comprise, coûtait plus cher qu'un système d'exploitation salariée ? Et s'« ils » se révoltent et instaurent là-bas un « Code Blanc » pour s'asservir les Blancs minoritaires, brutalement dépossédés un jour de leur maîtrise ? Il ne s'agit pas, dans mon esprit, de minimiser – moins encore de ridiculiser – les motivations éthiques et philosophiques profondes du changement de langage par le changement des concepts et des repères historiques. Il s'agit de constater que dans cette période qui va, en gros, d'après le *Contrat social* jusqu'à l'*Histoire philosophique* de l'abbé Raynal, les langages s'énervent et ne craignent plus de risquer la démesure pour décrire ce qui passe la mesure de l'imaginable : la permanence de la bestialisation effective et juridique du Noir, pris dans la noria infernale de la traite, de la servitude la plus vile, du racisme le plus obscène, le tout au bénéfice du maintien d'un système de production et de commerce coloniaux qui coûte cher à tous et rapporte à quelques-uns. On ne perd plus son temps à trier, à la casuiste, entre considérations de type raciste et ratiocinations de type esclavagiste. On ne chasse pas seulement le « préjugé ». On chasse aussi l'excès dans la manière.

L'excès. Mais le principe ? C'est infiniment moins sûr qu'il soit radicalement mis en cause. Ouvrons l'*Encyclopédie.*

Trois articles nous intéressent à ce propos. Ceux qui illustrent les trois entrées suivantes : esclavage, esclave, nègre. Pas de cadeaux littéraires au mot « nègre »[2] ; mais une redite fastidieuse des éléments du

esclaves, p. 229. Carminella Biondi situe très précisément l'œuvre de l'abbé Delaporte en relation avec celle de l'abbé Prévost.

2. À l'entrée « nègre » : « Caractère des nègres en général. – Si par hasard on rencontre des honnêtes gens parmi les nègres de la Guinée (le plus grand nombre est toujours vicieux), ils sont pour la plupart enclins au libertinage, à la vengeance, au vol et au mensonge. Leur opiniâtreté est telle qu'ils n'avouent jamais leurs fautes,

débat sur l'origine, la pigmentation, etc. Au mot « esclave », il est longuement question des lois romaines. Puis on tombe sur la transcription de certains articles essentiels du Code Noir. Transcription tronquée, glacée, qu'aucune condamnation de l'esclavage n'accompagne, où nulle rupture de ton ne laisse se glisser le fiel de la critique[3]. Manière de dire que « c'est ainsi ». Et c'est, effectivement ainsi, sans qu'on ait rien à y redire. Qu'il suffise, pour s'en convaincre, de remonter au mot « esclavage » qui précède l'article « esclave ». Le lyrisme y est à la hauteur. Jaucourt, qui le signe, condamne sans nuance, sans concession, l'institution analysée. Dont il accompagne le devenir historique jusqu'au XVe siècle : point final.

Mais cela ne suffit pas, certainement, à caractériser l'ensemble d'un mouvement de pensée. Ces trois repères, faciles, à la portée de chacun, indiquent toutefois que les Noirs ne se tirent pas d'affaire dans l'œuvre monumentale de Diderot et de d'Alembert[4].

Tout semble se passer comme si, au stade de la réflexion philosophique en général et particulièrement sur le thème de la souveraineté de chacun sur soi-même, l'ailleurs de la blanchitude restait verrouillé, au jugement des esprits les meilleurs. Comme s'il fallait ajouter aux Lumières, bornées dans leur très spéciale conception ethnocentriste de la raison, des éléments qui leur étaient étrangers pour franchir le cap de l'humanisation effective des Noirs. Comme s'il fallait aux archangéliques Lumières alourdir de passion leur vol pour trouver enfin le moyen

quelque châtiment qu'on leur fasse subir ; la crainte même de la mort ne les émeut pas. Malgré cette espèce de fermeté, leur bravoure naturelle ne les garantit pas de la peur des sorciers et des esprits, qu'ils appellent zambys. »

3. Le Code Noir est introduit de la façon suivante : « Mais présentement en France toutes personnes sont libres, et sitôt qu'un esclave y entre, en se faisant baptiser il acquiert sa liberté, ce qui n'est établi par aucune loi mais par un long usage qui a acquis force de loi. Il ne reste plus d'esclaves proprement dits, dans les pays de la domination de France, que dans les îles françaises de l'Amérique ; l'édit de mars 1685, appelé communément le Code Noir, contient plusieurs règlements par rapport aux nègres que l'on tient esclaves dans ces îles. » Suit un vaste résumé du Code, sans numérotation des articles, et le rappel de l'édit de 1716 sur la présence des « nègres » en France.

4. On lira aussi des envolées édifiantes sur les Noirs aux entrées « nez » et « humaine espèce », où l'on décrit chaque peuple depuis les « lapons laids, grossiers, superstitieux et stupides » jusqu'aux « nègres » « grands, gros, bien faits, mais niais et sans génie ». On se réfère beaucoup à Buffon et à d'Aubenton et on tranche : « Il n'y a donc eu originairement qu'une seule race d'homme », tout en précisant que « le Blanc paraît donc être la couleur primitive de la nature, que le climat, la nourriture et les mœurs altèrent et font passer par le jaune et le brun, et conduisent au noir ». Bref, la dégénérescence. On en reste à Bodin (cf. *supra*, p. 42, n. 22).

de mettre à peu près d'accord « philanthropie » et « universalisme ». Et c'est bien ainsi, me semble-t-il, que certains de ceux qui s'en réclament forceront les yeux de la raison à regarder ce que savent voir en couleur rouge sang la peur panique, l'intérêt national, l'affairisme commercial. C'est la saison d'une politique métropolitaine de méfiance envers les colons, incapables comme toujours de faire face aux dangers dont menace le « très grand nombre » (brave Montesquieu) autrement qu'en ajoutant encore des boulets aux chaînes des esclaves et en serrant davantage leurs freins.

On lira donc ici et là des condamnations de la traite et de l'esclavage parce qu'on songera très sincèrement à l'intérêt – à l'urgence – de modifier le système d'« embauche » et la rudesse de l'asservissement, tout en préservant à la *manière* son efficacité par la suppression des *excès*. On ferraillera ferme contre les atermoiements des théoriciens en allés, tout « anti-esclavagistes » qu'ils aient été ; on pourfendra l'esclavagisme d'un Malouet[5] et le cynisme d'un Linguet[6]. On notera les insuffisances d'un Prévost. Helvétius deviendra, au chapitre des références théoriques, plus convaincant que Rousseau. Les récits de l'abbé Delaporte[7] seront plus lus que ceux de Labat.

On lira aussi des dithyrambes. Mercier, dans *L'an 2440*[8], dresse sur un amoncellement de sceptres brisés un monument « au vengeur du nouveau Monde », le Noir qui s'est libéré de ses tyrans « français, espagnols, anglais, hollandais, portugais », dont il a fait « la proie du fer, du poison, de la flamme » ; le Noir qui a abreuvé « la terre d'Amérique (de) ce sang qu'elle attendait depuis longtemps ». Il chante « cet homme noir, cet héroïque vainqueur (qui) a rendu libre un monde dont il est le dieu », et à qui l'autre monde « a décerné des hommages et des couronnes »[9].

Mais c'est dans l'œuvre de l'abbé Raynal[10], à laquelle collabore

5. Pierre-Victor Malouet (1740-1814). Administrateur, politicien, écrivain. Favorable à l'esclavage.

6. Simon-Nicolas-Henri Linguet (1736, guillotiné en 1794, le 27 juin). Favorable à l'esclavage (*Théorie des lois civiles, ou principes fondamentaux de la société*, 1767).

7. Cf. *supra*, n. 1, p. 248.

8. Mercier, *An 2440* (1770), réédité en 1971, *L'an deux mille quatre cent quarante. Rêve s'il en fut jamais*, éd. Trousson, Bordeaux.

9. An 2440 (éd. Trousson), p. 205-206.

10. Abbé Guillaume Raynal, *Histoire philosophique et politique du commerce et des établissements des Européens dans les deux Indes*, 1772 pour la première édition. Constamment reprise et augmentée jusqu'en 1787 (*Choix de textes*, par Yves Benot, Paris, Maspero, 1981).

Diderot[11], qu'on trouvera, au-delà du technicisme timoré et vergognant des très grands (Montesquieu et Rousseau), en deçà du trop bel hommage de Mercier, la nouvelle norme dans l'affaire : une critique féroce de l'esclavage noir et de la traite, un brocardage en règle des couronnes et des tiares et des mitres qui supportent le massacre, l'organisent, y collaborent, le bénissent[12] ; l'injure la mieux ciselée pour les philosophes qui liquident la question d'un ricanement ou la contournent en deux pirouettes, l'évocation constante du scandale d'une « loi de sang » – le Code Noir – sévissant aux colonies. Ici on rejette avec mépris la théorie de la paternité caïnite ou chamite, qui installait d'emblée chaque Noir dans la criminalité et dans l'esclavage[13]. On note ici qu'on « s'indigne des cruautés civiles et religieuses de nos féroces ancêtres et (qu'on) détourne les regards de ces siècles d'horreur et de sang »[14] ; que « seule la fatale destinée des malheureux nègres ne nous intéresse pas »[15] ; qu'« on les tyrannise, on les mutile, on les brûle, on les poignarde et nous l'entendons dire froidement et sans émotion »[16]. Précisons encore davantage la nouvelle norme. Les Noirs ne sont ni criminels ni esclaves par malédiction divine, c'est entendu, et on oublie les conséquences outrancières qu'on a tirées à leur propos de la théorie des climats. On souligne néanmoins et dans la foulée les carences mentales des Noirs, l'animalité irrécusable de leur impétuosité sensuelle et de leurs débordements sexuels[17], et on distribue les bons points et

11. Sur ce que l'*Histoire philosophique* doit à Diderot, cf. Y. Benot, *Diderot, de l'athéisme à l'anticolonialisme*, Paris, 1970 ; et M. Duchet, *Diderot et l'Histoire des deux Indes, ou l'écriture fragmentaire*, Paris, 1978.

12. « Eh ! S'il existait une religion qui tolérât, qui autorisât, ne fût-ce que par son silence de pareilles horreurs (…) si elle faisait un crime à l'esclave de briser ses fers, si elle souffrait dans son sein le juge qui condamne le fugitif à la mort ; si cette religion existait, n'en faudrait-il pas étouffer les ministres sous les débris de leurs autels ? » (liv. 11, t. 6, p. 203).

13. « La théologie, après avoir fait une race d'hommes coupables et malheureux par la faute d'Adam, fait une race d'hommes noirs pour punir le fratricide de son fils (…) Grand Dieu, quelles extravagances atroces t'imputent des êtres (…) qui te font parler et agir selon les ridicules caprices de leur ignorance présomptueuse ! » (liv. 11, t. 6, p. 64-65).

14. *Histoire, ibid.*, p. 167-168.

15. *Ibid.*

16. *Ibid.*

17. « Leur peau est toujours plus échauffée, et leur pouls plus vif (…) Aussi la crainte et l'amour sont-ils excessifs chez ce peuple ; et c'est ce qui le rend plus efféminé, plus paresseux, plus faible et malheureusement plus propre à l'esclavage. D'ailleurs les facultés intellectuelles étant presque épuisées par les prodigalités de l'amour physique, il n'a ni mémoire, ni intelligence pour suppléer par la ruse à la force qui lui manque » (*Histoire*, t. 4, p. 120).

les moins bons au palmarès des aptitudes physiques et mentales à servir des habitants razziables sur les divers terrains africains de chasse[18].

Puis on reviendra sur cette manière décidément encore trop canaille, parce que administrateurs, politiciens, missionnaires paniqueront encore davantage au fil de la succession des années et de l'accroissement de la population noire, et qu'il semblera de plus en plus difficile de « contenir » les Noirs chez les colons. On y reviendra aussi parce que, autour de Raynal, ira s'affinant le thème crucial de la souveraineté individuelle de chacun[19] sur soi-même. Raynal portera l'analyse et la passion jusqu'aux mille conséquences de la dépersonnalisation juridique de l'esclave, codifiée par la loi française. Il plaidera l'arrêt immédiat de la traite et la mise en place d'un système d'adoucissement progressif de la situation des esclaves aboutissant, à long terme, à l'abolition pure et simple de l'esclavage[20].

Nous sommes loin, dans les réglementations provisoires de l'abbé Raynal visant l'abolition, des mesures conservatoires du seigneur Montesquieu, on s'en doute. Mais, puisqu'il s'agit de comparer du comparable, nous sommes tout aussi loin de la brutalité dont faisait preuve plus de deux siècles plus tôt Las Casas pour exiger la libération immédiate et effective des Noirs dans la foulée de la libération effective et immédiate des Indiens :

– Nous libérons séance tenante ; mieux, nous rentrons, criait l'évêque andalou. Nous n'avons rien à faire ici.

Las Casas, tout théologien qu'il fût, n'en exigeait pas moins à l'empereur Charles V.

– Nous restons. Et nous nous donnons les moyens d'élever les Noirs jusqu'à un niveau suffisant de conscience de leur propre humanité, niveau dont nous déterminerons la hauteur à l'équerre des critères juridiques relevant de nos lois canoniques et de nos lois civiles[21]. Après

18. Deux passages relevés par Biondi *(Ces esclaves)* : « Les esclaves qui partent du Bénin, du Calbari et du Gabon sont très inférieurs à ceux qu'on achète ailleurs » ; « À Molembo les esclaves y sont en plus grand nombre et de meilleure qualité que sur le reste de la côte. »

19. Et dans « chacun » il faudra s'habituer à compter « chaque Noir » aussi.

20. Cf., *Choix* Benot, p. 178-183 (« Comment on pourrait rendre l'état des esclaves plus supportable »), où l'on constatera, en attendant ce que produiront à leur tour sur ce chapitre les « Amis des Noirs », que la substitution de la notion d'esclavage par des pratiques d'élevage confine définitivement, sous prétexte de libération, « la stupidité si ordinaire dans les esclaves » (Raynal) dans la bestialité la plus abrutissante.

21. C'est l'optique constante de Raynal et de Diderot. À titre d'illustration, la plupart des textes retenus par Benot (cf. notes précédentes).

quoi, nous les libérerons sur le sol dont nous garderons la propriété.

Raynal et Diderot n'en demandaient pas plus, tout éclairés qu'ils fussent, à tous les souverains des puissances européennes – mais à aucun d'eux [22] – et au pape dans la foulée, c'est-à-dire à personne.

A-t-on le droit d'oser insinuer que, s'adressant ainsi aux puissants de partout – comme Montesquieu à la fin de sa page « nègre » –, ils visent l'opinion plutôt que les couronnes, ils tentent d'émouvoir le colon et de lui prêcher la modération plutôt que de faire fléchir le roi de France et de lui arracher des mains l'instrument juridique par lequel il « contient » les Noirs et tient, par conséquent, la traite et les colonies ? Ce droit à l'insinuation, je le prends. À en juger par le bilan de l'action de la « Société des Amis des Noirs » et par les limites de leurs hardiesses théoriques, je crains qu'il n'y ait ni outrage ni démesure à constater que, si Raynal et Diderot – et d'autres – ont élevé jusque-là le débat et pour ces raisons, ils ne sentirent point la nécessité de dépasser ces limites.

Je parlais, au début de ce chapitre, d'un tout autre chemin. J'insiste. Tout comme Las Casas mena le débat hispanique jusqu'où l'on sait en passionnant, en « somatisant » les acquis philosophiques et théologiques de son temps, Raynal – Raynal surtout – força les Lumières à éclairer enfin le sol loin devant parce qu'il parla droit et philosophie, politique, économie et morale avec le langage de la sensualité et avec le ton de la réprobation physique, corporelle, animale d'une situation qui dépassait depuis plus d'un siècle la mesure du tolérable dans le scandale politique [23]. Autre chose est l'atmosphère aseptisée de l'écri-

22. « En rendant à ces malheureux la liberté, ayez soin de les asservir à vos lois et à vos mœurs, de leur offrir vos superfluités. Donnez-leur une patrie, des intérêts à combiner, des productions à faire naître, une consommation analogue à leurs goûts, et vos colonies ne manqueront pas de bras qui, soulagés de leurs chaînes, en seront plus actifs et robustes (...) Rois de la terre, vous seuls pouvez faire cette révolution (...) Refusez le sceau de votre autorité au trafic infâme et criminel d'hommes convertis en vils troupeaux, et ce commerce disparaîtra. Réunissez une fois pour le bonheur du monde vos forces et vos projets si souvent concertés pour sa ruine » (*Choix*, Benot, p. 201).

23. Mais qu'on n'oublie pas cependant les limites du combat de Raynal. Qu'on se souvienne que, s'il peut être efficace dans ses plaidoyers il prend grand soin de sa personne. « Affairiste, soucieux de s'enrichir par tous les moyens, y compris la traite des Noirs » (Benot, *Introduction* aux *textes* choisis de l'*Histoire*), Raynal mériterait, lui aussi, les âpres critiques que Cugoano réserve aux clercs qui devraient libérer, mais ne peuvent vouloir le faire. Poursuivons la comparaison. L'abbé Raynal compile, et Diderot fait de même. Las Casas se bat, il force l'empereur et le pape à prendre position et à légiférer en conséquence. L'Espagne officielle, aujourd'hui, ne le lui a pas encore pardonné. Les mouvements de libération amérindiens, aujourd'hui, ne l'ont pas encore oublié.

toire où l'on collationne Tacite à Justinien ou Grotius à Suarez ; autre chose la ferveur de celui qui, même loin du théâtre de la souffrance et de la mort, perçoit les douleurs, devine les sarcasmes, ressent charnellement les tortures, et compare comme à l'oreille les cris des esclaves sous le fouet des maîtres aux interlocutions des hommes d'esprit dans la mouvance des puissants.

6. Les subtilités des « Amis des Noirs »

Le 16 pluviôse de l'an II de la République française[1] une et indivisible : « La Convention nationale déclare que l'esclavage des nègres dans toutes les colonies est aboli : en conséquence elle décrète que tous les hommes, sans distinction de couleur, domiciliés dans les colonies, sont citoyens français et jouiront de tous les droits assurés par la Constitution. Elle renvoie au Comité de salut public, pour lui faire incessamment un rapport sur les mesures à prendre pour assurer l'exécution du présent décret. » Cette fois c'est sérieux : l'esclavage a vécu, le Code Noir aussi. Le décret n° 2262 met enfin la Convention en accord avec la Déclaration des droits de l'homme et du citoyen, avec les principes de la Révolution et de la République. Les deux mots *droit* et *esclavage* affichent enfin leur incompatibilité. On gomme l'esclavage parce qu'on veut le droit. À un détail près. Les « mesures à prendre pour l'exécution du présent décret » n'ont jamais été prises. Le Comité de salut public n'a jamais fait son « rapport ». Ni « incessamment » ni à la cinquième lune. Pas le temps, et pas la peine. Lorsque Césaire, en racontant cela, s'écrie « quelle farce ! »[2], il n'exagère pas d'un poil ; il est tout à fait dans le ton.

La Société des Amis des Noirs, fondée en 1788, qui avait bataillé de toutes ses forces pour les droits des gens de couleur habitant les colonies,

1. Le 4 février 1794.

2. Césaire, insistant sur le sérieux de l'œuvre de Schoelcher au milieu du XIXe siècle, écrit à propos de la première abolition : « Marx, après Hegel, remarque que tous les grands événements se répètent deux fois : la première comme tragédie, la seconde fois comme farce. L'histoire renverse parfois cette proposition, et de ce qui aux sceptiques peut apparaître farce, le réel en fait l'ébauche et la grimace du sérieux futur. La farce – mais grandiose – est du pluviôse an II. L'esclavage est aboli en moins de dix minutes » (Schoelcher, *Esclavage et colonisation*. Choix de textes, Paris, PUF, 1948, Introduction d'A. Césaire, p. 25).

peut pavoiser : elle a mené le bon combat. Elle ne s'en priverait pas, si elle existait encore. Mais les Noirs s'étaient révoltés à Saint-Domingue dès 1791 : les « Amis des Noirs » avaient été soupçonnés d'avoir favorisé ou approuvé leur révolte. La Révolution devenait de plus en plus tatillonne sur les faits et gestes de chacun et de nombreux membres de cette société avaient choisi de disparaître ou de fuir en Angleterre. Saint-Domingue ayant décidé que l'heure n'était plus à la soumission mais à la libération et à la vengeance, l'idéologie et la mode parisienne de l'instant n'étaient plus au « bon sauvage » ni au « pauvre esclave », mais au « sale nègre, assassin et cannibale ». L'abolitionnisme français, déjà passablement confidentiel, disparut comme par enchantement[3] ; la Société des Amis des Noirs, dispersée dès 1792, se restructurera plus tard, mollement et sous un autre nom[4]. De cette Société Sonthonax en était : lui, qui, forcé par Toussaint Louverture et les siens, avait décrété le 29 août 1793 l'émancipation des Noirs de Saint-Domingue. Rendons-nous à l'évidence : la Convention étend le 4 février 1794 à toutes les colonies françaises et à tous les hommes qui les habitent « sans distinction de couleur » – et sans modalités d'application – l'abolition que Toussaint Louverture et les Noirs révoltés de son île avaient arrachée quelques mois auparavant à Sonthonax, c'est-à-dire à la République. La Convention n'a pas aboli l'esclavage des Noirs pour leurs beaux yeux, mais parce que les révoltés l'ont sommée de le faire ; et parce que la politique anglaise et espagnole du moment menace, là-bas en Amérique du Vent, d'entamer l'unité et l'indivisibilité de la République.

Brûlons les étapes. On ferraille dur à Paris pour et contre l'accès des mulâtres aux droits politiques dès le lendemain de juillet 1789. Les planteurs protestent avec fracas contre l'octroi des droits politiques aux affranchis fils de père et mère affranchis : cette mesure ne concerne pourtant que 400 affranchis sur 20 000. 400 de trop. Les représentants des planteurs quittent l'Assemblée et laissent entendre que, si la France envoie des troupes pour appliquer ce décret, ils feront sécession[5]. Des planteurs n'avaient-ils pas massacré plus de 200 personnes de couleur à la Martinique, en juin 1790, qui manifestaient trop bruyamment à

3. On consultera à ce propos L. F. Hoffmann, *Le nègre romantique*, Paris, 1973.

4. En 1796 l'abbé Grégoire forme, avec des amis anti-esclavagistes, un nouveau groupe : les « Amis des Noirs et des colonies ».

5. Stoddard rapporte les paroles d'un des représentants des planteurs à l'Assemblée : « Croyez-vous que nous accepterons la justice du petit-fils d'un de nos esclaves ? Non ! Plutôt mourir que consentir à cette infamie ! C'est le cri de tous. Si la France envoie des troupes pour faire exécuter ce décret, il est probable que nous déciderons d'abandonner la France » (W. B. Cohen, *Français et Africains*, p. 166).

des décisions prises trois mois plus tôt en leur faveur ? Les affrontements entre mulâtres et Blancs font rage sur tout le territoire antillais. L'Espagne et l'Angleterre guettent le meilleur moment pour intervenir et, profitant du climat de révolte et de guerre inter-raciale, conquérir les territoires français du Couchant[6]. Les planteurs martiniquais devancent le vœu des Anglais : pour fuir les conséquences du « libéralisme » français, ils leur livrent la Martinique.

Ainsi donc la situation du 16 pluviôse de l'an II sur les îles est très claire : la France n'a aucun moyen de faire valoir son autorité ni sur Saint-Domingue, qui vit sa révolution libératrice, ni sur la Martinique et la Guadeloupe, qui se trouvent sous contrôle britannique. Le Comité de salut public ne dispose d'aucun moyen pour assurer l'exécution du décret n° 2262 de la Convention. Certes, les conventionnels tablent sur une réaction des Noirs favorable à la France qui les « émancipe » ainsi afin de les mieux jeter dans la bataille pour que les plantations restent dans la République une et indivisible. Trop tard.

Mais Danton y croit, qui s'exclame dès que l'abolition a été votée : « Citoyens, c'est aujourd'hui que l'Anglais est mort ! Pitt et ses complots sont déjoués ! L'Anglais voit s'anéantir son commerce. »[7] On chantera, on dansera la soudaine irruption du Noir dans le droit civil et politique. Mais on ne sera pas dupe que les Noirs ont forcé l'épée à la main la République, qui n'avait prévu pour eux que le maintien sous les fers hérités de la tyrannie des Capets. Danton, encore lui, si facilement lyrique, si prodigieusement fougueux quand il convient, parlera en ce jour de pluviôse de l'an II de la nécessité de « combiner les moyens de rendre ce décret utile à l'humanité sans aucun danger pour elle »[8]. Ne convient-il pas de lire ici, sous l'humanité, la blanchitude ? Qui serait donc « en danger » sinon les Blancs et, éventuellement, ceux dont un peu de sang européen a blanchi les âmes ? L'abbé Grégoire, le plus actif des « Amis des Noirs », qualifiera, lui, cette mesure de « désastreuse », car, avec l'ensemble des siens, il considérera qu'« elle était en politique ce qu'est en physique un volcan »[9]. Je ne peux pas ne pas suivre Cohen lorsqu'il écrit : « Par conséquent, ce ne sont pas les

6. Sur tous ces épisodes, sur la révolte menée par Ogé et ses conséquences politiques, juridiques et judiciaires : J. Saintoyant, *La colonisation française pendant la Révolution, 1789-1799*, Paris, 1930.

7. Débat du 4 février 1794 – 16 pluviôse an II –, Archives parlementaires, 1re série, 84, 1962, p. 284 (Cohen, p. 169).

8. *Ibid.*

9. Grégoire, *Mémoires*. Cité par Brette, Les gens de couleur libres et leurs députés en 1789, in *Révolution française*, 29, 1895, p. 392.

principes humanitaires qui pousseront la Convention à adopter une telle mesure, mais la nécessité de tenter de sauver l'Empire français en péril. »[10] Et rien ne me semble plus adéquat – aux yeux des « progressistes » – à la situation créée par le décret que le commentaire de l'abbé Grégoire : un désastre, l'éruption d'un volcan.

Pourtant, la Société des Amis des Noirs n'avait-elle pas tout fait pour libérer les Noirs ? De l'abbé Raynal à l'abbé Grégoire n'y avait-il pas filiation claire et continuité indiscutable dans la condamnation de l'esclavage et la revendication pour chacun de la plénitude du droit civil et politique ? Sans aucun doute. Pourrait-on soupçonner un seul instant Condorcet d'ambiguïté politique ou idéologique lorsqu'il sollicite avec une argumentation d'une clarté exemplaire l'accès des Noirs au droit[11] ? Certainement pas.

Les « Amis des Noirs » sont unanimes sur les buts de leur société : en finir avec la traite. Ils font tout aussi unanimement à partir de 1789 une distinction indiscutée entre les *Noirs* et les *gens de couleur*, veulent à tout prix l'accès au droit des seconds, négligent franchement la situation des premiers (des hommes ? des bêtes ? la question ne semble pas tranchée)[12]. Ils veulent aussi la libération des Noirs, mais à terme[13]. Pour l'instant, ils les écartent brutalement du combat politique et théorique mené à Paris, puisque pour eux on a le temps, et le temps de la réflexion. Ils disent et redisent à qui veut les entendre (pas grand monde, soit dit en passant, car au fond chacun s'en moque) que, avec la traite, les « sang-mêlés » sont l'objet de tous leurs soucis. C'est carrément les insulter, protestent-ils, que de leur prêter l'intention de libérer les Noirs[14]. Compréhensible qu'à leurs yeux l'abolition du 16 pluviôse soit un « désastre » ? Évident. Pour eux, l'irruption soudaine dans le droit des Noirs ne charriant pas dans leurs veines la moindre goutte de sang

10. B. W. Cohen, p. 169.

11. Condorcet, *Au corps électoral, contre l'esclavage des noirs* (in *OC*, Brunswick et Paris, 1804, t. 16, p. 147-154). Sur l'admission des députés des planteurs de Saint-Domingue dans l'Assemblée nationale : *ibid.*, p. 155-166. Repris in *EDHIS* 6, 7e et 8e parties. Sous le pseudonyme de M. Schwartz, *Réflexions sur l'esclavage des nègres*, Neufchâtel et Paris, 1788 (*EDHIS* 6, 2e partie).

12. Elle l'est, bien évidemment, dans les déclarations liminaires (cf., par exemple, les textes de Condorcet cités note précédente). Elle ne l'est plus lorsqu'on en vient aux mesures politiques à prendre.

13. « La Société des Amis des Noirs ose donc espérer que la nation regardera la traite et l'esclavage des Noirs comme un des maux dont elle doit décider et préparer la destruction (…) Nous savons qu'il est des injustices qu'un jour ne peut réparer (…) aussi nous ne vous demandons point de voter la destruction actuelle de ces maux » (Condorcet, *Au corps électoral* (*EDHIS* 6, 7, p. 151)).

14. Cf. *infra*, p. 262.

européen (ce sang dont la plus petite quantité dans les leurs devait les transformer juridiquement, puisque biologiquement, en égaux des Blancs) sans un très long et très dur apprentissage de nos vertus et de nos manières, n'était prévue ni avant ni après 1789. Elle l'était auprès de la Société anglaise des Amis des Noirs, sous le modèle de laquelle se forma la française[15]. Mais malgré les Lumières, malgré la Révolution, en France ces choses-là avancent beaucoup plus lentement, et à la remorque[16]. Un jour viendra où nous libérerons les Noirs. En attendant, leurs amis ne sont même pas d'accord entre eux sur ce qu'il conviendrait de faire du Code Noir.

Déjà à la fin des années 70, Hilliard d'Auberteuil[17], qui n'était pas esclavagiste et soutenait du bout des lèvres une institution qui lui déplaisait, dénonçait l'incapacité de ce Code à empêcher les excès de chacun dans le traitement des esclaves et exhortait les colons à faire preuve d'humanité envers eux ; ce qui revenait à reconnaître et l'inefficacité des lois « au bénéfice » des esclaves (le Code Noir en contiendrait de positives et valorisantes) et la capacité des colons à tricher avec un Code élaboré pourtant tout à leur dévotion.

On dira que c'était avant. On aura tort. Bonnemain insiste sur les positivités (sinon la positivité) du Code Noir, dont il cite à plusieurs reprises les dispositions « octroyant aux affranchis les mêmes droits, privilèges et immunités dont jouissent les personnes nées libres »[18]. Il ne semble pas particulièrement troublé par la situation des esclaves, que contemple aussi et surtout le Code Noir. Et distinguant, comme le font constamment les « Amis des Noirs », les deux buts de leur combat (la traite, l'accès des sang-mêlé à la plénitude du droit), il poursuit : « Le premier acte politique est d'assurer l'état politique des gens de couleur. Cette cause est absolument indépendante de la seconde, on

15. Elle l'était surtout pour les quakers, qui résolvaient la « question » de la liberté des Noirs par le seul moyen correct : en ne se la posant pas ; et qui, opposés depuis toujours au trafic et à l'esclavage, les abolirent en Pennsylvanie dès 1769.

16. La Société française diffuse largement les documents anti-esclavagistes retenus et utilisés par la Société anglaise. Cf. *Discours sur la nécessité d'établir à Paris une Société pour concourir, avec celle de Londres, à l'abolition de la traite et de l'esclavage des Nègres. Prononcé le 19 février 1788, dans une société de quelques amis, rassemblés à Paris, à la prière du Comité de Londres*, Paris, 1788, 32 p. (*EDHIS* 6, 1). Dans ce texte, une sorte d'inventaire de tout ce qui se fait à Londres dans ce domaine et qu'il convient de reprendre à Paris. Rappelons aussi que la plus grande part des travaux de compilation de Prévost est pure et simple rediffusion de ce qui s'édite en Angleterre.

17. Hilliard d'Auberteuil, *Considérations*, déjà cité.

18. Bonnemain, *Régénération*, déjà cité, p. 61. Mais on se rapportera aux commentaires des art. 55-59 du Code Noir.

ne peut les confondre ; car quand bien même, et ce qui ne peut se supposer, on éterniserait l'esclavage des nègres, on ne doit pas moins restituer aux hommes de couleur leur droit ; il ne s'agit en quelque sorte que de ratifier la loi de 1685, qui leur accorde la qualité de citoyen ; et ce qu'a fait un roi sous un régime arbitraire, les représentants d'un grand peuple doivent le faire sous un gouvernement libre. »[19] Ne pas assurer « l'état politique des gens de couleur », ce serait « exposer les colons blancs aux insurrections des nègres, par cela seul qu'ils ne sont retenus que par les gens de couleur ; ce serait enfin préparer la destruction de nos colonies et l'anéantissement du commerce en France »[20]. Et Bonnemain d'invoquer « les droits de l'homme qui servirent de base à la Constitution française » tout en frémissant à l'idée de livrer les Blancs à l'insurrection de Noirs[21]. Ici donc l'utilité du Code Noir est claire : il sert à « blanchir » les gens de couleur et à leur soumettre les Noirs, pas pour l'éternité, certes, mais pour un temps indéfini.

Le jugement porté sur l'édit de 1685 dans une lettre aux députés signée par les « Amis des Noirs » le condamne, lui, sans détours. Les signataires rappellent que « les colons regardent leurs esclaves comme des pièces de bétail parce que leurs lois, leurs usages, tout ce qu'ils ont sous leurs yeux contribue à leur donner cette opinion. D'abord le Code Noir, que l'on suit encore, déclare que les nègres sont des meubles et que comme tels ils doivent entrer dans la communauté »[22]. Et les auteurs poursuivent : « Ce sont les lois, les institutions que nous accusons de tout le mal ; les lois, les institutions les obligent à regarder leurs nègres comme des animaux ; il est naturel qu'ils les traitent de même »[23].

Mais c'est, je crois, Viefville des Essars qui trouve les mots les plus justes à ce propos[24]. Il s'inquiète de la lenteur de l'application de réformes à venir et, la sachant inévitable, supplie les députés d'en finir tout de suite avec le Code Noir : « Que le Code Noir, que cette loi

19. *Ibid.*, p. 63.
20. *Ibid.*, p. 64.
21. Cf. *infra*, p. 267.
22. *Lettre à MM. les Députés des Trois Ordres, pour les engager à faire nommer par les États Généraux, à l'exemple des Anglais, une Commission chargée d'examiner la cause des Noirs*, Paris, 1789 (*EDHIS* 7, I, p. 36). Par « communauté » il faut entendre communauté de biens. Cf. Code Noir, art. 44-45.
23. *Ibid.*, p. 39.
24. Viefville des Essars, *Discours et projet de loi pour l'affranchissement des nègres, et réponse aux objections des colons*, Paris, Imprimerie nationale, 1790, 40 p.

de sang et de fer qui livre le faible au fort, qui le voue à tous les genres de supplices, qui permet le meurtre, la mutilation et tous les excès sur lui soit effacée de notre législation ; qu'un régime plus doux et plus juste lui soit substitué. »[25] Avant cela, il a décrit en termes déchirants le calvaire des Noirs razziés, les horreurs de la traversée, et il enchaîne : « Il ne faut pas croire, Messieurs, que ce soit là le terme des souffrances de tous ces infortunés (...) Bientôt un régime homicide les tiendra enchaînés dans nos colonies. Une loi de sang, connue sous le titre de Code Noir, va les faire descendre du rang d'homme, les dépouiller de tous leurs droits, les vouer à une telle dégradation, qu'elle les attachera et les incorporera, en quelque sorte, à la terre ; elle ne les considérera plus que comme des instruments de labourage ; ils seront condamnés à l'arroser de leurs larmes et à la travailler toute leur vie (...) Car on leur interdira (la liberté) de pouvoir se plaindre ; les tribunaux leur seront fermés ; la loi deviendra sourde pour eux ; elle repoussera leurs plaintes, en leur interdisant toute action (...) C'est, Messieurs, sous un pareil régime, sous l'empire d'une loi dont le peuple le plus sauvage aurait horreur, que les malheureux Africains vivent dans nos colonies. Ils y périssent par milliers, accablés sous le poids de tous les maux. »[26] Tout est dit, surtout si on ajoute encore que le même des Essars alléguera, au bénéfice de son réquisitoire, « l'aveu (...) échappé aux partisans de l'esclavage (...) de la nécessité d'adoucir le sort des esclaves, de réformer le Code Noir »[27], et qu'il préconise lui-même, comme mesure à prendre immédiatement, l'étalement sur seize années de mesures provisoires pour guider insensiblement les Noirs vers un autre statut[28]...

Le temps de mise à l'épreuve des capacités des Noirs à s'humaniser et de la tolérance des Blancs à assister sans broncher au déroulement de ce phénomène est ici sensiblement plus long que ne le prévoyait Daniel Lescallier en 1789. Au milieu de toute une série de mesures transitoires pour améliorer sans à-coups le sort des Noirs, Lescallier écrivait : « La dixième année (...) on consolidera cet arrangement (...)

25. *Ibid.*, p. 24.
26. *Ibid.*, p. 6-8.
27. *Ibid.*, p. 26-27 (Viefville renvoie à *Mémoire en réclamation des colons sur l'idée de l'abolition de la traite et de l'affranchissement des nègres* et à *Précis sur l'importance des colonies et de la servitude des Noirs*).
28. *Ibid.*, p. 21. À l'art. 9 du projet de loi : « Le Code Noir est et demeure aboli et supprimé dès ce jour, comme inhumain et barbare. » C'est « dès ce jour » qu'on comptera le moratoire de 16 années.

par un nouveau Code colonial substitué au Code Noir, loi de dureté et fondée sur un principe barbare qui ne peut plus subsister. »[29]

Si les « Amis des Noirs » réclament l'abolition de cette loi de sang, c'est bien parce qu'ils sont unanimes à réclamer la liberté pour tous et non seulement pour les « sang-mêlé » ! C'est bien de cela que les députés les accusaient. C'est bien de cela que les « Amis des Noirs » se défendaient avec une éloquence bien imprudente au regard de l'histoire : « Nous ne demandons pas que vous restituiez aux Noirs français ces droits politiques, qui seuls, cependant, attestent et maintiennent la dignité de l'homme ; nous ne demandons pas même leur liberté. Non, la colonie soudoyée sans doute par la cupidité des armateurs, nous en prête le dessein et l'a répandu partout (...) Non, jamais une pareille idée n'est entrée dans nos esprits ; nous l'avons dit, imprimé dès l'origine de notre Société, et nous le répétons afin d'anéantir cette base, aveuglément adoptée par toutes les villes maritimes, base sur laquelle reposent presque toutes leurs adresses (...) Elles réclament toutes contre l'affranchissement des Noirs que personne ne demande ; elles injurient les "Amis des Noirs" qui ne le demandent point. » À l'origine de cette uniformité dans les adresses, « les armateurs qui, sachant combien la traite est odieuse, ont cherché à donner le change et insinué, pour la sauver, qu'on voulait rendre tout à coup les esclaves libres, projet dont l'absurdité saute aux yeux. »[30] On soupçonne aussi ces messieurs d'avoir non seulement prédit, mais encouragé la révolution de Saint-Domingue. Loin de leurs esprits pareille solution qui aurait porté un coup fatal au commerce.

Retrouvons Bonnemain et chez lui les mots justes pour convaincre chacun de se bien tenir : « Il est de l'intérêt des maîtres comme des esclaves que cette sublime révolution (l'accès des Noirs au droit) se fasse par gradation, sans compromettre l'intérêt de personne. Tel est le but que je me propose. »[31] Tout cela est d'ailleurs légitimé par une excellente philosophie politique signée, elle aussi, des « Amis des Noirs » en réponse à Malouet qui théorise, lui, en faveur du maintien de l'escla-

29. D. Lescallier, *Réflexions sur le sort des Noirs dans nos colonies*, Paris, 1789, 71 p. (*EDHIS* 1, 5).

30. *Adresse à l'Assemblée Générale pour l'abolition de la Traite des Noirs. Par la Société des Amis des Noirs de Paris*, février 1790, Paris, 1790, 22 p. (*EDHIS* 7, 7), p. 3. Dans la même adresse, les classiques tirades sur la nécessité de procéder très lentement, pour ne pas, d'un coup, « abandonner à eux-mêmes et sans secours des enfants au berceau ou des êtres mutilés et impuissants » (p. 4).

31. Bonnemain, ouvr. cité, p. 30.

vage : « Il ne serait pas plus juste et plus humain de rendre *subitement*[32] la liberté aux Noirs qu'il n'est juste et humain de les avoir retenus dans l'esclavage. La première opération du gouvernement doit donc être de leur rendre LA FACULTÉ[33] d'être libres (...) Si l'on retient un individu quelconque dans les fers ; si on le prive de ses yeux, sans doute on aura commis deux grands crimes ; mais le plus grand de tous serait de lui dire ensuite : "Vous êtes libre, allez, conduisez-vous vous-même" ; et si les mauvais traitements au lieu de la vue l'ont privé de jugement, la liberté que vous lui donnez ne vous rendra que plus coupable. »[34]

À force de mêler dans le charme du compromis la bonne volonté à la casuistique, il arrive au langage des « Amis des Noirs » de patauger dans l'ignoble. L'abbé Grégoire concède en privé qu'émanciper tout à coup les Noirs équivaudrait à rouer de coups une femme enceinte afin qu'elle accouchât avant terme[35]. Ailleurs, il exhorte le mulâtre libre à fouetter avec moins d'ardeur les pauvres Noirs, se souvenant que, si désormais les Blancs sont ses frères, les Noirs sont toujours ses géniteurs[36]. Bonnemain, la douceur pure, voit d'un bon œil une marche lente des Noirs vers la liberté. Ils y accéderaient tout posément par la voie vaginale : « Toute femme qui aura six enfants en état de se passer d'elle sera libre dans un an. En ce cas, on lui accordera le dernier de ses enfants. Si elle en a huit, on lui en accordera deux. Si elle en a dix, trois, les enfants puînés seront libres comme elle. »[37] Ils s'y maintiendraient par un système de bons points : « Pendant tout le temps que durera l'esclavage dans les colonies françaises, on diminuera ou augmentera l'esclavage de chaque individu à raison de sa bonne ou mauvaise conduite. »[38]

Inutile de poursuivre. Les « Amis des Noirs » s'en tiennent là. Des mesures « humanitaires » – relevant plus souvent des techniques de l'élevage que des méthodes d'apprentissage du droit – tout de suite. À terme, la liberté. Cela confirme l'impression générale que le combat

32. Souligné dans l'original.
33. Majuscules dans l'original.
34. *Réponse à M. Malaouet sur l'esclavage des nègres. Par un membre de la Société des Amis des Noirs*, Paris, 1789, 99 p. (*EDHIS* 6, 6), p. 59.
35. Abbé Grégoire, *Lettre aux philanthropes sur les malheurs, les droits et les réclamations des gens de couleur de Saint-Domingue et des autres îles françaises de l'Amérique*, Paris, 1790 (*EDHIS* 4, 9).
36. Abbé Grégoire, *Lettre aux citoyens de couleur et nègres libres de Saint-Domingue et des autres îles françaises de l'Amérique*, Paris, 1791, 15 p. (*EDHIS* 4, 14).
37. Texte cité, p. 77.
38. *Ibid.*

des « Amis des Noirs » ne dépasse pas le front tracé par Raynal et Diderot. Et cela montre à quel point la France révolutionnaire en restait à la bestialisation du Noir, à la pure et simple laïcisation du schéma blanco-biblique vouant Cham et Canaan à la servitude éternelle, puisque cette France s'effrayait tant du peu que les « Amis des Noirs » osaient demander.

Il a fallu la révolte de Saint-Domingue, des tueries à la Martinique, des kyrielles d'insultes et de sarcasmes à l'Assemblée lorsque tel ou tel député osait demander un tout petit quelque chose de mieux pour les Noirs, pour voir avancer un peu la ligne de front. Il a fallu tabler sur des critères presque exclusivement de sang pour faire accepter que les mulâtres puissent camper aux abords du droit[39]. L'abolition a été accordée enfin, et le Code Noir supprimé, non parce que cela avait été demandé par les conventionnels, mais pour essayer de contrer les velléités sécessionnistes des colons et pour faire pièce à l'Anglais. Voilà qui prouve à l'évidence l'échec total et définitif des Lumières, la réalité grand-guignolesque de l'universalisme du projet de libération dont elles gonflaient leurs exploits théoriques, artistiques et littéraires, la vilaine et mensongère insolence de leur philanthropie.

Certes, on pourra gommer tout cela pour ne retenir que les envolées rhétoriques les plus clinquantes. Cela se fait beaucoup. On pourra invoquer la position résolument anti-esclavagiste d'un Bernardin de Saint-Pierre. Il sera sage de le lire en gardant sous les yeux, aussi, les aveux de Frossard, qui en 1793 déclare que « la Société des Amis des Noirs n'a jamais tenté autre chose que l'abolition de la traite, (qu') elle ne sollicitait dans les colonies que l'admission des gens de couleur au titre de citoyens ». « L'affranchissement des nègres était dans

39. *Lettres des diverses Sociétés des Amis de la Constitution qui réclament les droits de citoyen actif en faveur des hommes de couleur des colonies*, Paris, 1791, 19 p. Dans les mêmes textes où l'on réclame ce droit pour les « foncés », on lit : « C'est enfin par un nouveau Code Noir qu'on parviendrait à améliorer le sort des nègres et à éteindre une infinité d'abus à ce sujet par le gouvernement » (p. 15). Et aussi : « Sans doute qu'il serait dangereux peut-être de rendre tout à coup la liberté à des hommes flétris depuis longtemps par les chaînes de l'esclavage ; sans doute qu'il serait peut-être encore plus dangereux d'investir des droits de citoyen actif et d'élever aux différents emplois de l'administration ces êtres infortunés, qui, transportés naguère du sein de l'Afrique, sont à peine en état de se laisser conduire. Mais quel danger, quel inconvénient y aurait-il à accorder ces droits incontestables aux hommes de couleur libres, qui ne diffèrent point des Blancs dont ils tirent leur origine et qui, possédant la plus grande partie des terres de nos colonies, sont les plus intéressés à la prospérité publique ? »

son cœur, ajoute-t-il, mais elle savait combien il serait impolitique de la proposer brusquement et sans préparation. »[40]

L'égalitarisme est bien loin dans les mesures proposées par Kersaint pour sauver les meubles en pleine révolte de Saint-Domingue. On ne parlera plus d'esclaves, propose-t-il[41], et il n'y aura plus que « trois classes d'hommes » : des engagés (les Africains), des affranchis (artisans et créoles après expiration de leur temps de bons et loyaux travaux) et des hommes libres (leurs descendants). Et de poursuivre : « Les engagés passeront dans la classe des affranchis par leur bonne conduite, leur industrie et la fécondité de leur mariage. Les services rendus à l'État pourront élever un affranchi au rang de citoyen, par un jugement de l'assemblée coloniale. »[42] Lisons de très près. N'y a-t-il vraiment plus de sous-humanité de type biologique ? On aménage un vivier de sous-citoyenneté repérable à la couleur, à l'éthique, et à la morale. On ne laïcise plus le schéma noachite du blanco-biblisme, qui condamnait le Noir tout en le rédimant. On lui préfère le schéma caïnien et tout autant biblique car pendant que les choses fonctionneraient à la Kersaint, il ne serait pas question, à l'inverse, de réduire à une condition politiquement inférieure le citoyen blanc qui, du point de vue de l'éthique ou de la morale, aurait démérité. Faut-il rire ou pleurer de l'incroyable décalage entre la volonté d'être des révoltés de Saint-Domingue et ce galimatias éthico-juridique ? Le texte de Kersaint est de 1792. Saint-Domingue est à feu et à sang depuis l'année précédente.

Difficile, on le constate, de concilier en ces années-là les impératifs de la liberté aux impératifs du commerce. On s'arrange donc comme on peut, en prévision du jour où la France pourra, qui sait, se faire obéir de nouveau aux îles du Couchant. On rappelle donc qu'on ne peut « pour le moment » appliquer « aux colonies, relativement aux personnes non libres », le principe selon lequel « tous les individus composant l'Empire doivent être citoyens... sans porter atteinte aux droits des citoyens, droits également garantis par la Constitution »[43].

40. B. S. Frossard, *Observations sur l'abolition de la traite des Nègres. Présentées à la Convention nationale*, Paris, 1793, 32 p. (*EDHIS* 7, 3), p. 4. Remarquer qu'en 1789 10 des États-Unis ont proscrit la traite, et que la cause de la suppression de la traite est plaidée au Parlement d'Angleterre. « La France serait-elle la seule des puissances de l'Europe qui considérerait cette question avec indifférence ? » demande Brissot dans son *Mémoire sur les Noirs d'Amérique septentrionale, lu à la Société des Amis des Noirs le 9 février 1789* (*EDHIS* 7).

41. « Le nom d'*esclave* sera aboli. » Cf. note suivante.

42. A. G. Kersaint, *Moyens proposés à l'Assemblée nationale pour rétablir la paix et l'ordre dans les colonies*, Paris, Imprimerie Cercle social, 1792, 34 et 48 p.

43. Bonnemain, ouvr. cité, p. 95.

Les non-libres on les considérera pour le moment comme des mineurs[44] ; l'Assemblée assurera « graduellement leur état civil et politique », puis elle fixera « un terme pour l'abolition de l'esclavage »[45]. Vingt ans, préconise Bonnemain. C'est suffisant : autant « pour procurer le remboursement de la valeur des esclaves que pour les préparer à jouir sagement de la liberté »[46].

Je n'oublie pas Condorcet. La rigueur de son plaidoyer pour la libération des esclaves plaide tout aussi bien pour la droiture incontestable de son combat. Indéniable, l'ardeur dans sa façon de qualifier de « troupe de brigands toute société pratiquant l'esclavage »[47]. Admirable, l'affirmation que l'« intérêt de puissance et de richesse d'une nation doit disparaître devant le droit d'un seul homme »[48] et que, dans l'affaire qui nous occupe, l'intérêt de chacun réside dans l'abolition de l'esclavage[49]. Convaincante sa façon de rendre les maîtres et eux seuls responsables de la déshumanisation des esclaves[50]. Il faut pourtant d'après lui une période de soixante-dix ans minimum (« en gémissant sur cette espèce de consentement forcé que nous donnons à l'injustice »)[51] pour que les Noirs, dont « on ne peut dissimuler qu'ils n'aient en général une grande stupidité »[52], réapprennent les « relations de la nature » et « les sentiments naturels à l'homme », « sortent de la corruption et de l'avilissement » et deviennent dignes « qu'on leur confie le soin de leur bonheur et du gouvernement de leur famille »[53]. Soixante-dix ans pour que le Noir accède à la capacité de gérer son bonheur, et sa famille. Il n'est même pas question ici de droits politiques. Un moratoire pendant lequel, « quelle que soit la cause qui les a rendus (les esclaves noirs)

44. *Ibid.*, p. 104. Ou comme des nourrissons, tant qu'on y est (cf. *supra*, n. 30, p. 262).
45. *Ibid.*, p. 105.
46. *Ibid.*, p. 64-65. Et cf. *infra*, chapitre suivant, l'opinion de Schoelcher, Tocqueville et d'autres sur le thème du dédommagement des colons en cas d'abolition de l'esclavage.
47. Condorcet, *Réflexions sur l'esclavage*, déjà cité.
48. *Ibid.*, p. 15.
49. *Ibid.* Thème développé à partir du chap. 6 en prenant la notion d'« intérêt » au sens économique et politique.
50. « Quand Jupiter réduit un homme à la servitude, dit Homère, il lui ôte la moitié de la cervelle (...) Qu'on interroge tous les tyrans ; ils apporteront toujours pour s'excuser de leurs crimes les vices de ceux qu'ils oppriment, quoique ces vices soient partout leur propre ouvrage » (*ibid.*, p. 26).
51. *Ibid.*, p. 33.
52. *Ibid.*, p. 31. Mais « ce n'est pas à eux que nous en faisons le reproche, c'est à leurs maîtres ».
53. *Ibid.*, p. 31.

incapables d'être hommes, ce que le législateur leur doit, c'est moins de leur rendre des droits que d'assurer leur bien être »[54].

Comment conclure sur le désastre de pareille rationalité, sachant que, pendant ce temps, l'esclave Cugoano insiste en connaisseur sur la persistance des raisonnements de type exclusivement « cananéen » (Cham et ses descendants, négritude et dégénérescence) du côté des méchants esclavagistes ? L'argumentation de ces matamores demeure jusqu'au bout blanco-biblique. L'argumentation de cabinet des bons utilise, certes, d'autres canons ; mais elle s'articule fort bien, à force de concessions et de parcimonie, à ceux dont on croirait avoir pu oublier à jamais le cran et l'impact.

Les Lumières s'en tirent très mal. Montesquieu et Rousseau n'ont rien voulu voir. Voltaire a touché, paraît-il, des dividendes ; Raynal assurément. De Buffon nous n'en dirons rien. Condorcet, Grégoire et les autres choisiront en définitive des critères raciaux et, par conséquent, des techniques d'élevage pour mener le bétail noir au seuil de l'humanisation : le droit tout de suite pour les sang-mêlé à la nature régénérée par le sperme des Blancs et par leur sang ; pour les Noirs, dont les veines ne charrient qu'affreux mélange de négritudes, soixante-dix ans d'attente. Quel « désastre », l'abolition soudaine du 16 pluviôse de l'an II !

Laissons le dernier mot à Bonnemain, s'adressant aux esclaves révoltés :

« Ne vous laissez pas égarer au mot de LIBERTÉ. Qu'une frénésie ne vous porte pas à des insurrections aussi dangereuses pour vous que pour vos maîtres (...) *Vous acquerrez votre liberté par le travail, la bonne conduite et la soumission à vos maîtres* que désormais vous considérez comme vos bienfaiteurs. »[55]

« Hommes » pour l'obéissance, le travail et la gratitude. « Bêtes » pour le soin de leur propre bonheur et le gouvernement de leurs propres familles (Condorcet). En quoi donc le langage des Lumières se distingue-t-il de celui du « préjugé » ?

La France revint aux Antilles dès 1802. Dans ses bagages, le Code Noir. L'abolition de 1794 ? Un coup politique bassement politicien.

54. *Ibid.*, p. 32.

55. Bonnemain, ouvr. cité, p. 82. C'est l'auteur qui souligne et se sert des majuscules. De lui aussi, cette note à l'intention des Noirs, à laquelle le contexte donne tout le sens : « Trouver dans la Révolution la liberté c'est savoir la portion de bonheur que chacun doit espérer dans l'état où les circonstances vous placent » (p. 86).

Un coup pour rien. Danton peut dormir tranquille. Paix à son âme. Ce décret inutile n'a pas mis en danger « l'humanité ». Il est vrai qu'il n'a pas davantage chassé « l'Anglais » de l'Amérique du Vent ni « ruiné son commerce ».

7. Épilogue. De Napoléon à Schoelcher

De belles éclaircies dans le ciel politique français. La grande nation retrouve les Antilles. Elle reprend pied à la Guadeloupe et à la Martinique et songe tout naturellement à reconquérir Saint-Domingue. Tout naturellement elle doit se donner les moyens de sa fin : dominer là-bas au Couchant, y produire, commercer. La loi du 30 floréal de l'an X (1802), en quatre articles, rétablit la traite, l'esclavage, le Code Noir et spécifie que les esclaves retrouveront, à tous points de vue, leur situation « juridique » d'avant 1789.

Deslozières, dont nous savons déjà l'inquiétude qui le tourmentait face au danger de « dégénération entière du peuple français »[1], exulte avec l'ensemble de l'opinion esclavagiste : « Et toi, féroce Africain, qui triomphes un instant sur les tombeaux de tes maîtres que tu as égorgés en lâche, (...) rentre dans le néant politique auquel la nature elle-même t'a destiné. Ton orgueil atroce n'annonce que trop que la servitude est ton lot. Rentre dans le devoir et compte sur la générosité de tes maîtres. Ils sont blancs et français. »[2]

La vision napoléonienne du problème afro-antillais est bien schématisée dans l'éructation de Deslozières. Pour que les maîtres blancs et français puissent sauvegarder leur maîtrise et en voir progresser vénalement les effets il faut réinstaurer la « loi de sang », le Code Noir, et gommer ainsi des mémoires des Noirs, et de leurs rêves si possible, la moindre trace d'une possibilité de révolte[3]. Réinstaurer donc le Code Noir. Et poursuivre la traite. Il conviendra aussi, et c'est le troisième

1. B. Deslozières, *Les égarements du négrophilisme*, Paris, 1802, p. 29. Et cf. *supra*, p. 70.
2. *Ibid.*, p. 125.
3. Année 1805 : publication du « Code Napoléon ». Mais pour les Antilles « sont maintenues toutes les lois qui ont réglé la condition des esclaves ». Sauf modifications mineures, rien ne change juridiquement jusqu'en 1848. À titre d'exemple : 600 condamnations à mort prononcées à la Martinique entre 1822 et 1827 sur des soupçons d'empoisonnement.

point, de dresser plus haut les barrières juridiques et raciales entre les Noirs et les métis, les métis et les Blancs, les Blancs et tous les sangs impurs[4]. Napoléon ira jusqu'à ordonner à Leclerc d'expulser de Saint-Domingue toute femme blanche qui aurait eu des rapports sexuels avec des Noirs[5]. Souvenons-nous des entrées que l'Ancien Régime semblait avoir ménagées, un temps, pour les Noirs et les métis sur le territoire métropolitain : on retrouve maintenant une interdiction totale de séjour, on la réitère[6]. Une certitude : quoi qu'il en soit des récits colportés sur les motivations profondes du racisme maladif dont témoigne la politique antillaise de Napoléon, ses traductions juridiques n'allègent jamais les édits de 1685 et de 1724, elles les alourdissent toujours.

Culturellement, les positions des abolitionnistes de la fin du siècle, timorées pourtant, sont oubliées et bien oubliées. Le thème de la stupidité naturelle du Noir, panachée désormais de férocité (Saint-Domingue oblige), jamais totalement enterré ni en métropole ni aux îles, envahit tout le terrain[7]. Napoléon parti, la Restauration prend l'engagement de maintenir l'esclavage. On tue et on marque aux Antilles comme aux plus beaux jours du XVIIIe siècle.

L'abolitionnisme renaît pourtant avec la Restauration. La première Société des Amis des Noirs avait francisé une initiative anglaise ; le mouvement abolitionniste du XIXe, autour des années 20, est à la traîne des initiatives prises outre-Manche par Wilberforce et Clarkson[8]. Une comparaison des statuts des métis en territoire français, espagnol ou anglais de ces années-là montre qu'il vaut mieux être métis chez les Anglais, ou à la rigueur chez les Espagnols que chez les Français[9]. Le

4. Peytraud, p. 399.

5. Schoelcher, *Des colonies françaises*, Paris, 1842, p. 211. L'empereur avait envisagé par ailleurs « l'expulsion des Noirs des Antilles et leur renvoi dans leurs pays d'origine, le virus de la Révolution les ayant tous contaminés et rendus indésirables » (Cohen, p. 238).

6. Peytraud, p. 398. Ordre est donné à l'École polytechnique de Paris de renvoyer tous les étudiants d'origine africaine (P. F. Grunebaum-Ballin, *Henri Grégoire, l'ami des hommes*, Paris, 1948, p. 153).

7. Schoelcher, *Polémique coloniale*, Paris, 1882, t. 1, p. 227 ; et L'émancipation des Noirs est-elle une idée anglaise ?, in *Abolitionniste français*, 1, 1844 (relevés par Cohen, p. 282).

8. Cohen, *Français et Africains*, p. 262-264.

9. Cohen, se référant à Sainville (*La condition des Noirs à Haïti et dans les Antilles françaises de 1800 à 1850*, thèse d'État, Paris, 1970), note que « si les métis antillais acceptaient difficilement leur sort, c'est qu'ils avaient sous les yeux la condition relativement meilleure d'Haïtiens ayant leur propre gouvernement et d'affranchis,

langage abolitionniste s'amalgame à des considérations moralisantes plutôt que revendicatrices et joue sur le registre de la charité ou de la bienfaisance, cependant que l'interdiction absolue de séjour – et de passage – en France des Noirs[10] reste en vigueur. Pas de mélange, plus du tout de risque de mélange.

Sur place, là-bas, les Blancs ne fléchissent pas et se disent fermement attachés au système discriminatoire sur lequel veille le Code Noir[11]. La Couronne pousse à la christianisation effective[12] des Noirs et des métis, convaincue que c'est là le meilleur moyen de les tenir les uns et les autres courbés sous le devoir et de les éloigner de toute idée de révolte : le voisinage anglais et espagnol des Antilles françaises ne pouvait pas ne pas pousser les esclaves « français » à Dieu sait quels excès. Cependant on quadrille et poursuit, on pend et on décapite. On fait aussi dans la mesure et dans la modération : à trois ans de l'abolition définitive et en référence au Code Noir et à des décrets postérieurs qui dosaient les coups et leur intensité, une loi de 1845 réduit les punitions corporelles et autorise l'esclave à monnayer sa liberté, que cela plaise au maître ou que cela lui déplaise[13].

C'est que l'État couronné penche, petit à petit, vers l'abolition. Par raison ? Par bonté d'âme ? Par intérêt ? Par accommodement aux pressions étrangères ? Par tout cela à la fois et dans l'indifférence quasi générale, quelque regain de l'abolitionnisme qu'on puisse noter sous Louis-Philippe[14]. Les hommes d'Église s'inquiètent. Tout ce petit monde n'est pas prêt, disent-ils. Donnez-nous le temps de les rendre sociables

qui, dans les colonies espagnoles, jouissaient des droits civiques, auxquels s'ajoutaient, dans les territoires britanniques, des droits d'ordre politique » (Cohen, *Français et Africains*, p. 286).

10. Et des métis. L'Instruction ministérielle du 5 août 1818 rappelle aux Blancs qu'il leur est interdit d'amener en métropole des serviteurs noirs ou métis.

11. Sainville, ouvr. cité, rappelle qu'un règlement de la Guadeloupe, daté juin 1827, réaffirme que les peines infligées par la justice dépendent de la race à laquelle appartenait le criminel. Et cf. Code Noir, art. 58. D'une Adresse des colons au gouvernement de la Martinique en décembre 1823 : « Les Blancs ne consentiront jamais à se voir les égaux des mulâtres (...) Nous sommes fermement résolus de n'admettre aucune modification (...) Pour peu qu'on s'en écarte, l'édifice colonial est attaqué » (M. J. Morenas, *Précis historique de la traite*, Paris, 1828, p. 289 ; Cohen, p. 286).

12. Entendons par là l'intensification d'une catéchèse primaire et très peu « libéralisante ».

13. Gaston Martin, *Histoire de l'esclavage dans les colonies françaises*, Paris, 1948. Césaire commente : « Voilà ce que l'on nous offre en 1845, en guise de solution du problème de l'esclavage : on garantit à l'esclave la propriété de son pécule et on lui permet d'en faire le prix de sa rançon » (Introduction, déjà citée, p. 12).

14. Gisler, *L'esclavage*, p. 128.

et religieux, après quoi ils seront mûrs pour la liberté[15]. On redécouvre, comme avant la Révolution, le charme vénéneux des « moratoires »[16], qui seront consacrés à « préparer l'esclave à son avenir d'homme libre par un dernier effort de moralisation »[17]. Remarquons en passant que la minorité protestante est, sans aucun doute, majoritaire sur les lignes de l'abolitionnisme ; et pas seulement parce qu'elle pousse plus loin que le commun l'analyse des réalités économiques favorables à l'émancipation et à l'accès des esclaves au droit, mais aussi pour des raisons théologiques, pastorales en tout cas, dont l'évidence saute aux yeux[18].

« Moraliser » les esclaves pour qu'ils soient dignes de la liberté, c'est une fort jolie chose : encore faut-il dédommager les maîtres. Voilà un point sur lequel planteurs et abolitionnistes semblent être d'accord[19]. Planteurs et abolitionnistes que rejoignent sur ce point les penseurs les plus illustres. Écoutons Tocqueville : « Si les nègres ont droit à devenir libres, il est incontestable que les colons ont droit à n'être pas ruinés par la liberté des nègres. »[20]

Victor Schoelcher lui-même songea dans sa jeunesse au dédommagement des maîtres, et à un moratoire précédant l'abolition, qu'il calibra entre quarante et soixante années, soixante lui semblant la meilleure

15. « Qu'on ne précipite rien (...) qu'on laisse la religion préparer graduellement les voies (...) et qu'on n'entrave pas son influence sur l'impatience, afin qu'elle puisse faire des esclaves des hommes sociables et religieux avant qu'on ne les jette dans la société » (abbé Rigord, *Observations sur quelques opinions relatives à l'esclavage émises à la Chambre de Paris*, Port-Royal, 1845).

16. Il faut au grand Lamartine un moratoire de dix ans pour préparer doucement les Noirs à la liberté (Discours du 22 avril 1835 et du 15 février 1838, in *La France parlementaire*). En 1842, le poète reste toujours partisan du moratoire (Discours du 10 mars 1842, *ibid.*).

17. Propositions de M. Passy à la Chambre des Députés, année 1838 (rappelé par Gisler, *L'esclavage*, p. 271).

18. Les protestants sont nettement majoritaires au sein de la Société de la Morale chrétienne, à l'abolitionnisme affirmé. On songera à la valorisation protestante en général, calviniste en particulier, de la dignité du travail, que l'esclavage anéantit irrémédiablement. Le travail est et doit être, dans cette optique, libre par définition.

19. Qu'on se réfère aux formulations de Bonnemain (cf. chapitre précédent). Cette question était analysée aussi dans un mémoire anonyme paru en 1789 : *L'esclavage des nègres aboli, ou Moyens d'améliorer leur sort* (*EDHIS* 1, 4). Raynal considérait lui aussi qu'on ne saurait négliger le droit de propriété des colons sous prétexte d'abolition de l'esclavage.

20. Tocqueville, *De l'émancipation des esclaves*, *OC*, t. 3, p. 105. Du même : « La France, Messieurs, ne veut pas détruire l'esclavage pour avoir la douleur de voir les Blancs ruinés quitter le sol des colonies et les Noirs retomber dans la barbarie. » Encore lui : « Peu s'en faut que nous ne les prenions [les nègres] pour un être intermédiaire entre la brute et l'homme. »

longueur, le temps pour les maîtres de bien préparer leurs esclaves à jouir avec modération de la liberté à venir. Mais il ne tarda guère à constater que la mauvaise volonté des planteurs était, et demeurerait, incommensurable[21].

Si l'État sous Louis-Philippe libérait les esclaves de ses possessions dès 1845, Schoelcher avait abandonné toute idée de moratoire dès 1840. Dès cette année-là, il se battra indéfectiblement pour l'émancipation générale et immédiate. Assortie, certes, d'un dédommagement pour les maîtres. On sait avec quelle ténacité l'Alsacien, dont conservateurs, esclavagistes et bien-pensants raillaient la « négrophilie », lutta pour l'abolition sur le triple front de l'émancipation immédiate, de l'antiracisme sans nuance, de l'opposition à toute velléité de résurgence de la traite[22].

1848 : IIe République. Des partisans de l'abolition sont au pouvoir. Schoelcher est nommé sous-secrétaire aux colonies. La IIe République, qui ne vivra pas longtemps, a deux mois lorsque Arago – le Catalan – et Schoelcher abolissent définitivement l'esclavage. Le Code Noir passe pour toujours des prétoires aux archives.

4 mars : « Au nom du peuple français, le gouvernement provisoire de la République, considérant que nulle terre française ne peut plus porter d'esclaves, décrète : une commission est instituée auprès du ministère provisoire de la Marine et des Colonies pour préparer, sous le plus bref délai, l'acte d'émancipation immédiate de toutes les colonies de la République. Le ministre de la Marine pourvoira à l'exécution du présent décret. » Le même jour Victor Schoelcher est nommé président de cette commission.

28 avril : « Le gouvernement provisoire, considérant que l'esclavage est un attentat contre la dignité humaine ; qu'en détruisant le libre arbitre de l'homme, il supprime le principe naturel du droit et du devoir ; qu'il est une violation flagrante du dogme républicain "liberté-

21. Schoelcher préconise d'abord la libération immédiate des jeunes enfants, et l'étalement sur quinze ou vingt années de la libération effective des aînés (*in* Des Noirs, *Revue de Paris*, 1830, n° 20) ; en 1833, il suggère un moratoire de quarante à soixante ans (*De l'esclavage des Noirs et de la législation coloniale*, Paris, 1833) ; en 1840, il réclame l'émancipation immédiate et définitive, avec indemnisation des colons (*Abolition de l'esclavage : examen critique de préjugé contre la couleur des Africains et des sang-mêlé*, Paris, 1840, p. 156).

22. En parlant de Victor Schoelcher « on a dit sa bonté, sa politesse cérémonieuse, son flegme, son élégance, son tact. Précisons en tout cas sa singularité : que rationaliste égaré parmi les romantiques, athée parmi des déistes, cet homme (…) fut le plus efficace, le plus absolu, le seul conséquent des abolitionnistes » (Aimé Césaire, Introduction à : *Esclavage et civilisation*, déjà cité).

égalité-fraternité" ; considérant que si des mesures effectives ne suivaient pas de très près la proclamation déjà faite du principe de l'abolition, il en pourrait résulter dans les colonies les plus déplorables désordres, décrète : Article 1, l'esclavage sera entièrement aboli dans toutes les colonies et possessions françaises, deux mois après la promulgation du présent décret dans chacune d'elles... (suivent huit autres articles). Fait à Paris, en Conseil de gouvernement le 27 avril 1848. Les membres du gouvernement provisoire. »

Sur place en Amérique du Vent on ne glissera certes pas facilement du noir au rosé, si j'ose dire. Trente ans plus tard, on parlera encore là-bas des innombrables méfaits de l'abolition ; la presse blanche n'en finira pas d'y remâcher la nécessité de rétablir l'esclavage, et de théoriser ferme sur l'infériorité et l'animalité des Noirs[23]. Mais un pas définitif est donné avec l'abolition de 1848.

Certes, l'environnement international, politique et économique, exigeait l'abolition avec plus de force encore au milieu du XIXe siècle qu'il ne le faisait soixante ans plus tôt. Il convient néanmoins de souligner le courage et la ténacité d'un homme, dont les motivations ne semblent pourtant pas avoir été celles de quelqu'un qui aurait abreuvé son esprit à la source pure des Lumières. Un courage, une ténacité sans lesquels le Noir aurait eu droit aux fers et à l'inexistence juridique pendant Dieu sait combien de décennies encore[24].

Et la traite ? Interdite dans sa forme officielle et classique dès avril 1818, elle ne s'effondre pas, loin s'en faut. Le trafic des négriers – illégal, mais réalisé au vu et au su de chacun – sera considérable jusqu'en 1833 au moins ; endémique et moribond, il n'en finit pas de ne pas désarmer. Illégal, ce trafic dont la France se débarrasse en suivant sans aucune originalité l'exemple de l'Angleterre est pratiqué encore après l'abolition. Sur d'autres itinéraires. Sans trop d'aménagements par rapport aux vieilles méthodes[25]. À ce propos, « le mouvement abolitionniste français reste silencieux (...) En fait *L'Aboli-*

23. Schoelcher, *L'immigration aux colonies*, Paris, 1883, p. 14.
24. Schoelcher relève que la fonction publique se ventile racialement à la Martinique en 1881 de la façon suivante : sur 138 fonctionnaires, il y a 99 Blancs, 38 métis, 1 Noir (agent de police) (archives Schoelcher, citation Cohen, p. 288).
25. Entre 1852 et 1861, des négriers français font des percées en Afrique de l'Est et de l'Ouest, s'y procurent des « esclaves », les « émancipent » et les envoient aux Antilles et à la Réunion. Pendant ces années, de 10 000 à 15 000 Africains sont débarqués aux Caraïbes, 35 000 environ à la Réunion (Ph. D. Curtin, *The Atlantic Slave Trade*. A Census, Madison (Wisc.), 1969). Ce genre de trafic n'était, chacun en convenait, que la continuation de la traite.

tionniste français, son organe principal, prôna en 1849 l'adoption d'un système semblable pour l'Algérie »[26].

Pourquoi l'Algérie ? Nous sommes à l'heure de la poussée française en Afrique continentale. La France ne veut plus chasser seulement dans le continent austral. Elle entend y rester. L'inonder, probablement, de ses Lumières ; y faire naître le soleil d'un autre matin.

À l'horizon, Ferry. Et le traité de Berlin : 1885, sinistre célébration du deuxième centenaire du Code Noir.

Au troisième centenaire, le sida sort de la clandestinité et moissonne au grand jour. La théorie est avancée – et très vite abandonnée – de la transmission du virus des singes verts d'Afrique aux Noirs, des Noirs au monde : une aubaine pour le racisme de base. À Paris des graffiti énoncent dans les couloirs du métro, et dans ceux de la Sorbonne, cette stupéfiante équation : « Noirs = Singes verts ».

26. W. B. Cohen, p. 267.

Bibliographie

Adresse à l'Assemblée générale pour l'abolition de la traite des Noirs. Par la Société des Amis des Noirs de Paris, Paris, 1790.
Aphra Ben, *Oroonoko, or the Royal Slave*, Londres, 1688.
Aristote, *La politique*, trad. J. Tricot, Paris, 1982.
Augustin, *La Cité de Dieu*, éd. bilingue, Madrid, BAC, 1969.
Balmas, E., *La scoperta dell'America e le lettere francesi del Cinquecento. Buon selvaggio e terzo mondo*, Milano, 1971.
Bastide, R., *Les Amériques noires : les civilisations africaines dans le Nouveau Monde*, Paris, 1967.
Bataillon, M., Las Casas face à la pensée d'Aristote sur l'esclavage, in *Platon et Aristote à la Renaissance*, Paris, 1976.
Bataillon, M., et Saint-Lu, A., *Las Casas et la défense des Indiens*, Paris, 1971.
Benot, Y., *Diderot, de l'athéisme à l'anticolonialisme*, Paris, 1970.
Biondi, C., *Mon frère, tu es mon esclave ! Teorie schiaviste e dibattiti antropologico-raiziali nel Settecento francese*, Pisa, 1973.
Biondi, C., *Ces esclaves sont des hommes. Lotta abolizionista e letteratura negrofila nella Francia del Settecento*, Pisa, 1979.
Bonnemain, A. J. T., *Régénération des colonies, ou moyen de restituer graduellement aux hommes leur état politique, et d'assurer la prospérité des nations ; et moyens pour rétablir promptement l'ordre dans les colonies françaises*, Paris, 1792.
Brissot, J.-P., *Mémoire sur les Noirs d'Amérique septentrionale*, Paris, 1789.
Cabon, A., *Histoire d'Haïti*, Port-au-Prince, 1936.
Carlier, *De l'esclavage dans ses rapports avec l'Union américaine*, Paris, 1862.
Castelli, *De l'esclavage en général et de l'émancipation des Noirs*, Paris, 1844.
Cavazzi, G., *Istorica descrizione de' tre regni : Congo, Matamba et Angola*, Bologna, 1687.

Césaire, A., *Discours sur le colonialisme*, Paris, 1955.
Césaire, A., *Introduction à Schoelcher, Esclavage et colonisation. Choix de textes*, Paris, 1948.
Chambon, *Le commerce de l'Amérique par Marseille*, Avignon, 1764.
Charlevoix, Fr. X., *Histoire de l'île espagnole de Saint-Domingue*, Paris, 1730 et 1731.
Chaunu, P., *L'Amérique et les Amériques*, Paris, 1964.
Chaunu, P., *Conquête et exploitation des Nouveaux Mondes*, Paris, 1969.
Cohen, W. B., *Français et Africains. Les Noirs dans le regard des Blancs, 1530-1880*, trad. de l'anglais par Camille Garnier, Paris, 1981.
Condorcet, J. A. N. de Caritat (marquis de), *Réflexions sur l'esclavage des Nègres. Par M. Schwartz, Pasteur du Saint-Évangile à Bienne, Membre de la Société économique de Bxxx*, Neufchâtel et Paris, 1788.
Condorcet, J. A. N. de Caritat (marquis de), *Au corps électoral, contre l'esclavage des Noirs* (in *OC*, Brunswick et Paris, 1804, t. 16).
Condorcet, J. A. N. de Caritat (marquis de), *Esquisse d'un tableau historique des progrès de l'esprit humain*, Paris, 1795.
Cugoano, O., *Réflexions sur la traite et l'esclavage des Nègres, traduites de l'anglais d'Ottobah Cugoano, Africain, esclave à la Grenade et libre en Angleterre, par Antoine Diannyère*, Londres et Paris, 1788.
Curtin, Ph. D., *The Atlantic Slave Trade*, Madison (Wisc.), 1969.
Daget, S., Les mots « esclave, Nègre, Noir » et les jugements de valeur sur la traite négrière dans la littérature abolitionniste française de 1770 à 1845, in *Revue française d'Histoire d'outre-mer*, 1973, n. 221.
Davis, D. B., *The Problem of Slavery in the Age of Revolution, 1770-1783*, New York, 1975.
Debbasch, Y., *Couleur et liberté, le jeu du critère ethnique dans un ordre juridique esclavagiste*, Paris, 1967.
Debien, G., *Les engagés pour les Antilles, 1632-1715*, Paris, 1951.
Debien, G., *Les esclaves aux Antilles françaises, XVIIe-XVIIIe siècle*, Guadeloupe, 1974.
Debien, G., *Planteurs et esclaves à Saint-Domingue*, Dakar, 1962.
Delacampagne, Chr., *L'invention du racisme*, Paris, 1983.
Delaporte, J., *Voyageur français ou connaissance de l'Ancien et du Nouveau Monde*, Paris, 1765-1793.
Delasalle, S., et Valensi, L., Le mot « Nègre » dans les dictionnaires français de l'Ancien Régime : Histoire et lexicographie, in *Langue française*, 15, 1972.
Deschamps, H., *Histoire de la traite des Noirs de l'Antiquité à nos jours*, Paris, 1971.
Deschamps, L., *Histoire de la question coloniale en France*, Paris, 1891.
Des Essars, V., *Discours et projet de loi pour l'affranchissement des Nègres, et réponse aux objections des colons*, Paris, 1790.
Deslozières, B., *Les égarements du négrophilisme*, Paris, 1802.

Dessalles, P. R., et Dessalles, A., *Histoire générale des Antilles*, Bergerac, 1786, et Paris, 1847-1848.
Devèze, M., *Antilles, Guyanes, la mer des Caraïbes de 1492 à 1789*, Paris, 1977.
Discours sur la nécessité d'établir à Paris une société pour concourir, avec celle de Londres, à l'abolition de la traite et de l'esclavage des Nègres, Paris, 1788.
Duchet, M., *Diderot et l'Histoire des deux Indes, ou l'écriture fragmentaire*, Paris, 1978.
Duchet, M., *Anthropologie et histoire au siècle des Lumières*, Paris, 1971.
Durand-Molard, *Code de la Martinique*, Martinique, 1807-1814.
Du Tertre, J. B., *Histoire générale des Ante-Isles habitées par les françois*, Paris, 1667-1671.
Ehrard, J., *L'idée de nature en France dans la première moitié du XVIII*e *siècle*, Paris, 1963.
Esclavage des Nègres aboli, ou Moyens d'améliorer leur sort (anonyme), Paris, 1789.
Fanon, Fr., *Peau noire, masques blancs*, Paris, 1952.
Fanon, Fr., *Les damnés de la Terre*, Paris, 1961.
Fanoudh-Siefer, L., *Le mythe du Nègre et de l'Afrique noire dans la littérature française*, Paris, 1968.
Fayet, C., *Esclavage et travail obligatoire. La main-d'œuvre volontaire en Afrique*, Paris, 1931.
Félice, G. de, *Émancipation immédiate et complète des esclaves : appel aux abolitionnistes*, Paris, 1846.
Fontenelle, *Les lettres galantes*, Paris, 1683.
Fouchard, J., *Les marrons de la liberté*, Paris, 1972.
Frossard, B. S., *Observations sur l'abolition de la traite des Nègres. Présentées à la Convention nationale*, Paris, 1793.
Frossard, B. S., *La cause des esclaves nègres et des habitants de la Guinée*, Lyon, 1789.
Gaston-Martin, *L'ère des négriers (1714-1774)*, Paris, 1931.
Gaston-Martin, *Histoire de l'esclavage dans les colonies françaises*, Paris, 1948.
Giraud, M., *Races et classes en Martinique*, Paris, 1979.
Girod-Chantrans, *Voyage d'un Suisse dans différentes colonies d'Amérique*, Neuchâtel, 1785.
Gisler, A., *L'esclavage aux Antilles françaises (XVII*e*-XIX*e *siècle). Contribution au problème de l'esclavage*, Paris, 1981.
Gonsalvez de Mello, J. A., *Tempo de Flamengos, influencia de ocupaçao holandesa na vida e na cultura de Norte do Brasil*, Rio de Janeiro, 1947.
Grégoire, H. B., *Mémoire en faveur des gens de couleur ou sang-mêlé de Saint-Domingue, et des autres îles françaises de l'Amérique*, Paris, 1789.
Grégoire, H. B., *Lettre aux philanthropes sur les malheurs, les droits et les réclamations des gens de couleur de Saint-Domingue et des autres îles françaises de l'Amérique*, Paris, 1790.

Grégoire, H. B., *Lettre aux citoyens de couleur et Nègres libres de Saint-Domingue et des autres îles françaises de l'Amérique*, Paris, 1791.

Grunebaum-Ballin, P. F., *Henri Grégoire, l'ami des hommes de toutes les couleurs*, Paris, 1948.

Guillaume Postel, *Cosmographicae disciplinae compendium*, Basel, 1561.

Helvétius, Cl. A., *De l'homme, de ses facultés intellectuelles et de son éducation*, Londres, 1773.

Hilliard d'Auberteuil, *Considérations sur l'état présent de la colonie française de Saint-Domingue*, Paris, 1782.

Histoire des désastres de Saint-Domingue (anonyme), Paris, 1795.

Hoffmann, L. Fr., *Le nègre romantique*, Paris, 1973.

Höffner, J., *Christentum und Menschenwurde. Das Anliegen des Spanischen Kolonialethik in Goldener Zeitalter*, Trèves, 1947.

Isambert, *Recueil général des anciennes lois françaises*, Paris, 1776 et s.

James, C. L. R., *Les jacobins noirs. Toussaint Louverture et la révolution de Saint-Domingue*, trad. de l'anglais par Pierre Naville, Paris, 1983.

Jameson, R. P., *Montesquieu et l'esclavage. Étude sur les origines de l'opinion anti-esclavagiste en France au XVIIIe siècle*, Paris, 1911.

Julien, Ch. A., *Histoire de l'Afrique*, Paris, 1955.

Kersaint, A. G., *Moyens proposés à l'Assemblée nationale pour rétablir la paix et l'ordre dans les colonies*, Paris, 1792.

Labat, J. B., *Nouveau voyage aux îles de l'Amérique*, Paris, 1722.

Labat, J. B., *Nouvelle relation de l'Afrique-Occidentale*, Paris, 1728.

Labat, J. B., *Voyage du chevalier des Marchais en Guinée, îles voisines et à Cayenne*, Paris, 1731.

Lamet-Fromageau, *Dictionnaire des cas de conscience décidés suivant les principes de la morale*, Paris, 1733.

La Roncière, Ch. de, *Nègres et négriers*, Paris, 1933.

Las Casas, B. de, *Très brève relation de la destruction des Indes* et *Trente propositions très juridiques*, Paris, 1974.

Lebeau, A., *De la condition des gens de couleur libres sous l'Ancien Régime*, Paris, 1903.

Le Code Noir, ou recueil des règlements rendus jusqu'à présent concernant le gouvernement, l'administration de la justice, la police, la discipline et le commerce des Nègres dans les colonies françaises et les conseils et compagnies établis à ce sujet, Paris, 1742.

Lecointe-Marsillac, *Le More Lack, ou Essai sur les moyens les plus doux et les plus équitables d'abolir la traite et l'esclavage des Nègres d'Afrique en conservant aux colonies tous les avantages d'une production agricole*, Londres et Paris, 1782.

Lescallier, D., *Réflexions sur le sort des Noirs dans nos colonies*, Paris, 1789.

Lettres des diverses Sociétés des Amis de la Constitution qui réclament les droits de citoyen actif en faveur des hommes de couleur des colonies, Paris, 1791.

Linstant, S., *Essai sur les moyens d'extirper les préjugés des Blancs contre la couleur des Africains et des sang-mêlé*, Paris, 1841.
Magalhaes Godinho, V., *O Mediterraneo Saariano e as caravanas do ouro. Geografia económica e social do Sáara Occidental e Central du XI au XVI século*, São Paulo, 1956.
Malouet, P. V., *Mémoire sur l'esclavage des Nègres*, Paris, 1788.
Malouet, P. V., *Collection de mémoires et correspondances officielles sur l'administration des colonies*, Paris, 1791-1792.
Martino, P., *L'Orient dans la littérature française aux XVIIe et XVIIIe siècles*, Paris, 1906.
Maurel, B., *Saint-Domingue et la Révolution française. Les représentants des colons en France de 1789 à 1795*, Paris, 1943.
Maurile de Saint-Michel, *Voyages des îles Camercanes*, 1652.
M'Bow, A. M., Ki-Zerbo, J., Dévisse, J., *La traite négrière du XVIIIe au début du XIXe siècle*, Paris, 1965.
McCloy, Sh. T., *The negro in French west Indies*, Lexington, 1966.
Meillassoux, Cl., *Anthropologie de l'esclavage. Le ventre de fer et d'argent*, Paris, 1986.
Mercier, S., *Tableau de Paris*, éd. abrégée, Paris, 1853.
Mercier, L. S., *L'an 2440*, Paris, 1770.
Mercier, R., *L'Afrique noire dans la littérature française : les premières images (XVIIe-XVIIIe siècle)*, Dakar, 1962.
Merle, M., *L'anticolonialisme européen de Las Casas à Marx*, Paris, 1969.
Mettas, J., *Répertoire des expéditions négrières françaises au XVIIIe siècle*, Paris, 1978.
Michiels, A., *Le capitaine Firmin, ou la vie des Nègres en Afrique*, Paris, 1853.
Mims, St. L., *Colbert's West India Policy*, New Haven, 1912.
Montesquieu, *De l'esprit des lois*, Paris, 1748.
Moravia, S., *Il tramonto dell'Illuminismo. Filosofia e politica nella società francese (1770-1810)*, Bari, 1968.
Moreau de Saint-Méry, M. L. E., *Lois et Constitutions des Colonies françaises de l'Amérique sous le Vent de 1550 à 1785*, Paris, 1784-1790.
Morenas, J. E., *Précis historique de la traite des Noirs et de l'esclavage colonial*, Paris, 1828.
Néron-Girard, *Recueil d'édits et ordonnances royaux sur le fait de la justice et autres matières importantes*, Paris, 1713.
Nicolson, P., *Essai sur l'histoire naturelle de l'île de Saint-Domingue*, Paris, 1776.
Nys, E., L'Esclavage noir devant les jurisconsultes et les cours de justice, in *Revue de Droit et de Législation comparée*, I, n° 22, 1896.
Pauw, Cornelius de, *Recherches sur les Américains*, Paris, 1774.
Perbal, R. P., *Le missionnaire français et le nationalisme*, Paris, 1939.
Petit, E., *Droit public ou gouvernement des colonies françaises d'après les lois faites pour ces pays*, Paris, 1771.

Petit, E., *Traité sur le gouvernement des esclaves*, Paris, 1777.
Peytraud, L., *L'esclavage aux Antilles françaises avant 1789. D'après des documents inédits des Archives nationales*, Paris, 1897.
Prévost d'Exiles, *Histoire générale des voyages ou Nouvelle collection de toutes les relations de voyages par mer et terre*, Paris, 1746-1759.
Pruneau de Pommegorge, *Description de la Nigritie*, Amsterdam, 1789.
Raynal, G. Th., *Histoire philosophique et politique du commerce et des établissements des Européens dans les deux Indes*, Paris, 1772. Choix de textes, par Yves Benot, Paris, 1981.
Real, I., La aristocracia criolla venezolana y el Código Negrero, in *Revista de Historia*, II, Caracas, 1961.
Rennard, J., *Histoire religieuse des Antilles des origines à 1914, d'après des documents inédits*, Paris, 1954.
Réponse à M. Malouet sur l'esclavage des Nègres. Par un membre de la Société des Amis des Noirs, Paris, 1789.
Révolution française et abolition de l'esclavage, Paris, 1968. En 12 volumes, cette collection comprend 99 titres, répartis en 4 séries : La traite des Noirs et l'esclavage, La Société des Amis des Noirs, La révolte des Noirs et des Créoles, La législation nouvelle.
Rigord, *Observations sur quelques opinions relatives à l'esclavage émises à la Chambre de Paris*, Port-Royal, 1845.
Rinchon, D., *La traite et l'esclavage des Congolais par les Européens, histoire de la déportation de 13 250 000 Noirs en Amérique*, Bruxelles, 1929.
Robinet, J.-B., *Considérations philosophiques de la gradation naturelle des formes de l'être*, Paris, 1768.
Rodney, W., *West Africa and the Atlantic slave trade*, Nairobi, 1969.
Rousseau, J.-J., *Le discours sur l'origine de l'inégalité parmi les hommes*, 1755.
Rousseau, J.-J., *Du Contrat social*, Amsterdam, 1762.
Rousselot de Surgy, J. Ph., *Mélanges intéressants et curieux, ou Abrégé d'Histoire naturelle, morale, civile et politique de l'Asie, de l'Afrique et des Terres polaires*, Paris, 1763-1765.
Rouvellat de Cussac, J. B., *Situation des esclaves dans les colonies françaises, urgence de leur émancipation*, Paris, 1845.
Saintoyant, J., *La colonisation française pendant la Révolution, 1789-1799*, Paris, 1930.
Saintoyant, J., *La colonisation française pendant la période napoléonienne, 1799-1815*, Paris, 1931.
Satineau, M., *Schoelcher, héros de l'abolition de l'esclavage dans les possessions françaises*, Paris, 1948.
Savary, *Dictionnaire universel du commerce*, Paris, 1723.
Schefer, Ch., *La France moderne et le problème colonial*, Paris, 1907.
Schoelcher, V., *Les colonies françaises*, Paris, 1852.
Schoelcher, V., *Esclavage et colonisation, choix de textes*, Paris, 1948.
Schoelcher, V., *De l'esclavage des Noirs et de la législation coloniale*, Paris, 1833.

Schoelcher, V., *L'immigration aux colonies*, Paris, 1883.
Schoelcher, V., *Histoire de l'esclavage pendant les deux dernières années*, Paris, 1847.
Schoelcher, V., *Polémique coloniale*, Paris, 1882.
Sgard, J., *Le « Pour et contre » de Prévost*, Paris, 1969.
Slave Insurrections : selected documents, Westport, 1970.
Stackelberg, J. von, *Négritude. Texten zur Geschichte des französischen Kolonialismus und seiner Uberwindung*, Berlin, 1976.
Studi sull'uguaglianza (plusieurs auteurs), Pisa, 1973.
Tannenbaum, F., *Slave and Citizen*, New York, 1946.
Torres Revello, J., Origen y aplicación del Código Negrero en America Española, 1788-1794, in *Boletin del Instituto de Investigación Histórica, XV*, Buenos Aires, 1932.
Trayer, *Étude historique de la condition légale des esclaves dans les colonies françaises*, Paris, 1887.
Unesco, *The African Slave-Trade from the 15th to the 19th Century*, Paris, 1979.
Verlinden, Ch., *L'esclavage dans l'Europe médiévale*, Bruges, 1955.
Vissière, I. et J.-L., *La traite des Noirs au siècle des Lumières*, Paris, 1982.
Vitoria, Fr. de, *Relecciones sobre los indios y el derecho de guerra*, éd. Madrid, 1975.
Walckenaer, C. A., *Collection des relations de voyages par mer et par terre en différentes parties de l'Afrique depuis 1400 jusqu'à nos jours*, Paris, 1842.
Walmin, J., *Black and White : The Negro and English Society, 1555-1945*, Londres, 1973.
Weber, H., *La Compagnie française des Indes, 1604-1875*, Paris, 1904.
Wolpe, H., *Raynal et sa machine de guerre : l'Histoire des deux Indes et ses perfectionnements*, Stanford (Calif.), 1957.
Zadoc, *L'esclavage selon la Bible et le Talmud*, Paris, 1867.
Zavala, S., *El mundo americano en la época colonial*, Mexico, 1967.
Zavala, S., *Servidumbre y libertad cristiana según los tratadistas españoles de los siglos XVI y XVII*, Buenos Aires, 1944.
Zavala, S., *Filosofia de la Conquista*, Mexico, 1972.

Index des noms propres

Afin d'éviter une surcharge inutile, cet index ne renvoie ni à la table des repères chronologiques (p. 7-12), ni à la bibliographie (p. 275 et s.).

Adam, 20, 29.
Albert le Grand, 30.
Alexandre VI, 41, 54.
Algérie, 274.
Allemagne, 87.
Alonso de Sandoval, 65 n.
Amsterdam, 87.
Angleterre, 14, 47, 91, 115, 256, 257, 273.
Antoine, 217.
Aphra Ben, 27.
Arago, 1, 272.
Aristote, 1, 36 et s., 45, 46, 217, 220, 222.
Arizona, 91.
Aufklärung, 75.
Augustin, 20, 29-33, 41, 242, 247.

Bañez, 38.
Barbarie, 242.
Barbeyrac, 245.
Bartolomé de Albornoz, 64-65.
Battel, 241.
Beecher-Stowe, 33 n.
Begon, 154.
Bénin, 253 n.
Benot, 251 n., 253 n.
Berlin, 274.
Bernardin de Saint-Pierre, 121 n., 248, 264.
Bernardo de Mesa, 46.
Bernardo de Vique, 58 n., 63 n.
Bernier, 27 n.
Bible, 1, 5, 15 et s., 28, 29 n., 32 n., 38 n., 40, 41 n., 48, 173, 194, 196, 202 n.
Biondi, 5, 27, 51, 77.
Blenac, 80 n., 154.
Bodin, 42, 45.
Bonaventure, 30.
Bonne-Espérance, 240.
Bonnemain, 34, 39 n., 64, 259-260, 262-263, 266, 267.
Bordeaux, 86, 229.
Bossuet, 59, 141.
Brésil, 62, 87, 89-91, 114.
Buffon, 4, 194, 236, 237, 242, 267.

Cabon, 193 n.
Calbari, 253 n.
Californie, 91.
Camper, 27 n.
Canaan, 16, 18, 30, 31, 32-33, 38, 43, 54, 150, 194, 215, 264.
Cap, 25, 152, 155.
Caraïbes, 243.
Carlier, 105 n.
Casamance, 25.
Castelli, 179 n.
Castille, 21, 23, 28, 87, 234.
Cavazzi, 51.
Cayenne, 152.
Césaire, 150, 255, 270 n., 272 n.
Cham, 16, 18, 23, 28, 30-33, 38, 41, 54, 60, 80, 215, 264, 267.
Chambon, 76 n.
Charles V, 22, 23, 253.
Charlevoix, 112 n.

Châtelet, 77.
Chine, 241.
Christophe Colomb, 45, 54.
Clarkson, 269.
Claude, 224.
Cohen, 5, 27, 77.
Colbert, 70, 80 n., 86, 137, 196, 232.
Compagnies négrières, 2, 54 n., 57, 78, 84, 85, 210, 239.
Condillac, 242.
Condorcet, 202, 258, 266-267.
Constance (concile de), 41 n.
Constitution française, 260, 264 n.
Convention, 256-258.
Cugoano, 14 et s., 34, 43, 71, 73, 98, 200-206, 267.
Cuvier, 27 n.

D'Alembert, 242, 250.
Danemark, 65, 243, 244, 247 n.
Danton, 257, 268.
Dauphiné, 46.
Debbach, 169.
Debien, 40 n.
De Lamet, 58 n.
Delaporte, 251.
Delisle de Sales, 26 n.
Descartes, 42.
Deslozières, 52, 268.
De Soto, 38, 65 n.
Dessalles, 76 n., 112, 121 n., 132 n., 134, 165, 175.
Devèze, 118 n., 124 n., 169.
Diderot, 242, 246, 248, 250, 252-254, 264.
Diego de Avedaño, 65 n.
Dodun, 197.
Drapper, 241.
Droit romain, 146-147, 148, 150-151, 173, 177, 182-183, 188-189, 226.
Duc d'Orléans, 99.
Duchet, 252 n.
Duclos, 242.
Durand-Molard, 76 n., 195 n., 207 n.
Du Tertre, 57 n., 59, 138, 240.

Édit de Nantes, 18, 66, 74, 90, 100.
Église, 18, 24.
Égypte, 242.
Empire français, 6, 258.
Encyclopédie, 76, 78 n., 249 n., 250 n.
Érasme, 45.
Espagne, 2, 22, 23, 38, 45, 90, 91, 234, 257.
Éthiopie, 24.

Fauque, 161.
Fénelon, 42.
Fleuriau, 197.
Floride, 90, 91, 243.
Fontainebleau, 18, 66, 91, 94.
Fontenelle, 26.
François d'Assise, 33.
François de Paris, 42 n.
Frédéric-Henri de Hollande, 241.
Friederici, 64.
Fromageau, 58 n.
Frossard, 264.

Gabon, 253 n.
Gaston-Martin, 98 n., 270 n.
Germanie, 226.
Girard, 76 n., 246.
Girod-Chantrans, 113 n.
Gisler, 5, 42, 77, 169.
Godefroid de Fontaine, 25 n.
Godfried Udemans, 62.
Gonsalvez de Mello, 218 n.
Gratien, 37.
Grégoire, 257, 258, 263, 267.
Grenade, 14, 18, 166.
Grotius, 232, 239, 255.
Grunebaum-Ballin, 269 n.
Guadeloupe, 103, 109, 135, 165, 193, 268.
Guillaume Postel, 24 n., 25 n.
Guillemain, 232 n., 244 n.
Guinée, 242.
Guyane, 60, 79, 87, 132.

Haneteau, 113.
Hegel, 75.
Helvetius, 251.
Henri Bate, 25 n.
Henri de Suse, 41 n.
Henrion de Pansey, 248.
Hercules, 243, 245.
Herder, 205 n.
Hérodote, 19, 23.
Hilliard d'Auberteuil, 192, 207 n., 259.
Hoffmann, 256 n.
Höffner, 25 n.
Hollande, 86, 87, 91, 241.
Homère, 266 n.
Hongrie, 87.
Hotzenplotz, 49.

Ignace de Loyola, 6, 26 n.

Ildefonso Real, 218 n.
Île Bourbon, 79.
Île de Cayenne, 132.
Indes orientales, 242.
Inquisition, 26, 87, 216.
Isambert, 76 n.
Isidore de Séville, 30.
Islande, 243, 244.
Israël, 21.

Japhet, 16, 18, 31, 34, 48.
Japon, 242.
Jaucourt, 250.
Jean Major, 45.
Josué, 23 n.
Jules Ferry, 274.
Julien C. A., 37 n.
Jupiter, 266 n.
Justinien, 217, 255.

Kelsen, 66.
Kempfer, 242.
Kersaint, 55 n.
Kolben, 240, 242.
Kouch, 24.

Labat, 51, 55, 76, 138, 157, 219, 220, 246, 251.
La Boétie, 42.
Lacédémonie, 221, 229.
Lamartine, 271 n.
La Place, 27.
La Roncière, 98 n.
Las Casas, 38, 39, 41 n., 45-46, 47, 54 n., 57 n., 65, 253, 254.
Le Brasseur, 60 n.
Leclerc, 269.
Lecointe-Marsillac, 203 n.
Leibniz, 42.
Lemeyre, 42 n.
Le Pers, 17 n.
Lescallier, 261, 262.
Le Tellier, 196.
Linguet, 251.
Locke, 245.
Louis du May, 50 n.
Louis-Philippe, 270, 272.
Louis XIII, 55, 56, 219.
Louis XIV, 3, 18, 23, 70, 84, 86, 137, 196, 232, 244-247.
Louis XV, 85, 197.
Louis XVI, 139, 171.
Louisiane, 60, 79, 80, 94, 197.
Loysel, 173.

Macandal, 117.
Macao, 155.
Machiavel, 222 n.
Malebranche, 42.
Malembo, 253 n.
Malenfant, 93, 121 n.
Malouet, 60 n., 251, 262.
Manche, 247.
Margat, 160.
Maroc, 242.
Martineau, 113.
Martinique, 56, 86, 114, 131, 166, 196, 257, 264, 268.
Mercier, 27 n., 251, 252.
Merolla, 241.
Michiels, 33, 52, 53.
Mirabeau, 248.
Moïse, 15, 225.
Molina, 31, 38.
Montesquieu, 29, 42, 79, 137, 146, 147, 202, 215-222, 224-231, 236, 237, 240, 242, 244, 245, 247, 251, 252, 267.
Moreau de Saint-Méry, 76 n., 138, 152, 164, 183, 191 n.
More Lack, 73, 151, 200, 203-205.
Morenas, 270 n.

Napoléon, 5, 141, 215, 268-269.
Néron, 76 n., 246.
Nicolas V, 54, 55.
Nicolas Trevet, 25 n.
Nicolson, 128 n.
Nigritie, 247.
Noé, 15, 16, 19, 20, 30.
Normandie, 46.
Nouveau-Mexique, 91.
Nouvelle-Amsterdam, 87.
Nubie, 24.

Ogé, 257 n.
Olaf, 49.
Oronoko, 27.
Othello, 27.

Palacios Rubios, 46.
Pascal, 42.
Patoulet, 80 n., 154.
Paul III, 22-23 n.
Pays des Cafres, 242.
Petit, 61 n.
Peytraud, 5, 66 n., 138, 159, 164, 166, 169, 173.
Phelypeaux, 197.
Pierre Claver, 33.

Pitt, 257.
Platon, 35, 222, 226.
Plutarque, 217, 230.
Poivre, 248.
Pologne, 87.
Port-au-Prince, 152.
Portugal, 2, 54, 55, 86, 87, 91.
Prêtre Jean, 26 n.
Prévost, 17 n., 251.
Ptolomée, 45.
Ptolomée de Lucques, 45 n., 46 n.
Puffendorff, 246 n.
Purchass, 241.

Rabelais, 42 n.
Raymond de Penyafort, 37.
Raynal, 39 n., 51, 76, 248-249, 251-252, 253, 254, 258, 264, 267.
Recife, 62.
Requerimiento, 41 n., 46, 58 n.
Restauration, 269.
Richelieu, 86, 90.
Rigord, 271 n.
Rinchon, 98 n.
Robespierre, 248 n.
Rois catholiques, 2, 41, 53.
Rome, 145, 226, 234.
Rousseau, 65, 130, 231-248, 251, 252, 267.
Rousselot, 50.
Rouvellat de Cussac, 133 n., 137.
Rufin, 37.

Saint-Christophle, 196.
Saint-Domingue, 1, 73, 74, 115, 159, 164, 196 n., 256, 257, 262, 264, 265, 268, 269.
Saint-Malo, 155.
Saintoyant, 257 n.
Saint-Siège, 132.
Sainville, 193 n., 269 n.
Sancho Pança, 247.
Saturne, 230.
Savary, 76 n., 206 n., 228.
Schoelcher, 5, 109, 141, 175, 271, 272, 273.
Sem, 16, 31.
Sénégal, 17.
Sepúlveda, 28 n., 230, 247.
Shakespeare, 27.
Sicile, 47.
Socrate, 35.
Sonthonax, 256.
Sorbonne, 45, 58-59, 63, 274.
Soudan, 25.
Suarez, 30, 38, 42, 255.
Sully-Brunet, 175.
Surate, 78.

Tacite, 217, 224, 255.
Texas, 91.
Thevet, 42 n.
Thomas d'Aquin, 30, 37, 45-46, 58 n., 202 n.
Tocqueville, 271.
Torres Revello, 218 n.
Tournemine, 24 n.
Toussaint Louverture, 256.
Trayer, 175, 181, 281.
Turquie, 242.

Utrecht, 90.

Vatican I (concile de), 34 n.
Verlinden, 37 n.
Versailles, 1, 6, 18, 94, 113, 149, 196, 197, 209, 211, 246.
Viefville des Essars, 260-261.
Vitoria, 38, 41 n., 58, 63 n.
Vivès, 45.
Voltaire, 4, 267.

Wilberforce, 269.

Zavala, 45, 63, 64.

Ouvrage composé par IGS-CP
à L'Isle-d'Espagnac (16)

Imprimé en France
par JOUVE
1, rue du Docteur Sauvé, 53100 Mayenne
octobre 2018 - N° 2794988M

JOUVE est titulaire du label imprim'vert®